AVNİ ANIL - GÜNBEY ZAKOĞLU

GÜFTELER

«TÜRK SAN'AT MUSIKÎSÎ SÖZLÜ ESERLERİ...»

(II)
(ACEM - ZÂVİL)

1992
İSTANBUL

İsteme Adresi:

GÜNBEY ZAKOĞLU
İ. M. Ç. 6. Blok No. 6608
Unkapanı - İstanbul
Tel : 511 06 07 - 519 05 88
Fax : 526 16 27

TK. No.: ISBN 975-7383-00-7
ISBN 975-7383-02-3 (2. cilt)

Basıldığı Yer:

ANADOLU BASIM ve YAYIMCILIK
İ. M. Ç. 6. Blok No: 6608 Unkapanı - İstanbul
Tel : 511 06 07 - 519 05 88 Fax : 526 16 27

SUNUŞ
-II-

Türk San'at Musıkîsi Sözlü Eserlerimizin ikinci cildi-
ni de elimizden geldiğince hatâsız ve eksiksiz
sunmaya çalıştık. Bu ciltde de yine Acem'den
Zavil'e kadarki güfteleri bulacaksınız.

Şimdi Merhum Hocam Hilmi Soykut'un notlarına
biraz daha eğilelim:
Yeni Şarkı güftelerinde olduğu gibi, bazı eski
güftelerde de öyle senli-benli lâflar edilmiştir ki,
insan bunların mısralara nasıl lâyık görüldüğüne
hayret etmekten geri kalamıyor.. Meselâ:

«Ülfetin geçti efendim arası
Bir gün olur düşer elbet sırası
Söylenilmez şimdi artık orası
Bir gün olur düşer elbet sırası..

Su gibi Göksu'ya cânâ akalım
Bâde-i aşk-u muhabbet çakalım
Keşf-i râz eyleyemem dur bakalım...»
Şu güftenin bazı kelimelerine ancak, gider ayak
yapılan sokak başı konuşmalarında rastlanır, sa-
nıyoruz...
Güftelerde aynı kelimenin muhtelif hallerini, yâni:
«Ben, bana, benden, benim» şekillerini veya aynı
fiilin çeşitli zaman veya şahıslarını, yâni: «Bilmem,
bilirim, bilmeyeceksin, bilmez» gibi sözleri birbiri
ardınca ve kıvâmı kaçıracak kadar tekrarlamak,

SUNUŞ

ifâdeye son derece ağırlık, hatta mânâ ve maznun-
lara da bunaltıcı bir hava verir:

«Bakma sakın benden yana
Küstüm, gücendim ben sana
Nâfile yalvarma bana
Küstüm, gücendim ben sana»

*

«Alsam seni âguşuma ey yâr-i sitemkâr
Öpsem seni, sevsem seni ey çeşm-i füsunkâr
Yandım sana, olsun bana bir gün de rehâ-kâr
Hicrânımı, ekdârımı kalbimde uyutsam»

*

«Çekemem cevrini çekmem yine ben şânını Of
Kaderimdir bana çekmek çekerim Of
Çekerek çilesini derd ile oldum me'lûf
Kaderimdir bana çekmek çekerim Of...»

Bir de «Alliteration-Aliterasyon» meselesi var. Alite-
rasyon belli bir sessiz harfin, bir kelime veya cümle
içinde, belli bir sesli harf yardımıyla ve fasılalarla
okunmasından meydana gelir. Güzel düşürü-
lebilirse hoş bir ebedî san'at telâkki edilir; harfler
isabetsiz seçilir veya aralıklar pek dar olursa
«Cacophonie-Ses uygunsuzluğu» hasıl olur ki, bu
da hiç makbul bir şey değildir. Meselâ:

«Üzdün, incittin, harâbettin, bitirdin sen beni»
Burada «Üzdün» ve «Beni» sözlerini dikkate
almazsak, aynı (i) sesli harfinin okuttuğu (n) harfle-
riyle bir aliterasyon yapılmış ve fâsılalar, okuyuşu
güçleştirmeyecek kadar geniş olduğu için aliteras-
yon makbul olmayan nevidendir:

«Mükedder derd-i peyderpeyle şimdi
Gönül eğlenmiyor bir şeyle şimdi
Ne meyle, ne nevâ-yi neyle şimdi
Gönül eğlenmiyor bir şeyle şimdi»

Görülüyor ki birinci mısradaki (d) ve (r) konson-
larının ve bilhassa meyân mısraındaki (n) harfleri-
nin birbirlerine pek yakın oluşu, âdetâ rekâket
vermektedir. Onun içindir ki, aliterasyon yaparken

SUNUŞ

gayet dikkatli olmalı ve yazılanı defalarca yüksek sesle okumadan, dilimizi yormadığına kaani olmadan karar vermemelidir...

Güfte (Vezinsiz-Kafiyesiz) olarak, yâni serbest nazım şeklinde yazılırsa mesele yok; fakat belli bir ölçü ile ve kafiyeli olarak yazılırsa, ölçü ve kafiyeye sâdık kalmak lâzımdır. Şimdilik ölçü bahsini ikinci plana bırakarak sâdece «kafiye»problemi üzerinde durmak genç «Güfte Yazarlarımız» için faydalı olur kanaatindeyiz.

«Kafiye» bir manzum yazının «Ritmik ses darbeleri» diye vasıflandırılabilir. Yâni, vezin, mısraın nasıl âhenkli temposunu teşkîl ediyorsa, «Kafiye» de mısraların bitişini haber veren tatlı sesli gonklardır... Bu gonk sesleri, manzum yazıyı okurken kendini belli ettiği gibi, manzumu melodiye okuduğumuz zaman da mevcudiyetini hissettirir.

«Kafiye» hususunda titiz olan şâirlerimizin mısralarındaki dış âhengi, kafiyelerin ustaca seçilişi sağlar. Bayağılığa düşmeden, bundan sonra mutlaka şu kelimeyle kafiye yapacak dedirtmeden, kulağı tırmalayacak sert harflerle dolu olmadan ve nihâyet beylik sözlere yer vermeden seçilen kafiye sözleri, güftenin dış âhengini sağlar, mısraları renklendirir ve hattâ ufak tefek bazı aksaklıkları kamufle eder.

Mısraa sonlarındaki kafiyelerden sonra «Redif» kullanılmışsa, bunların da mısraa ayrı bir ses güzelliği kattığında şüphe yoktur. Yalnız şu şartla ki, redifler de yumuşak ve kulağı okşayan kelimelerden seçilmeli ve başarılı kafiyelerden sonra kullanılmalı. Kafiye kuvvetli olursa redifler aynı kelimenin tekrarı olduklarını hissettirmezler bile.. Fakat kafiye zayıf veya belirsiz olursa, dikkat «redifler» üzerinde toplanacağı için, tekrarlama havası derhal kendini hissettirir ve bu da bir âhenk kusuru katar mısralara...

Şimdi çeşitli aksamalar gösteren kafiyelerden örnekler verelim:

SUNUŞ

A- Kafiye sert olduğu için, kulakta (Çarpma) tesiri yapıyor:

«Yattım o güzel sînede ben bir gece erken
Sevdâ diyerek ağladım hep yâri öperken
Gün doğmuş idi aşkımızı biz uyuturken
Sevdâ diyerek ağladım hep yâri öperken»

Bu güftede fazla olarak uygun düşmemiş kelimeler bulunduğu gibi, üçüncü mısrada da kafiye yoktur.

B- «Redif» yavaş tonlu olduğu için «Yarım Kafiye»lerin kusurunu örtüyor:

«Şu göğsüm yırtılıp baksam, dikenler aynı
                                      güldendir
Şikâyet bilmeyen kalbim kanar, hep aynı
                                      eldendir»
Bu dertten kurtulan yokmuş, duâlar hangi
                                      dildendir
Şikayet bilmem kalbim kanar, hep aynı
                                      eldendir.

Mısra sonlarındaki (-dendir) bölümleri rediftir.

*

C- «Redif» yavaş tonlu olduğu gibi, kafiyeler de isabetli seçildiği için âhenk gürleşiyor ve o nisbette de tatlılaşıyor:

«Bin hüzün çöktü yine gönlüme akşamla benim
Ülfetim var nice yıldan beridir gamla benim
Dönerim bekle beni sen deyiver, dönme yine
Bir ümid sun ne olur kalbime bir damla benim»

*

D- «Çok Redifli» fakat yumuşak tonlu olduğu için, güzel seçilmiş kafiyelerle kulağa haz veriyor:

«Mâtem-zedeyim külbe-i ahzânımı gel gör
Ey çeşm-i semâvî dil-i giryânımı gel gör
Yâdınla dolan dîde-i hicrânımı gel gör
Ey çeşm-i semâvî dil-i giryânımı gel gör»

*

E- «Redif» sert tonlu olmakla beraber, kafiyenin yumuşaklığı redifi himâyesine almış ve ahengi korumuştur:

«Efganıma yârim acep imdâd edecek mi
Bîhûde yere dil yine feryâd edecek mi

SUNUŞ

Vaslıyle bu hasretzedeyi şâd edecek mi
Bîhûde yere dil yine feryâd edecek mi

F- Mısralar redifli fakat kafiye yok denecek kadar zayıftır:

«Feyz-bahş-i cân iken âleme şirin gözler
Bir bakışta öldürür insanı baygın gözler
Mahvederler rûyuna her an bakan gözler
Bir bakışta öldürür insanı baygın gözler»

G- Mısrâlar çift redifli olduğu halde tamâmen kafiyesizdir:

«Hayrânım o güzel gözlerine cânân ben senin
Nigâhınla iltifât eyle esîrinim ben senin
Revâ mı bu genç yaşta kurbânın olayım ben
                                          senin
Cânâ kim ne derse desin sen benimsin, sen
                                          benim.»

H- Mısrâlar hem redifsiz, hem de kafiyesizdir:

«Bir şen gecenin hâtırası kaldı dilimde
Açtım yine bin yâre bana tâ can evimde
Sevdâ perîsi Marmara'nın nûr denizinde
Açtın yine bin yâre bana tâ can evimde.»

I- Ve nihayet (Kafiye)lerin (Bülbül, Gül, Sünbül), (Vefâ, Cefâ, Safâ) gibi dar kadrolu ve belli kelimelerden, yahut da (Doldu, Oldu, Soldu) gibi aynı zaman çekimli ve ister istemez birbirini hatırlatan fiillerden meydana gelmesi, mısrâları basitleştiriyor:

«Sürmesin mi âşıkın her dem seninle bir safâ
Bî-vefâsın sevdiğim bilmem neden sen bî-vefâ
Mündemîçtir lâl-i lebrizinde ey dil bin cefâ
Bî-vefâsın sevdiğim bilmem neden sen bî-vefâ»

«Nâr-ı firkat şû'lepâş oldukça sînem dağlıyor
Çağlıyor seller gibi eşk-i dü çeşmim çağlıyor
Yalnız dîdem değil, gönlüm de her an ağlıyor
Çağlıyor seller gibi eşk-i dü çeşmim çağlıyor»

SUNUŞ

Klasik Türk Müziği janrında besteler vücuda getiren sanatkârlarımız -mecbur kalmadıkça-aruz'dan başka ölçü ile yazılmış güftelere iltifat etmemişlerdir. Bunun sebebi aruz'un kısa ve uzun heceleriyle notalardaki zaman değerlerinin daha kolay bağdaşmasından başka bir şey değildir.

Bu hususu aydınlatması bakımından faydalı olacağına inandığım iki küçük hâtıramı şuracıkda arzedeyim:

Sayın Hoca, Bestekâr ve İcracı Emin Ongan dostumuz, bundan beş-altı yıl önce bana bir mektup yazmış ve Şarkı Güftesi istemişti. Daha evvel meydana getirdiği «Sûznâk» şarkının süksesi kendisine bu şevk ve arzuyu telkin etmiş olacaktı, sanıyorum,. «Hasretle yanan kalbile yetmiz gibi derdim»...

Evet, benden bir güfte isterken, bilhassa aruz vezninde olmasını rica edeceğim, demeyi de ihmal etmemişti. San'atkârın bu mâsum arzusunda gizli olan sebepleri bildiğim için sâdece, müsbet cevap vermekle iktîfâ etmiş ve neden aruz'la olacak diye sormayı lûzumsuz bulmuştum.

İkinci hâtıra da Avni Anıl ile aramızda geçen bir konuşma, daha doğrusu bir danışmadır. Usta bestekâr Anıl kardeşimiz günün birinde:

«Bir alev bir ışık senin bakışın
Gözlerin içimde yanar gibidir»

Mısraları ile başlayan bir nazmımızı Nihavend olarak bestelemek üzere iken ufak bir pürüzle karşılaşmış ve ikinci dörtlüğün ilk mısrâında küçük bir kelime değişikliği yaptığını söyleyerek benden özür dilemişti. Kendisine arzu ettikleri şekilde değişmeler yapabileceğini söylemiş ve hakikaten müşkül durumunu ben de farketmiştim. Şöyle ki:

«Başka bir dünyâdır senin gözlerin»
mısraı ile başlıyor ikinci dörtlük. Gerçi vezin (6+5) olmak üzere tek duraklı onbirlidir. Fakat bu mısrâa ait notanın zaman veya süresi mısrâdaki kelimelerin hecelerine simetrik olarak uymamaktadır. Ve bestekâr buraya «Sevdiğim» kelimesini uygun

465

SUNUŞ

bularak «Dünyâdır»ın aykırılığını ortadan kaldır-
mıştır.
İşte Avni Anıl dostumuz önce bu pürüzün çıkardığı
zorluğu bana izâh etmiş, sonra da bu değişiklik
dolayısıyle özür dilemek nezaketini göstermişti.
Aslına bakılırsa hece vezni´ile bile olsa kelimeyi
yerine oturtamamak kabahati yine mısrâların sahi-
bine aittir...»

Merhum Hilmi Soykut Hocam'ın «Güfte San'atı»
hakkındaki araştırmalarından ve notlarından bazı
pasajları sizlere aktarmaya devam ediyorum:
Soykut diyor ki:
«Sizlere güzel bir kaç şarkı güftesi hatırlatmak isti-
yorum, melodilerini hatırlarsanız söz ve ses
uyumundaki ustalığa hayrân olmamak kolay
değildir. İlk şarkı Tatyos Efendi'nin:

«Çektim elimi gayrı bu dünyâ hevesinden
Âzâd edeyim mürg-i dili ten kafesinden
Ey hasta gönül umma meded son nefesinden
Âzad edeyim mürg-i dili ten kafesinden»

Kafiye unsurları olan (Heves, kafes, nefes) kelime-
lerindeki (s) harflerinin keskinliğini (i+n+den) ve
meyanda (in +den) redifleri güzelce sarmış ve o
sertliği örtmüştür.
İkinci şarkı Lem'i Atlı'ya aittir:

«Çeşmânı o mehveşin elâdır
Pek bakma, elâ değil, belâdır
Âlem bu belâya müptelâdır
Pek bakma, elâ değil, belâdır»

Mesnevî vezniyle yazılmış olan güftenin mazmun-
ları hayli tâze ve deyiş tarzı çok samîmidir. Bir
diğer şarkıya geçelim. Mahmud Celâleddin Paşa
'ya ait bir şarkı:

«Değildi böyle evvel tarz u tavrın bîkarâr oldu
Tegaafül gösterişten infiâlin âşikâr oldu
Yeşillendi çemen çek gez ki hengâm-ı mesâr oldu
Açıl güller gibi ey verd-i nâzım nev-bahâr oldu»

SUNUŞ

Celâleddin Paşa, bestelediği şarkıların çoğunun güftesini kendi yazmıştır. Böyle olunca, iki taraflı tasarrufu elinde bulundurmak gibi bir avantajla, nisbeten az kusurlu ve makamlarla paralel güfteler yazmıştır. Nitekim bu güftesinin de birinci mısrâdaki (değildi) kelimesinin üçüncü ve son mısradaki (gibi) kelimesinin ikinci hecesindeki imâlelerden başka göze batan teknik kusuru yoktur. Beste ise hakikaten (Hüzzam) makamının rûha dökülen özelliklerini büyük bir vuzuhla tattırır...

Enderûnî Ali Bey'in bir hicaz şarkı için seçtiği şu (beşli) kıt'a da, zamanının ölçülerine göre oldukça güzeldir:

«Derdimi arzetmeğe ol şûha bir dem bulmadım
Hâlime hiç rahmeder âlemde hem-dem bulmadım
Ketmeder râz-ı derûnum yâr-ı mahrem bulmadım
Yâre açtım yâreme ammâ ki merhem bulmadım
Hâsılı bu âlemi ben eski âlem bulmadım»

Beş mısrâın yedi yerinde ve Türkçe olan bu kelimelerin son hecelerinde yapılmış imâlelerden başka teknik kusuru olmayan bu beşlinin bilhassa mazmunları şâirâne olmaktan çok hakîmâne veya filôzofça şikâyetlerle meydana getirilmiştir. Mısrâyı şöyle manâlandırmak mümkündür:

«O güzele derdimi açmak için bir fırsat
                                        bulamadım
Şu dünyâda hâlime acıyacak bir dost
                                        bulamadım
Gönlümün sırlarını saklayacak bir sırdaş
                                        bulamadım
Sevgiyle derdimi açtım fakat ondan da yarama
        merhem olacak (bir teselli) bulamadım.»

Hülâsa içinde yaşadığımız zamana eski yıllar, eski devirler gibi (vefakâr) bulamadım. (Bulamadım) fiilerini, yeterlik fiili olarak (bulamadım) mânâsında kabul edersek, manzumlar daha da mâsumlaşır, sanıyoruz...

Şevki Bey tarafından bestelenmiş bir güfteye gelin-

SUNUŞ

ce:

«Dil yâresini andıracak yâre bulunmaz
Dünyâda gönül yâresine çâre bulunmaz
Her derdin olur çâresi meşhûr meseldir
Dünyâda gönül yâresine çâre bulunmaz»

Nâci lügâtı,950. sayfasında,- «Yâre» kelimesi hakkında şu satırları yazar:

(Yâre=«Fars'ça» -Kadınların kollarına taktıkları bile zik, « Ceriha = Yara » mânâsında Türkçe olduğundan meselâ «Yâre-i kalb» gibi terkipler yanlıştır.)

Bu ifâdeden açıkca anlaşılmaktadır ki, aslında Farsça olan «Yâre» kelimesi, Türkçe olan «Yara» kelimesi zennedilerek, bir çok manzumlarda Türkçe mânâsıyla fakat, «Yâre» şeklinde kullanılmıştır. Meselâ:

«Açmazsan eğer kalbime sen yâre-i hicrân»
Hergün beni dil-haste eden yâre-i müjgânın
görsem»

Mısrâlarında durum böyledir ve yanlıştır. Lâkin kelimeyi vezin yahut kafiye zorluğu yüzünden, Farsça okunuşuna göre kullansak bile, terkip yapmazsak mâzur görülebilir, meselâ şu Hüzzam güftede olduğu gibi:

«Teşhis olunur yâre değildir dildeki yâre
Ölmektir hemen var ise ancak buna çâre
Mümkün mü devâ kâr-ger olsun dil-i zâre
Ölmektir hemen var ise ancak buna çâre»

Bu takdirde Şevki Bey'in bestelediği yukarıdaki güftede «Yara» sözünün «Yâre» şeklinde telâffuzunu mâzur görmek mümkündür. Çünki terkibe sokulmamıştır. O halde «Yâre-i hasret», «Yâre-i tiğ-i cânân» terkiplerindeki «Yâre» kelimeleri asla yerinde kullanılmamıştır ve bu gibi terkipler yapmak büyük bir dil hatâsı olur.

Gelelim ikinci güfteye:

«Dinlendi başım dün gece bir parça dizinde
Bir gözleri âhû ki tamam on sekizinde
Anmıştı gönül aşkını yıllarca izinde
Bir gözleri âhû ki tamam onsekizinde

SUNUŞ

«Kâm almak için gençliğimin sevgi çağından
Diz çöktüm o gün yerlere öptüm ayağından
Aşkın o güzel sihrini içtim dudağından
Bir gözleri âhû ki tamam onsekizinde»

Daha çok usta Bestekârımız Yesârî Âsım Arsoy'un
şarkı güftelerinde rastladığımız üslûpda bir güfte..
Yâni «Bir aşk gününün hikâyesi»... Bir çok kalem-
ler bu tarzda güfteler yazmıştır, kendine mahsus
bir üslûptur bu..
Yalnız, ilk bölümün meyân mısrâı, birinci ve ikinci
mısrâların parıltısı yanında biraz sönük kalıyor.
Âdetâ «Bir şey söylemek istiyormuş da,
çekiniyormuş» gibi tereddüt havası esiyor bu
meyân mısrâında. Daha serbest yazılmalıydı ve
hele (... yıllarca izinde) gibi sisli, hattâ karanlık
sözler yerine daha canlı ve yukarıki «Tatlı
hâtıra»nın özlemini kuvvetle belirtecek sözler
bulunmalıydı bu mısrâda.
İkinci bölüm, birinci kadar kuvvetli olamamış, daha
doğrusu, güfte «Tam yol» ile bir giriş yaptığı
halde, mısra mısra yavaşlayıp duraklamıştır.
Sonra; insan, sevgilisinin ayağını öpebilir, ona
yalvarıp yakarabilir.. Ama bütün bunlar sevgiliyle
karşı karşıya iken yapılır ve yine ancak ona
söylenebilir. Yoksa «Ayak öptüğünü» başkalarına
anlatmak, nasıl diyeyim bilmem ki, biraz sırna-
şıklık, yapışkanlık... Hattâ biraz da gururundan
fedakârlık gibi bir şeyler düşündürmüyor mu insa-
na?..
Servet-i Fünûn'un hisli ve usta şâiri «Cenab
Şahâbettin» in «Senin için» başlıklı şiirinden
alınmış bir «Dörtlük» :

«Doğuyor ömrüme bir yirmisekiz yaş güneşi
Bir kuş okşar gibi sen saçlarımı okşarken
Koklarım ellerini gülleri koklar gibi ben
Avucumdan alırım kış günü bir yaz ateşi»

Bu şarkının mısrâlarını yazarken gözümün önünde
üç hayâl belirdi: Cenab Şahâbettin - Sadettin
Kaynak - Münir Nureddin Selçuk.

SUNUŞ

Eminim ki, bu üç dev san'atçının örsünde döğülerek zarif ve nârin bir «Söğüt yaprağı hançer» hâline getirilen bu eser için, o üç isim kâfi bir «Referans» teşkil ediyor. Daha ne söyleyebiliz ki..
Şimdi de bir başka güfte:

«Düş, ben gibi bir aşka, sadâkat en imiş gör;
Vuslat demi beklerken, o firkat ne imiş gör.
Yok yok güzelim, düşme sakın öyle belâya;
Gel kalbime gir, orda felâket ne imiş gör.»

Görünüşte, sadâkatle bağlanılmış bir aşkın ıstırâbı.. Fakat, tıpkı el çabukluğu ile koskoca mendili avuçlarının içinde kaybeden, sonra yine aynı ustalıkla mendili size iâde eden bir göz bağcının oyunları var mısrâlarda... Meselâ:

1- «Âşık» bir aşka giriftâr olmuş.
2- Hem de bu aşk yolunda hayli samimi, doğru ve bu aşka sım sıkı bağlı..
3- Ne var ki, sevgilisine her an kavuşma çabasında iken, tâlih mütemâdiyen onları ayırmakta..
4- Artık âşıkın kalbi bir «Felâket hengâmesi», bir «Felâket herc-ü mercü» hâline girmiş. Hal böyle iken, sevgilisine önce: «Sen de benim durumuma düş de gör ve bana hak ver..» Diyor ve sonra da vazgeçerek:

«Hayır, hayır, sen böyle bir felâketin, böyle bir belânın içine düşme!» İfadesiyle «Koruyucu, himâye edici» bir rûh hâleti gösterirken: «Gel, kalbime gir..» sözleri ile, sevgilisini de, baştan başa felâket ve belâlarla dolu olan kalbine dâvet ediyor.. İşte, karşıtlık da burada meydana çıkıyor. Zîrâ, daha başlangıçda: «Sen de benim düştüğüm aşk gibi bir aşka müptelâ ol!» deyince, zâten sevgilisi de aynı âfetler ve felâketler gayyâsına düşmüş olmuyor mu ki, bir de âşıkın kalbine girip yeni yeni felâketler görsün...

Dedik ya: İlk bakışta insana pek mûnis, pek içli, pek tipik bir aşkın minyatür hikâyesi tesirini yapan « Güfte » nin, sağdan soldan biraz mıncıklanınca, yer yer yarası, beresi görünmeye başlıyor.

SUNUŞ

Birinci mısrâdaki «Ben gibi» tâbiri de standart şîveye aykırıdır, «Benim gibi» demek kurallara uygun olur.

Bütün bu kılı kırk yarmaya rağmen, popüler üstâd Şerif İçli'nin «Sabâ» nağmeleri içinde bu dört mısrâı, kendi ölçülerimize göre kabullenerek, pekalâ dinliyor ve pekalâ zevk alıyoruz bu şarkıdan.. Keşke her güftede kusur bu kadarcıkla kalabilse....

Hilmi Soykut Hocamızı saygı ile anıyoruz.....

AVNİ ANIL - GÜNBEY ZAKOĞLU

(MAKAMLAR)

· FİHRİST ·

GÜFTELER

ACEM MAKAMI

Aksak   Tanbûrî Mustafa Çavuş
Bir âşıkın olsa yâri
Gizleyemez âh-ü zâri
Pervâneveş o da yanar
Benim gibi var hezârı
Aman, aman; aman.
Canım, aman, aman ömrüm
Sana ben gönlümü verdim aman
Aman, aman kaçma benden ömrüm vârı
Görmedim bir güzel sevmez
Mahbûbunu kimse vermez
Meddâhıyım efendimin
Gayrı elden bir şey gelmez

Aksak Semâî   Hacı Fâîk Bey
Efendimsin cihanda itibârım varsa sendendir
Meyân-ı âşıkanda iştihârım varsa sendendir
Benim feyz-i hayatım hâsılı rûh-i revânımsın
Eğer sermâye-i ömrümde kârım varsa sendendir
Benim cânım, civânım, itibârım varsa sendendir

Muhammes   Nâzım
Ol kim misâli hâli mihribânı var
Ondört yaşında sînede bir nevcivânı var
Lâbüdd olur biter yetişir meyve-i murâd
Sabreyle ey Nâzım bilirsin zamânı var.

Hafif   Enfî Hasan Ağa
                                             Güfte: Nedîm

Sabâ ki dest ura ol zülfe müşkinâb kokar
Açılsın ukde-i pirânehi gül-âb kokar
Ne berk-i güldür o leb çiğnesem şeker sanırım
Ne goncedir o dehen koklasam lâle kokar

ACEMAŞÎRAN MAKAMI

Sengin Semâî   **Nasibin Mehmed Yürü**
Allahı seversen yeter hicrânı uzatma
Hicrinle elem-dîde olan kalbi kanatma
Rahmet de benim derdime bir dert daha katma
Hicrinle elem-dîde olan kalbi kanatma

Aksak   **İsmail Baha Sürelsan**
                                                   Güfte: Alaeddin Öcal
Bana hep böyle cefâ etme karışmam küserim
Seni vuslat günü pişmân ederim, çok üzerim
Bana nisbet diye ağyâre gönül vermeyesin
Seni vuslat günü pişmân ederim, çok üzerim.

Yürük Semâî   **Suphi Ziya Özbekkan**
                                                   Güfte: Reşâd Özpirinççi
Bilmem niye yâr dîde-i giryânıma bakmaz
Kim oldu helâk sîne-i nâlânıma bakmaz
Ol ender-i hüsn aşkına pervâneye döndüm
Pür sûziş-i âlâm dil-i bir yânıma bakmàz

Sengin Semâî   **Nureddin Ulueren**
Bir gün ne olur bâdeyi sun kendi elinle
Lûtfet de sevindir beni hem bûselerinle
Geçmez bu hayat sâdece hicranla enînle
Bir lâhza yatıp göğsüme cânân beni dinle
Dehrin sürelim zevkîni gel biz de seninle

Ağır Aksak   **Şerif İçli**
                                                   Güfte: Mustafa Nâfiz Irmak
Bir teselli beklerim gönlümdeki bin yâreye
Rûhum ağlar yalvarır bahtımdaki seyyâreye
Baş vururken yanmak ümmidiyle her çâreye
Rûhum ağlar yalvarır bahtımdaki seyyâreye

Sengin Semâî   **Ali Rıza Avni (Tınaz)**
Cânân okuyor aşkın ilâhî sesidir bu
Gülzâr-ı ezel bülbülünün nağmesidir bu
Bir dinleyenin gönlü geçer her hevesinden
Yalnız o kalır dilde gönül bestesidir bu

Curcuna   **Nuri Halil Poyraz**
Dilde derd-i iştiyâkı çekmeye tâkat mı var
Âteş-i aşkınla cânâ sînede râhat mı var
Nabzgir olmaksa kastın âşıkı bîmârına
Ben zebûni derd-i aşkım sormaya hâcet mi var

Nîm Sofyan   Erdoğan Köroğlu
Dalga dalga saçını omzuna dökme yine
Geminin köprüsünde öyle kaptanın kızı
Hasretini çektiğim gözünü süzme yine
Sevecek misin beni söyle kaptanın kızı

Yalvarırım kalbime saplama kaşlarını
Dalalım senle seyre karşı sevgi dağını
Öpmeli dudağını öpmeli yanağını
Sevecek misin beni söyle kaptanın kızı

Senle güney'e doğru gel kıralım dümeni
Ey ezelî âşinâm ne olur kırma beni
Engine kurban olsun yarı yoldan dönenin
Sevecek misin beni söyle kaptanın kızı

Müsemmen   Refik Fersan
                                        Güfte: Hasan Âli Yücel
Düşme gör sevdâ belâ gözlerdedir
Aşk, neş'e, zevk hep bizlerdedir
Serzenişler, nazlar sözlerdedir
Aşk, neş'e, zevk hep bizlerdedir

Ağır Aksak   Selânikli Ahmed Bey
El-amân ey şûh-i âşık perverim
Durmayıp kan ağlıyor çeşm-i terim
Bir acâip sevdâya düş oldu serim
Gâliba ben vasl-ı cânân isterim

Yürük Semâî   Kemâni Reşat Erer
                                        Güfte: Orhan Seyfi Orhon
Ey benim güzel kuşum anladım ki dün akşam
Artık unutulmuşum, beyhûdedir ne yapsam
Hattâ sana desem ki, bence yine evvelki
Evvelki güzel kuşsun, madem ki unutmuşsun
Doğrusu gücenmedim, unutmuş beni dedim
Olur ya, olamaz mı? Unutulanlar az mı?

Ağır Semâî   Dede Efendi
Ey lebleri gonce yüzü gül serv-i bülendim
Ey gamzesi âşub-i cihân şâh-ı levendim
Bend eyledi sevdâ-yı muhabbet beni cânâ
Rahmeyle benim hâlime ey zülf-i kemendim

Curcuna **Arif Sami Toker**
Güfte: Faruk Nâfiz Çamlıbel

Gam çekme güzel, n'olsa bahârın sonu yazdır
Sevdâların en coştuğu yer şimdi Boğazdır
Tekrar ediyor söylediğim şarkıyı dağlar
Körfezde kopan kahkahalar Göksu'da çağlar

Aksak **İsmail Baha Sürelsan**
Güfte: Turgut Tarhan

Gönlüm düşüyor çırpınarak gizli kemende
Kız sandalı kalbim gibi oynatma dümende
Râm-oldu deniz kollarıma aşk ile bende
Kız sandalı kalbim gibi oynatma dümende

Oynak sesinin aksine can verdi uzaklar
Her kuytu bugün kahkahanın yâdını saklar
Hülyâlı nefesler, beni onlar yakacaklar
Oynatma güzel sandalı, oynatma dümende

Sofyan **Sadettin Kaynak**
Güfte: Fuad Hulûsi Demirelli

Gönül sana tapalı, kapın bana kapalı
Şaşırmışım yolumu bu sevgiye sapalı
Susayan ırmak arar, olmaz sevende karar
Güzelleri olmazsa bu dünyâ neye yarar
Gecme güneş olsan, kalbimi görmüş olsan
Unuturdum cihânı bana bir gün eş olsan

Aksak **Mustafa Sunar**

Gün doğarken ayıldım, yâr eline sarıldım
Öptüm sevdim okşadım, gözlerine bayıldım
Seke seke gel aman, geçmesin zaman

Koşa koşa gel bana, ben dayanamam
Kadehleri vuruşsak, gözden göze uyuşsak
İki gönül bir olsa, aşk yolunda buluşsak
Bülbül gibi şakrarsın, gönülleri yakarsın
Âh bir içim su gibi, kalbden kalbe akarsın

Ağır Aksak **Neyzen Rıza Bey**
Mahveder her neş'eyi üftâdelik dildâdelik
Yâr yâr olsa da bile pek başkadır âzâdelik
Bir belâdır ki çekilmez mihnet-i âvârelik
Yâr yâr olsa da bile pek başkadır âzâdelik

Ağır Aksak   Bolâhenk Nuri Bey

Misli yok bir şûha oldum müptelâ
Sabrı müşkil,vaslı güç nitsem âyâ
Turra-i müşkîninle yoktur bahâ
Fâriğ olmam gelse âlem bir yana
Yâr olur elbet o şûh bir gün bana

Düyek   Lem'i Atlı
Güfte: Bedri Ziya

Neden bir çift gözün derdiyle çeşmim girye-bâr oldu
Zamanlar geçti va'dinden uzun bir intizâr oldu
Yanan rûhum pamuk eller içinde bî-karâr oldu
Havâ-yı vasıf-ı cânâna uçan bir rûzigâr oldu
Hederdir ömr-ü fersûdem nihâyet âşikâr oldu

Devr-i Hindî   Ahmed Mükerrem Akıncı

Neş'eyâb-ol neş'elensin bezmimiz ey sîm-ten
Gül ki güller senden alsın rengini ey gül beden
Kahkahandan vecde gelsin eylesin bülbül figan
Sözlerinle sazlara hep nağme dolsun neş'eden

Aksak   Nûman Ağa

olursa ruhsatın gayetle esrâr
Sana tenhâda bir gizli sözüm var
Yanından defolsun hele o ağyâr
Sana tenhâda bir gizli sözüm var

Benim her vechile buldun kolayın
Demedin bir kerre senin olayım
Bugün olmaz, yarın nerde bulayım
Sana tenhâda bir gizli sözüm var

Düyek   Usta Yani

Pençe-i gamdan âzâd kıl, harâb gönlümü âbâd kıl
Teşrîfine beni şâd kıl, budur maksûdum efendim
Sözüne bakma ağyarın görünür her zehri mârın
İltifat olsun efkârım, budur maksûdum efendim

Yürük Semâî   Nuri Halil Poyraz
Güfte: Ahmed Râsim Bey

Sorma dostum hâlimi âvâreyim
Çaldı bir şûh gönlümü dîvâneyim
Fehm-ü idrâk etmez oldum âlemi
Var hesâbet sanki ben dünyâdeyim

Aksak İsmail Baha Sürelsan
Güfte: Bedri Ziya Aktuna

O tebessüm, o tavırlar, o levendâne hîram
Bir nazarda etdi zâlim bana dünyayı harâm
O tavırlar ne idi, ne idi gülüşlerde merâm
Bir nazarda etdi zâlim bana dünyayı harâm

O ne serkeş, o ne mağrûr, o ne zâlimdi aman
Yan bakışla göz süzüşler, ne yamandır ne yaman
Bu temâyül kimedir anlamaz değil âh o civan
Bir nazarda etdi zâlim bana dünyâyı haram

Curcuna Bîmen Şen
Senin aşkın ey dil-rübâ bir belâdır
O mübrem belâya gönül müptelâdır
Bilirsin ki senden diriğ eylemem ben
Yolunda senin işte cânım fedâdır

Ağır Aksak Tahsin Karakuş
Şu İzmir'in dağlarında, bülbül öter bağlarında
Kız gönlüm takıldı kaldı zülfünün ağlarında
Dağlarından gece geçtim, soğuk sularından içtim
Şu güzeller içinden, İzmirli'yi ben seçtim
Yol verin bana dağlar, sılada yârim ağlar

Ağır Aksak Nikogos Ağa
Yandı dil aşkınla ey şûh-i şenim
Kûh-i deşt olmakta şimdi meskenim
Hâlime rahmetmedin asla benim
Hasretinle çâk-i çâk oldu tenim

Sengin Semâî Bîmen Şen
Zehrolsa bile nûş edelim câm-ı şarâbın
Hep neşve-i aşkınla gönül mest-ü harâbın
Rindâne değildir bu sözüm aynı hakikat
Hep neşve-i aşkınla gönül mest-ü harâbın

ACEMKÜRDÎ MAKAMI

Aksak   Nimet Hanım

Altın tasta gül kuruttum
Yâri sinemde uyuttum
Yar söyledi ben unuttum
Gönül efendisin buldu
Saçı Leylâ'ya vuruldu.

Evlerinin önü nâne
Ben kül oldum yâne yâne
Alim sarhoş ben dîvâne
Gönül efendisin buldu
Saçı Leylâ'ya vuruldu.

Yürük Semâî   Sadi Hoşses
                                    Güfte: Nevres Bey

Aşkın ile gündüz gece giryânım efendim
Bülbül gibi gül rûyine hayrânım efendim
Beyhûde imiş eylediğim mihr-ü vefâlar
Ettiklerime şimdi peşimânım efendim

Curcuna   Arif Sami Toker
                                    Güfte: Udî Şevket Bey

Bahâr-ı hüsnünde mehtâbı gördüm dün gece
Gel bezmimize neş'e ver zevk edelim gizlice
İştiyâkını çektim nazlı yârin ben nice
Gel bezmimize neş'e ver zevk edelim gizlice

Aksak   Cevdet Çağla
                            Güfte: Behçet Kemal Çağlar

Bak bahta da ikbâle de nûr indi Hatay'da
Körfezde sabah etti, o ay yüzlü de ay'da
Sen söyle güzel çalmağa fer kalmadı yayda
Körfezde sabah etti, o ay yüzlü de ay'da

Curcuna   Hüseyin Coşkuner
                              Güfte: Bâkî Çallıoğlu

Bana aşkın şarâbını sundu yârim bu gece
Yudum yudum içtim aşkı dudağından gizlice
Halâ başım dönüyor bu aşk sonsuz bilmece
Yudum yudum içtim aşkı dudağından gizlice

Düyek Semâî   Avni Anıl
                              Güfte: Hikmet Şinâsi Önol

Bir başka edâ, başka bir arzu ile geldin
Akşam çöküyordu yine bir başka güzeldin
Sevdâlı bakışlarla gülüp kalbimi çeldin
Akşam çöküyordu yine bir başka güzeldin

Aksak

Erol Sayan
Güfte: Samim Arıksoy

Beni reddetse de tavrın bilirim özler için
Ne kadar sızladı kalbim o yeşil gözler için
Gülme aşkınla tutuşmuş bu kırık sözler için
Ne kadar sızladı kalbim o yeşil gözler için

Gelir ey sevgili bir gün o güneş saçlara kış
Ki, ne yakmak kalır ne de sevdayla yanış
Gözlerinden kuru yaprak gibi düştükçe bakış
Derim; az yanmadı kalbim o yeşil gözler için

Yürük Semâî

Yusuf Nalkesen
Güfte: Besteciye aittir.

Bilir misin a sevdiğim, nedir benim tek dileğim
Son demimde yanımda ol, kapansın öyle gözlerim.
Hasret kolay mı çekilir, çekmeyen onu ne bilir.
Ne bir şey sor, ne de söyle, seyredeyim seni öyle
Ellerimi eline al, okşa beni gözlerinle

Hasret kolay mı çekilir, çekmeyen onu ne bilir.
Düşmedi dilimden adın, yıllarca bende yaşadın
Son uykumda yanımda ol, değsin alnıma dudağın
Hasret kolay mı çekilir, çekmeyen onu ne bilir.

Semâî   **Dede Efendi**

Bir güzele bende gönül
Cân ile efkende gönül
Dert ile gûyende gönül
Aşkınla sîne dağlarım.

Sînede yâre bağlarım
Yâr güler ben ağlarım
Âh gönül, vah gönül vah.

Devr-i Hindî   **Selânikli Ahmed Bey**

Bir vefâsız yâre düştüm hiç beni yâdetmiyor
Bâdeler, güler, emenler gönlümü şâdetmiyor
Her ne yapsam nev-nihâhim gamdan âzâd-etmiyor
Bâdeler, güller, çemenler gönlümü şâdetmiyor

Curcuna   **Ekrem Güyer**

Cânân bilirim sen beni nalân edeceksin
Rüyâda mı yoksa ne zaman şâd-edeceksin
Hülyâlarımın menbaıdır tatlı nigâhın
Rüyâda mı yoksa ne zaman şâd-edeceksin

Curcuna   Fahri Gürsoydan
Çektim bu gönül derdini yıllarca şifâsız
Beyhûde avuttun beni, beyhûde vefâsız
Hep âh-û figanınla geçip gitti bu ömrüm
Beyhûde avuttun beni, beyhûde vefâsız

Curcuna   Emin Ongan
                                    Güfte: Sıtkı Sazbilen

Deli gönlüm bilmem ki neden hiç uslanmıyor
Sever, sevilir, kanar, zanneder aldanmıyor
Vefâsızdır güzeller, gel, gönlüm inanmıyor
Sever, sevilir, kanar, zanneder aldanmıyor

Ağır Aksak Semâî   Osep Efendi
Dûr etme yanından asla bendeni ey kaş-ı keman
Zîrâ hicr-i firâkınla oldu bu hâlim pek yaman
Nitsem yine vuslatına ermez destim ey sîm-ten
Düşer mi sana böyle âh ettirmek ey serv-ü zemân

Aksak   Selânikli Ahmed Bey
Edeli atf-ı nazar hâlime çeşm-i dilber
Şeb-i yeldâyı ümide bürüdü nûr-u seher
döndü nevruz-u bahâra bu karanlık gece
Şeb-i yeldâyı ümide bürüdü nûr-u seher

Düyek   Arif Sami Toker
Ey sevgili hasretim sana
Yıllardır arkadaş ıstırap bana
Güzel başını kalbime yaslasana
Hayat sensiz azaptır sevgilim bana

Gel sevgilim nazlı dilberim
Bahtımın yıldızı canım güzelim
Senin yoluna dilde can vereyim
Hayat sensiz azaptır sevgilim bana

Gözleri bahtım gibi kara sevgili
Kalbim ah'la doluyor sen gideli
Senin yoluna canımı verdim vereli
Hayat sensiz azaptır sevgilim bana

Curcuna   Selânikli Ahmed Bey
Geceyi gündüze her-dem katalım
Atalım yan yana zevke bakalım
Atalım şöylece ey mâh kanalım
Atalım yan yana zevke bakalım

Semâî İsmail Hakkı Bey

Fikrimin ince gülü, kalbimin şen bülbülü
O günki gördüm seni, yaktın ah yaktın beni
Ateşli dudakların, gamzeli yanakların
O günki gördüm seni, yaktın ah yaktın beni
Ellerim ellerinde, leblerin leblerimde
O günki gördüm seni, yaktın ah yaktın beni

Aksak Nuri Halil Poyraz
Güfte: Orhan Tokmakoğlu

Gölge gibi dolaştım ardından adım adım
Sevmekdi, koklamaktı, yâr olmaktı maksadım
Son bulacak hicrânım bitecek bu gam sandım
O tatlı gülüşüne nasıl oldu aldandım

Düyek Faruk Kayacıklı

Gönül hayâl peşinde koşar mı hiç derdim de
Şimdi hayâlden uzak bir emel var gönlümde
Sevgi böyle başlarmış sonra rûhu sararmış
Meğer bu aşk yoluymuş gel katıl gülüm sen de

Sengin Semâî Zeki Duygulu
Güfte: Rıza Polat

Gül mevsimi cânâ yine güllerle açıl gez
Sür zevkîni ömrün, o giden gün geri dönmez
Zannetme ki kalplerdeki aşk âteşi sönmez
Sür zevkîni aşkın, o giden gün geri dönmez

Fahte İsmail Hakkı Bey

İntizâr-ı makdeminle reh-güzârın gözlerim
Gel yetiş ey bî-vefâ yollarda kaldı gözlerim
Oldu vasl-ı gülşen-i rûyinle ey berk-i nâz
Hasb-ı hâl-i andelibân tekîd eder sözlerim

Düyek Ûdî Ekrem Bey

Kemend olmuştu zülfün neden bilmem çözüldü
Aşkın bağı giriftken, bugünlerde söküldü
Bu halleri görünce gönlüm, kalbim üzüldü
Gözümden kanlı yaşlar, hep göğsüme döküldü

Semâî İsmet Çetinsel

Kime baksan kıskanırdım
Seni ben cânım sanırdım
Sözlerine aldanırdım
Seni ben cânım sanırdım

Devr-i Hindî   Kaptanzâde Ali Rıza Bey
Leyl olur ki hüzn içinde her nefes bir âh olur
Meşreb-i dildâre karşı bir derin eyvâh olur
Âkîbet hülyâ biter de son telehhüf vâh olur
Yükselen feryâd-ı naşâd bir hazîn eyvâh olur

Sofyan   Tahsin Karakuş
O yardan haber yok unuttu bizi
Sevilen seveni arar mı dersin
Silinmez gönülden muhabbet izi
Bir sevdâ bir ömrü sarar mı dersin

Aşk sözünü ağza almam demişsin
Artık bu tellerden çalmam demişsin
Bezmine gelsem de kalmam demişsin
Sen böyle karara karar mı dersin

Aksak   Hasan Fehmi Mutel
Pek mustaribim ey gül-i ter zahm-ı dilimden
Ağlar gezerim ayrılalı sen güzelimden
Çok gördü felek aldı seni şimdi elimden
Şebnem yerine kan dökülür dîdelerimden

Curcuna   Melâhat Pars
Rûhumda bu akşam o ilâhî sesi duydum
Sâzın gibi kendin de bin işveyle doluydun
Aşkın kadehinden dökülen meylere doydum
Sâzın gibi kendin de bin işveyle doluydun

Muhammes   Osep Efendi
Rûz-i şeb cihân içre eyledikçe keşt-ü güzâr
Ol mehveş hûbânları görüp kılmadayım nazar
Dûd-i âhım çekmededir eflâke ser bilmem n'ola
Feryâdıma gûş edenler olmaz bu hâlimden bîzâr

Curcuna   Faruk Kayacıklı
                                Güfte: Besteciye aittir.
Sana eller ne güzelsin demesin kıskanırım
Ele yâr olma sakın sen güzelim yalvarırım
Güle mehtâba bürün de seni hiç görmesin ağyâr
Ele yâr olma sakın sen güzelim yalvarırım

Aksak

Nuri Halil Poyraz
Güfte: M. Atalay

Sâzımda, niyâzımda, âhımda hep sen varsın
Sîneme yâre açtın, ona deme kanasın
Bırakıp gitme beni ateşimle yanarsın
Sîneme yâre açtın, ona deme kanasın

Ağır Aksak

Rıfat Bey

Sen şeh-i nâzik edâsın ey peri
Ben senin mecbûrunum çoktanberi
Hayli demdir ben gezerim serserî
Ben senin mecbûrunum çoktanberi

Aksak

Emin Ongan
Güfte: Nâhit Bey

Sevdâmı o hülyâlı gözün rengi yarattı
Bir tatlı bakış kalbimi yıllarca kanattı
Neş'eyle geçen ömrüm hayâl etti arattı
Bir tatlı bakış kalbimi yıllarca kanattı

Devr-i Hindî

Nasibin Mehmet Yürü
Güfte: Vâsıf

Seyr-i mehtâb edelim gel bu şeb ey mehlika
Saffetinden gümüş âyineye dönmüş deryâ
Çık görün hâle-i nûrâne-i didârınla
Ne demekmiş ayın ondördü görsün deryâ

Sofyan-Düyek
Curcuna

Sadettin Kaynak
Güfte: Vecdi Bingöl

Söyleyin nerde o göz nûru gönül sevgisi yâr
Onu kimden sorayım, hangi diyâra gideyim
Nazlı âhû, sizi terketti mi
Ey hâtırâlar, anayım
Hoşça geçen günleri feryâd edeyim
Leylâmı ezelden sevdim bu yerde
Sevdâsı yâdigâr kaldı da gitti
Ten diri kalır mı rûhu gider de
Ecel gibi câna saldı da gitti
Bu bağın goncası hâre mi kaldı
Hicrânı yürekte yâre mi kaldı
Ümitsiz kalana çâre mi kaldı
Onu benden eller aldı da gitti.

Aksak   Selânikli Ahmed Bey
Tiğ-i gamzenden gözüm kurtulmasın
Gözlerin derdiyle gözler ağlasın
Seyl-i tûfân-ı muhabbet çağlasın
Ağlamaktan kara perde bağlasın

Sofyan   Zeki Duygulu
Yar peşinden koşa koşa yoruldum
Akıp akıp bir su gibi duruldum
Ben o yâre can evimden vuruldum
Çayır çimen yaz olunca biçilir
Nazlı yardan acep nasıl geçilir

Gurbet elde garip kalmış kuş idim
Aşkı içmiş ezelden sarhoş idim
Bir zamanlar ben yârin olmuş idim
Çayır çimen yaz olunca biçilir
Nazlı yardan acep nasıl geçilir

Aşk-ı sevdâ nice gurbet gezdirir
Tatlı candan usandırır bezdirir
Garip başım taştan taşa ezdirir
Çayır çimen yaz olunca biçilir
Nazlı yardan acep nasıl geçilir

Sengin Semâî   Kemânî Serkis Efendi
Zannetme seni şimdi görüp gönlümü yerdim
Ey hüsn-ü ezel beni seni evvel de severdim
Yıllarca böyle gizli gizli göz yaşı döktüm
Âmâlimi aldın da sen oldun yeni derdim

BESTENİGÂR MAKAMI

Sofyan   **Ahmed Ârifî Bey**
Âlemde ey serv-i semen cânım da, cânânım da sen
Kestim alâka cümleden cânım da, cânânım da sen
Billâhi ey şûh-i şenim yok kimse aynimde benim
Sana fedâ cân-ü tenim cânım da, cânânım da sen
Ammâ ne çâre mutlaka yok zerrece meylin bana
Bilir iken yine şehâ cânım da, cânânım da sen

Türk Aksağı   **Selânikli Ahmed Bey**
Bağrım nice bir âteş-i hicrânına yansın
Taş olsa dayanmaz buna can nice dayansın
Kan ağlıyayım tâ ki şafak kana boyansın
Dûzah ne imiş sûzişimi görsün inansın

Curcuna   **Fehmi Tokay**
Bir benim hâlime bak, bir de giden yâre sabâ
Merhâmette aman verme o gaddâre sabâ
o karanlık gecelerden de karanlıkta bürün
Açılıp yâremi gösterme o gaddâre sabâ

Ağır Aksak   **Musullu Hâfız Osman Efendi**
Bu nevâyı dil-hîraş âh-ü dil-ü cânım mıdır
İnleyen tanbur mu yoksa kendi efganım mıdır
Çağlayan hüzn ile çeşm-i giryânım mıdır
İnleyen tanbur mu yoksa kendi efganım mıdır

Düyek   **Enderûnî Hâfız Hüsnü Efendi**
Cûş edip gözyaşı ister çağlamak
Düş olup aşka ne hoştur ağlamak
Çâresizdir zülfüne dil bağlamak
Düş olup aşka ne hoştur ağlamak

Curcuna   **Enderûnî Hâfız Hüsnü Efendi**
                          Güfte: Ahmed Râsim Bey
Çok sürmedi geçti tarab-ı şevki bahârım
Soldu emelim, goncalarım reng-i izârım
Bir bülbül-i raksan-ü tarabnâk idim ammâ
Bilmem ki neden terk-i havâ etdi hezârım
Bu nâğme-i dilsûz-ı gamım düştü ırak'a
Ben böyle gönüller yakıcı bestenigârım

Düyek   **Hasan Fehmi Mutel**
Düştü gönlüm havâyı dildâre
Âkıbet nâre yandı bî-çâre
Çâre yok sûziş-i dil-i zâre
Âkıbet nâre yandı bî-çâre

Türk Aksağı Kazasker Mustafa İzzed Efendi
Ey serv-i nâzım reftâr-ı bâlâ
Kadd-i bülendim mevzûn-i rânâ
Fikreylediğim her lâhza câna
Kadd-i bülendim mevzûn-i cânâ

Ağır Aksak Hayri Yenigün
Güfte: Faruk Nâfiz Çamlıbel
Farkı yok bir cenned âbâdın bugün virâneden
Şimdi medhaller karanlık, bahçeler tenhâ, neden
Gizli bir buğu yükselirken son kırık peymâneden
Geçmiş âhu gözlü sâkîler bu mâtem-hâneden

Süslü yollar, tarhlar bin kâse-i fağfûr ile
Açmadan bir gün nihâlistanda güller sûr ile
Elde sîmin bir kadeh omzunda bir sammûr ile
Geçmiş âhû gözlü sâkîler bu mâtem-hâneden

Aksak Fehmi Tokay
Geçiyor ömr-ü hazîn sâdece cânâ diyerek
Döndü Mecnûna gönül her gece Leylâ diyerek
Erecek bir gün maksûduna Mevlâ diyerek
Döndü Mecnûna gönül her gece Leylâ diyerek

Düyek Rıfat Bey
Hâlimi arzeyleyim sultânıma
Merhamet kıl dîde-i giryânıma
el sözüyle kıyma tatlı cânıma
Merhamet kıl dîde-i giryânıma

Sengin Semâî Hâşim Bey
Güfte: İsmail Safa
Her-dem sözüm efsûz ile eyvâh olacaktır
Dünyâda benim son nefesim âh olacaktır
Derdimden eminim o da agâh olacaktır
Dünyâda benim son nefesim âh olacaktır

Curcuna Şekerci Cemil Bey
İstedin de gönlümü verdim sana
Her ne mümkünse sana etdim fedâ
Gör neler etdin neler sonra bana
Bilmedin kadrim yazık ey bî-vefâ

Ağır Aksak

Hâşim Bey
Güfte: Şevkatî

Kaçma mecbûrundan ey âhu-yi vahşî ülfet et
Gayrı bu bigânelikden geç vefâyı âdet et
Bezme gel sermest-i hicrin neş'eyâbı vuslat et
Şarkı söyle raksa çık sâkîlik eyle sohbet et

Aksak

Hâşim Bey
Güfte: Cemil

Mecbûr oldum ben bir güle
Şimdi düştüm dilden dile
Fırsat bulsam varsam yâre
Ben sarılsam ince bele

Aksak   Hasan Fehmi Mutel

Mümkün olsaydı tahammül hüsnünün ibrâmına
Kim düşerdi aşkının ârâmsız âlâmına
Müptelâlıkdan beterdir tab'ıma âsûdelik
Bir nigâh ile halel ver gönlümün ârâmına
Belki vuslattır sonu hicrânımın âlem bu ya
Ben o hâlin intizâr etmekteyim encâmına

Aksak Semâî   Suphi Ziya Özbekkan
Güfte: Hüseyin Sîret Özsever

Ne demlerdi sezâ-yı bezm-i ülfet olduğum demler
Yanında başka şâir başka Sîret olduğum demler
O demler geçti artık nerde hasret olduğum demler
Yanında başka şâir başka Sîret olduğum demler

Türk Aksağı   İbrahim Tuğberk

Sevdim seni ey nazlı melek var mı günâhım
Gel üzme yeter kalbimi aşkınla harâbım
Hasret çekecek takâtı yok gönlümün artık
Gel üzme yeter kalbimi aşkınla harâbım

Aksak   Bîmen Şen

Şâhısın efendim sen güzellerin
Senin hüsnündür hep derd-i dillerin
Dolansa boynuma nâzik ellerin
Canımı veririm Şişli Güzeli!

BEYÂTÎ MAKAMI

Ağır Aksak   Kemânî Rıza Efendi
Aman ey yâr-i cefâ-pîşe, nizâr etme beni
Ölürüm sensiz a zâlim bırakıp gitme beni
Sitem etme kerem eyle kırıp incitme beni
Ölürüm sensiz a zâlim bırakıp gitme beni

Sengin Semâî   Selâhaddin Pınar
Güfte: Mustafa Nâfiz Irmak

Artık yetişir çektiğim, insafsız elinden
Geçmez bu gönül ölse bile son emelinden
Bir damla şifâ sun dudağından ve dilinden
Geçmez bu gönül ölse bile son emelinden

Aksak   Fehmi Tokay
Güfte: Rüştü Şardağ

Benzemez kimse sana tavrına hayrân olayım
Bakışından süzülen arzûna kurbân olayım
Lûtfuna ermek için söyle perişân olayım
Bakışından süzülen arzûna kurbân olayım

Sengin Semâî   Rıfat Bey
Bir dilber-i rânâyı gözüm gördü Bebek'de
Menendi bulunmaz o mehin cins-i beşerde
Aklım gibi yağmaladı esrârı yürekde
Üftâdeliğim halka âyân oldu felekde

Yürük Semâî   Sâdi Hoşses
Bir gün glecek sen de beni anlayacaksın
Ettiklerine nâdim olup ağlayacaksın
Heyhât o zaman âşıkını bulmayacaksın
Ettiklerine nâdim olup ağlayacaksın

Remel   Bolâhenk Nuri Bey
Bir kere yüzün görmeyi dünyâya değişmem
Câm-ı lebine neş'eyi sahbâye değişmem
Ermezken elim meyve-i vasla yine ammâ
Ol kamet-i mevzununu tûbâya değişmem

Ağır Aksak   Şerif İçli
Güfte: Mesud Kaçaralp

Bülbül-i şeydâya döndüm dehri görmez gözlerim
Âşıkım Leylâmı gurbet elde her-dem özlerim
Fecri yok, mehtâbı yok sonsuz Şeb-i yeldâdayım
Lûtfet artık âfitâbım ben cemâlin gözlerim

Aksak Semâî   Tab'î Mustafa Efendi
Çıkmaz derûn-i dilden efendim muhabbetin
Kurbânın olduğum bize yok mu mürüvvetin
Sen hangi bağın gülüsün, ne gülşenin bülbülüsün
Ey serv-ü-semen buy-i residem, ey âfet-i dilcûyi güzidem
Nedir o işveler nedir, tegafülâne nâzile, ki bu girişmeler nedir
Gören o gül cemâlini, tasavvur eyler hâlini
Hayâli lâlîn eyleyen, senin çeker vebâlini
Kurbânın olduğum bize yok mu mürüvvetin
Ey dil nedir bu mertebe hahişlerin
Cây-ı merâmın üzre ikamet mi niyyetin

Aksak   Selâhaddin Pınar
                                Güfte: Mithat Ömer Karakoyun
Delisin deli gönlüm, bin bir bereli gönlüm
Güldüğünü kim gördü, sevdim seveli gönlüm
Gönüller kurdu gönlüm, güzeller yurdu gönlüm
Sesinde bin acı var, seni kim vurdu gönlüm

Curcuna   İstanbul Türküsü
Elinde var billûr şişe
Beni düşürdü âteşe
Gelir mi bu üçe beşe
O bizim komşunun kızı.

Bana bir taş yuvarladı
Geldi sîneme dayandı
Sînem al kane boyandı (Bulandı)

Evlerin önü kaya
Kayadan bakarlar aya
Göremedim doya doya.

Ağır Aksak   Nuri Halil Poyraz
                                Güfte: Hüseyin Sîret Özsever
Geçti sevdâlarla ömrüm ihtiyâr oldum bugün
Ak pak olmuş saçlarımla bî-karâr oldum bugün
Bir muhabbet neş'esiyle ilk bahâr oldum bugün
Ben huzûrunda yer öptüm, tâcidâr oldum bugün

Curcuna   Alaeddin Yavaşça
Gel nazlı gülüm sâzını çal şarkımı söyle
Geçsin geceler türlü hayâlât ile böyle
Bin zevk ile biz mest olalım başbaşa şöyle
Geçsin geceler türlü hayâlât ile böyle

Ağır Aksak **Rahmi Bey**
Güfte: Recâizâde Ekrem Bey

Gül hazîn sümbül perişân bağ-ı zârın şevkî yok
Dertnâk olmuş hezârın nağmekârın şevkî yok
Başka bir hâletle çağlar cûy-i bârın şevkî yok
Âh eder inler nesîm-i bî-karârın şevkî yok
Geldi ammâ neyleyim sensiz baharın şevkî yok

Düyek **Suphi Ziyâ Özbekkan**

Hayli demdir ki cüdâ-yı kûy-i yâr oldun gönül
Baht-ı nâ-sâzın elinden zâr-ı zâr oldun gönül
Bir zamanlar gerçi ben de bahtiyâr oldum gönül
Kalmadı zevk-i hayâtın ihtiyâr oldun gönül

Curcuna **Selâhaddin Pınar**
Güfte: Yahya Kemal Beyatlı

Kalbim yine üzgün seni andım da derinden
Geçtim yine dün eski hazân bahçelerinden
Üzgün ve kırılmış gibi en ince yerinden
Geçtim yine dün eski hazân bahçelerinden

Ağır Aksak **Dede Efendi**

Müptelâyım ey gül-i rânâ sana
Mürg-i cânım bülbül-i şeydâ sana
Gülşen-i hüsnünde feryâdım sana
Âşıkım âşık efendim ben sana

Aksak Curcuna **Râkım Elkutlu**

Ne bahâr kaldı ne gül, ne de bülbül sesi var
Ne o cânân, ne bir ümmid, ne gönül neş'esi var
Çekecek bence hayâtın daha bilmem nesi var
Ne o cânân, ne bir ümmid, ne gönül neş'esi var

Ağır Aksak **Dede Efendi**

Nice bir aşkınla feryâd edeyim
Bir onulmaz dâğ-ı derdim var benim
Söylemezdim derdim ammâ neyleyim
Bir onulmaz dâğ-ı derdim var benim

Düyek **Erol Sayan**
Güfte: Neclâ Gürer

Seni ne çok sevdiğimi söylesem de bilemezsin
Hâtıramdan hayâlini istesen de silemezsin
Öyle derin nakşetmiş ki felek seni şu gönlüme
Hâtıramdan hayâlini istesen de silemezsin

BEYÂTİ

Yürük Semâî   **Fehmi Tokay**

Ummaz ki gönül derdine dermân yâr elinden
Çıkmaz ne yazık aşkına fermân yâr elinden
Gel ey cânım, gel ey mîrim, gel benim efendim
Çıkmaz ne yazık aşkına fermân yâr elinden
Ağyâre bile derdini açmıştı ümitsiz
Çıkmaz ne yazık aşkına fermân yâr elinden

BEYATÎ ARABAN MAKAMI

Aksak

Sadi Hoşses
Güfte: Besteciye aittir.

Bağa girdim ay çıktı, karşıma bir yâr çıktı
Aman dostlar yâr değil, aklım başımdan çıktı
Göz göze bakışırken, elim değdi eline
Bin âşık fedâ olsun saçının bir teline

Aksak

Rahmi Bey
Güfte: Besteciye aittir

Bana n'oldu değişti şimdi hâlim
Dem-âdem artıyor dilde melâlim
Revândır gözlerimden eşk-i-âlim
Perişânım, harâbım, bî-mecâlim

Hafif   **Hacı Sadullah Ağa**
Bülbül-i dil ey gül-i rânâ senindir, sen benim
Berk-i gülde bûy-i istiğna senindir, sen benim
Halka-i zülfün hevâsı, bendeni Mecnûn eder
Gönlüm âşüfte kılan sevdâ senindir, sen benim

Aksak

Nikogos Ağa
Güfte: Sezâî Efendi

Gidiyorum gözyaşımı dökerim
Yar seni gördükçe boynum bükerim
Aşkın ateşinden niçin ürkerim
Alıp seni hangi yana giderim
Sensiz yârim bu cihânı niderim
Dostum aşkın ile yanar ağlarım
Sitem sözlerine yürek dağlarım
Gece gündüz yârelerim bağlarım
Alıp seni hangi yana giderim
Sensiz yârim bu cihânı niderim

Curcuna   **Hacı Arif Bey**
Gönlümün hayli zaman özge perişanlığı var
Sînemi âteş-i hırmân ile sûzanlığı var
Dil-i mihnet-zedenin gussası, hayranlığı var
Çeşmimin devr-i felekten yine giryanlığı var

Durma ey nahl-i vefâ neş'elen eğlen durma
Âlem-i fikr-i hayâl etme üzülme kurma
Yalnız hâl-i dil-i zârımı lütfet sorma
Çeşmimin devr-i felekten yine giryanlığı var

Düyek　　　　　　　　　　　　　　　Ahmed Rasim Bey
Gözümde işvenümâdır hayâl-i bî-bedeli
Hüdâ bilir ya iki defa gördüm ol güzeli
Yanıp tutuştum o şirin edâyı görmeyeli
Acep Vefâ'da mı semti, acep acep nereli

Aksak　　　　　　　　　　　　　　　Zeki Arif Ataergin
Kalacak sanma bu çağın, bu güzellik solacak
O samur saçlara bir günde beyazlar dolacak
Şu geçen şen seneler kalbine hicrân olacak
O samur saçlara bir günde beyazlar dolacak

Aksak　　　　　　　　　　　　　Mustafa Nafiz Irmak
　　　　　　　　　　　　　　　　　Güfte: Lütfi Bey

Mecnûn olup gönlümü âbâd etsem
Baksam yüzüne gözlerimi şâd-etsem
Cânâ, mey-i hüsnünle çoşup tâ-be seher
Leylâ diye, Leylâ diye feryâd etsem

Aksak　　　　　　　　　　　　　Suyolcu Sâlif Efendi
Neyleyim, nicedeyim, olamam bir an
Derdine düştüm efendim bana bir dermân
Bu cefâ için saklar-imiş beni bu devrân
Gözlerim giryân efendim, ciğerim püryân

Aksak　　　　　　　　　　　　　　Sadettin Kaynak
　　　　　　　　　Güfte: Rıza Tevfik Bölükbaşı

Ömrümün neş'esiz geçti bahârı
Neyleyim bahârı gülsüz olunca
Bir tutsam gerektir yar-i ağyâri
Gurbet ellerinde öksüz olunca

Gönül elindedir feryâd-ı zârım
Bu nankör aşkımdan ben de bîzârım
Rûhum âzâd olur belki mezârım
Ayaklar altında dümdüz olunca

Ağır Aksak　　　　　　　　　　　Hasan Fehmi Mutel
Tir-i müjgânın gönülde yâresi
Yok mudur bu derd-i aşkın çâresi
Rahmederse cânımın cânânesi
Yok mudur bu derd-i aşkın çâresi

DİLKEŞHÂVERAN MAKAMI

Düyek   Zeki Arif Ataergin
Aşkımın tahtını gönlüme kurdum
Aylarca yolunu bekledim durdum
Gelmedin başımı taşlara vurdum
Aylarca yolunu bekledim durdum

Düyek   Fehmi Tokay
Bir gülün meftûnu oldum ben de bir bülbül gibi
Günlerim geçmektedir gülşende bir bülbül gibi
Duymuyor bir kerrecik gül bülbülün feryâdını
Ey dil artık sen de öl, öl sen de bir bülbül gibi

Yürük Semâî   Hasan Fehmi Mutel
Cânâ seni ben mihr-i vefâ sahibi sandım
Bilmezlik ile âteş-i hicrâne yandım
Kastın bu ise cân-ü tenim hep senin olsun
Ben derd-ü gam-ı hicrile cânımdan usandım

Curcuna   Selânikli Ahmed Bey
Derd-i hicrânınlâ her an ağlarım
Mâtem-i hasretle zulmet bağlarım
Âteşinle kalb-i zârı dağlarım
Cûy-i bâr-i aşkile ben çağlarım
Sen gülersin sevdiğim ben ağlarım

Yürük Semâî   Zekâi Dede Efendi
Düştükçe safâ eyleyelim sizde ve bizde
Ammâ ki halvet etmeyelim yâ deye sizde
Şöyle basalım ayağımız rûy-i zemine
Cânân nazar ettikçe eser bulmaya izde

Zincir   Hasan Fehmi Mutel
Gamzen nedem ki tiğ çekip hûn feşân olur
Uşşâkî dil-fikâre ecel mihribân olur
Çeşmin o kahramânı gadap-nakdîr senin
Kim hışm-ı zâil olsa dahi bî-amân olur

Curcuna   Zeki Arif Ataergin
                                         Güfte: Besteciye aittir.

Gönül sevdâ seline kapılma sakın
Aşk bir mâcerâdır sen atılma sakın
Şerâbı sunma Mecnûn'a füsunkârım
Aşk bir mâcerâdır sen atılma sakın

Düyek   **Hasan Fehmi Mutel**
                                       Güfte: Hasan Âli Yücel
Hem aşkım, hem ümmidim, hem de neş'emsin
Nesin sen kız! gel anlat, sen benim nemsin
Hayâlimden geçen her sırra mahremsin
Nesin sen kız! gel anlat, sen benim nemsin

Aksak   **Zeki Arif Ataergin**
Kerem eyle budur sana dileğim
Sevdiceğim aç yüzünü göreyim
Sana sâdık yâr olduğum bileyim
Sevdiceğim aç yüzünü göreyim

Aksak Semâî   **Hasan Fehmi Mutel**
Sabaha karşıdır hep yârini teskârın ey bülbül
Seher mi, jale mi, güller mi bilmem yârin ey bülbül
Sürûrun kalbi tehzîz eyleyip cânâ verir lerze
Ne hoştur sırr-ı aşkı bizlere ihtârın ey bülbül

Curcuna   **Hasan Fehmi Mutel**
Sevgilim gel etme naz
Âşıkın eyler niyâz
Gül de güller açılsın
Göğsüne gül takılsın
Gül yüzün gülsün biraz

Ağır Aksak   **Selânikli Ahmed Bey**
Şöhret-i aşkın yayıldı nâmı-dâr oldun gönül
Âşık-ı şeydâ diye şöhret-şiâr oldun gönül
Her zaman sevdâlarında bahtiyâr oldun gönül
Şimdi her hâlin değişti ihtiyâr oldun gönül

DÜGÂH MAKAMI

Devr-i Hindî   **Hayri Yenigün**
Güfte: Mustafa Nafiz Irmak
Ağlamış gülmüş, cefâya durmadan yanmış gönül
Her güzel rüyâya kanmış, yâre aldanmış gönül
Bazı gün sevmiş, bazı gün kıskanmış gönül
Bî-vefâ ellerde kalmış, sâde hicranmış gönül

Düyek   **Enderûnî Ali Bey**
Âteş-i firkatle bağrım dağlarım
Derd-ü hasretle demâdem ağlarım
Hüznile mânend-i deryâ çağlarım
Derd-ü hasretle demâdem ağlarım

Düyek   **Santûri Ethem Bey**
Düştü gönlüm sen gibi bir zâlime
Merhamet kıl bak perişân hâlime
Ağlıyor arz-ı semâ ahvâlime
Merhamet kıl bak perişân hâlime

Devr-i Hindî   **Bolahenk Nuri Bey**
Gel benim ey dilber-i şûh-i şenim
Sensiz ârâm eylemez gönlüm benim
Sensiz âlâm-ü dil-ü cân-ü tenim
Sensiz ârâm eylemez gönlüm benim

Düyek   **Sadi Işılay**
Güfte: Behçet Kemal Çağlar
Gel son nefesten evvel hastana derman getir
Gel görün de, istersen katlime ferman getir
İstediğin an tekrar almak için can getir
Gel görün de, istersen katlime ferman getir

Aksak   **İsmail Hakkı Bey**
Harâm olsun bana ey çehre-i gülgûn-i müstesnâ
Seversem gayri bu dünyâda senden başka bir sîma
Benimsin artık âguşunda geçsin ömr-ü mesudum
Seninle şimdi kaimdir hayâtım ey emel pîra
Seversem gayri bu dünyâda senden başka bir sîma

Çenber   **Şeyhülislâm Esad Efendi**
İzârın gül gül olmuş bûseden dil dağ-ı dâğındır
Hased ol bâğ-ı bân-ı aşka kim gülçîn-i bağındır
Nümâyân olmadıkça subh-i vuslat sönmesin yansın
Fitîl-i dâğ-ı firkat sînede ey dil çırâğındır

Aksak Semâî   Tab-i Mustafa Efendi
Nedir ol cümbüş-i nâdide o cansûz nigâh
Âh elinden senin ey âfet-i âşub dil âh
Tûtiyâ eyler idim çemime hâki kademsin
Âsitân-ı keremin olsa bana cûy-i penâh

Hafif   Hacı Faik Bey
Güfte: Besteciye aittir.

Pek sevdim efendim seni gayetle beğendim
Gal gayra kıyas etme beni cânım efendim
Bin cân ile âşık olalı sen gibi mâha
Gönlümde keder kalmadı ey zülf- kemendim

Ettim bu dügâh-kârı Ehibbâya hediyye
Kim dinler ise Fâîk-i yâd eylemelidir
Erbâb-ı terennüm okuyup dâimül evkat
Rûh-i selefi aşkile şâd eylemelidir

EVCÂRÂ MAKAMI

Curcuna Lâtif Ağa
Açıldı sîneme bir tâze yâre
Gam-ı pünhânım oldu âşikâre
Tahammül kalmadı sabra karare
Gam-ı pünhânım oldu âşikâre

Kolay sandım belây-ı aşkı yandım
Visâl-i yâre yol yok çok aradım
Figan-ü nâleden bıktım usandım
Acep bu derd-i aşka var mı çâre

Devr–i Hindî Âmâ Nâzım Bey
Ben seninle uğraşamam ey civân
Gayrı insâf eyle artık el'aman
Merhamet kıl sen ol dermân
Gayrı insâf eyle artık el'aman

Aksak Akın Özkan
Güfte: Cahit Öney

Edeyim ben sana tanburla refâkat güzelim
Çalalım, söyleşelim subha kadar eğlenelim
Gehi zülfünde dolaşsın, gehi tanburda elim
Çalalım, söyleşelim subha kadar eğlenelim

Aydın Dede Efendi
Gel ey güzeller serveri
Feryâdım eflâke çıkar
Gönlüm cemâlin göreli
Bir yerde hiç etmez karar
Aman, aman hâlim yaman
Rahmet bana ey nazlı civan

Devr-i Hindî Cinuçen Tanrıkorur
Güfte: Feyzi Halıcı
Hasretin gönlümde artık bir ateşten perdedir
Görmüyor pek gözlerim naylâr, kudümler nerdedir
Çok değil aşkınla mahzûn hep-perişân olduğum
Âşikâr gönlüm senin var olduğun yerdedir

Ağır Aksak Semâî Arif Mehmed Ağa
Kimin meftûnu oldun ey perî-rûyim nihan söyle
Nedir bâis sükûta söyle ey şûh-i cihan söyle
Kimin âyinesinde aksi r^ûyin gördün ey mehrû
Kime dil verdin ey tût-i zebân sükker dehan söyle

Curcuna   **Dede Efendi**
Hüsnüne mâil gönlüm ezelden
Bendenem benden geçmezem senden
Âşıkım âşık cân-ü gönülden
Bendenem benden geçmezem senden

Ağlarım gülmem gözyaşım silmem
Gönül ver elden n'olduğum bilmem
Dönmem zülfünden Billâhi geçmem
Bendenem benden geçmezem senden

Aksak   **Erol Sayan**
                      Güfte: Enderunlu Vâsıf

Ömrümde sana geçmedi bir kerre niyâzım
Âşık olayım da ne demek geçmeye nâzım
Bî-lûtf-u mürüvvet benim ülfet neme lâzım
Ömrümde sana geçmedi bir kerre niyâzım
Âşık olayım da ne demek geçmeye nâzım

Yürük Semâî   **Arif Mehmed Ağa**
Sâkî çekemem vaz-ı zarifâneyi boş ko
Teklîf-i tehi sâgar-ı peymâneyi boş ko
Çok da o peri rûyile ünsiyyete gelmez
Ol kayde düşürme dil-i dîvâneyi boş ko

Devr-i Hindî   **Medenî Aziz Efendi**
Tâliim bir dem bana yâr olmadı
Derd-i mihnetten gönül kurtulmadı
Sûziş-i firkat nihâyet bulmadı
Derd-i mihnetten gönül kurtulmadı

EVÇ MAKAMI

Çenber   Tanbûrî Ali Efendi
Beste
Âh-eder inler gönül ol turra-i şeb gün için
Var mıdır âyâ haber zencirden dilhûn için
Nâlemi mey, eşkimi ney, çeşmimi câm-eyleyüp
Eyle bir bezm-i gam âmâde dil mahzûn için
Ömrüm cânım aman turra-i şeb gün için

Ağır Aksak   Rıfat Bey
Âteş-i aşkın senin ey mehlika
Yaktı cismim eyledi mahvı hebâ
Gitti hep sabr-ı tahammül bir yana
Yanmamak mümkün müdür cânâ sana
Hüsn-ü âlem sûzuna olmaz bahâ

Aksak   Nevres Bey
Ayağına giymiş sedef nâlini
Aşka düştüm kimse bilmez hâlimi
Elimden almak isterler yârimi
Yandım insâf eyle zâlim el-aman, hâlim yaman
Sönmez aşkın âteşi hiç bir zaman

Yüreciğim demir değil taş değil
Gözlerimden akan kandır yaş değil
Böyle sevdâ başıma gelmiş değil
Yandım insâf eyle zâlim el-aman, hâlim yaman
Sönmez aşkın âteşi hiç bir zaman

Ağır Aksak   Ali İçinger
                      Güfte: Ahmed Refik Bey (Altınay)
Bir gören bir dem unutmaz sen gibi bir mehveşi
Gönlümün yıllar da geçse sönmez asla âteşi
Can yakan ruhsârının hiç bir güzelde yok eşi
Gönlümün yıllar da geçse sönmez asla âteşi

Düyek   Giriftzen Âsım Bey
Bu lendâne kesim âşûb-ı cân
Tir-i gamze sînede eyler nişan
Kendine lâyık sezâdır nâm-u şan
Görmemiş emsâlini devr-i zaman

Bir gümüş servi gibi reftârına
Can fedâ olsun ânın etvârına
Bilmezim ki dildeki efkârı ne
Görmemiş emsâlini devr-i zaman

Düyek   **Fahri Kopuz**
                                      Güfte: Hasan Âli Yücel

Dıştan viran bağlıyım, içten yanar dağlıyım
Bırakmam yâdellere, ben Tuna'ya bağlıyım
Gönlüm gibi coş Tuna, sensiz içim boş Tuna
Akma başka yerlere, can evime ak Tuna

Düyek   **Sadettin Kaynak**
                                        Güfte: Karacaoğlan

Elâ gözlerini sevdiğim dilber
Göster cemâlini görmee geldim
Şeftâlini derde derman dediler
Gerçek mi sevgilim sormaya geldim

Seni âşıkların gülmez dediler
Ağlayıp yaşını silmez dediler
Seni bir kez saran ölmez dediler
Gerçek mi sevgilim sormaya geldim

Aksak   **(Tanburacı Osman Pehlivan'dan)**
Ey benim mestâne gözlüm aman
Şimdi buldum ben seni
Ben âşıklık bilmez idim
O yâr öğretti beni

Eski yârim duyar ise
Ne seni kor ne beni
Hasbıhalle görüşelim
Ya beni sev, ya onu

Curcuna   **Fehmi Tokay**
Gördüm de beğendim seni ey nazlı melek
Yaktın beni, yıktın beni ey tatlı bebek
Seveyim, öpeyim seni koş da bana gel
Üstündeki örtüyü at kaç da bana gel

Türk Aksağı   **Selahaddin Pınar**
                                 Güfte: Mustafa Nafiz Irmak

Gözyaşlarınız kalbime toplanmış emeldi
Aşkımda bahar öldü, hazân mevsimi geldi
Birlikde geçen bir gece bin ömre bedeldi
Aşkımda bahar öldü, hazân mevsimi geldi

Curcuna   **Tahsin Karakuş**
                                          Güfte: Hüsnü Kayırın

Hasretim, gönülden özlediğimsin
Dört gözle yolunu gözlediğimsin
Adını herkesten gizlediğimsin
Dört gözle yolunu gözlediğimsin

Devr-i Hindî   **İsmail Hakkı Bey**
Kaldığım gündenberi bu âlemde ben bî-karar
Bir lûtuf ettinse ancak aşkı ettin yâdiğâr
Üzmeden bâşın için sevdâyı zülfünden bu dem
Bildiğim yok kendimi çün gitti elden ihtiyâr

Türk Aksağı   **Zeki Arif Ataergin**
Mızrâbı bırak zülfünü sînemde gezindir
Bir kerre de gel gönlümü çal bak ne hazîndir
Kalbimdeki son his-si elem nev-eserindir
Bir kerre de gel gönlümü çal bak ne hazîndir

İhsân-ı niyâz etmededir gönlüme sâzın
Ey kalbi şu teller gibi mühtez ne bu nâzın
Lûtfet ne olur ben olayım mahrem-i râzın
Bir kerre de gel gönlümü çal bak ne hazîndir

Semâî   **Zeki Arif Ataergin**
Neydin güzelim dün gece sen, dün gece neydin
Âteş gibi, âfet gibi pek korkulu şeydin
Tâkat mı kodun dilde beni yay gibi eğdin
Rahmeyler idin kendini bir kerre göreydin

Aksak   **Rumeli Türküsü**
Sabah oldu uyansana, gül yastığa dayansana
Ölüyorum inansana
Uyan yârim sabahlar oldu, sabah yıldızları doğdu
Ne uyursun ne uyursun, bu uykudan ne bulursun
Âkıbet benim olursun
Uyan yârim sabahlar oldu, sabah yıldızları doğdu

Devr-i Hindî   **Ali Rıza Avni (Tınaz)**
                                          Güfte: Nedîm

Sen gülersin gül gibi, ben bülbül-i nâlânınım
Ben senin çoktan efendim bende-i fermânınım
Derdime destindeki sâgarla dermân olmadın
Ben senin çoktan efendim bende-i fermânınım

Aksak   **Nubar Tekyay**
                      Güfte: Mustafa Nafiz Irmak

Sevgilim bu akşam gurûba kadar
Ebedî hislerle baş başa kalsak
Hasta bir ney gibi esince rüzgâr
Kolların boynumda aşka yalvarsak

Hafif   **Tanbûrî Ali Efendi**
Beste
Söylemem derdimi hem-derdim olan âh-a bile
Belki şu sînedeki nâle-i cangâha bile
Kendi bî-şüphe bilir râz-ı derûnu yoksa
Ehl-i dil söyleyemez derdini Allah'a bile

Sofyan   **Rumeli Türküsü**
Şâhâne gözler şâhâne, hüsnüne yoktur bahâne
Süleyman olsam cihâne, gönül eğlenmez asla
Akan sular şarâb olsa, uçan kuşlar kebâb olsa
Meyhâneler mesken olsa, gönül eğlenmez asla

FERAHFEZÂ MAKAMI

Devr-i Hindî Kemâni Sarkis Efendi
Bahar geldiaçtı sünbül
Figana başladı bülbül
Sevdiğim bendeni güldür
Ya güldür ya beni öldür

Aksak Fehmi Tokay
Bir gün sana sunsam şu kırık telli sâzımla
Rûhumda alevlenmiş olan beste-i aşkı
Yakmazsa da dağlar sanırım kalbimi bir an
Rahm-et o şifâyâb edecek hasta-i aşkı

Yürük Semâî Dede Efendi
Bu gece ben yine bülbülleri hâmuş ettim
Feryâd ederek âlemi bîhûş ettim
Bülbül âsâ gece tâ subha kadar çûş ettim
Feryâd ederek âlemi bîhûş ettim
Serv-i bülendim, işve pesendim
Gel gendi efendim
Dil sende gözüm, hüsnüne hayrette aman
Nazlı cânânım, kaşı kemânım
Tük-ı eflâke resîd oldu yine nağme-i âh

Curcuna Eyyûbî Ali Rıza Şengel
Bu şeb mahrûm-u hâb-oldum bana âhû melâl etme
Yeter feryâdım ey bülbül beni Ferhâd misâl etme
Tükendi tâkâtim rahmet figan-ı ficr-i yâr etme
Yeter feryâdım ey bülbül beni Ferhâd misâl etme

Devr-i Hindî İsmail Hakkı Bey
Çağlayan cûy-i sirişkle çeşm-i pür hûnum mudur
İnleyen şeb-tâ-seher bu kalb-i mahzunum mudur
Hâki pâyinden beni mahrûm-u mehcûr eyleyen
Kesret-i aşkım mı bilmem tâlî-i dûnum mudur

Yürük Semâî Lem'i Atlı
Güfte: Necdet Rüştü Efe

Dinlendi başım dün gece bir parça dizinde
Bir gözleri âhû ki tamam on sekizinde
Anmıştı gönül aşkını yıllarca izinde
Bir gözleri âhû ki tamam on sekizinde

Kâm almak için gençliğimin sevgi çağından
Diz çöktüm o gün yerlere, öptüm ayağından
Aşkın o güzel sihrini içtim dudağından
Bir gözleri âhû ki tamam on sekizinde

Aksak　　　　　　　　　　　İsmail Baha Sürelsan
　　　　　　　　　　　　　　　　Güfte: Nedim Güntel

Endâmına râm-oldu, gönül düştü belâya
Artık ne yeşil gözlere tâlip, ne elâ'ya
Her çizgiyi her rengi bulup sende nihâyet
Artık ne yeşil gözlere tâlip, ne elâ'ya

Frengifer　　　　　　　　　　Dede Efendi
Beste
Ey kaş-ı keman tîr-i müjen cânıma geçti
Peykânlarının her biri bir yânıma geçti
Bu geç nigehe sabr-ı tahammül nice mümkün
Evvel nazarın sîne-i sûzânıma geçti

Düyek　　　　　　　　　　　Şerif İçli
Gezindi bir ses uzakta hâre gibi
Bir yüz belirdi de yâdımda lâle gibi
Kanadı gönül eski sızıyla yâre gibi
Bir yüz belirdi de yâdımda lâle gibi

Ağır Aksak　　　　　　　　　Fehmi Tokay
Mest-i tâbım fûsunkâr işvelerden ey peri
Lâne-i aşkında cuşân olduğum gündenberi
Hayret ettim kalb-i âteş-bârımın sevdâsına
Tövbe olsun sevmem artık başka hiç bir dilberi

Ağır Aksak　　　　　　　　　Selânikli Ahmed Bey
Sevdim ammâ o peri-peykeri eyvâh olsun
Ki bugün sevdiğime ben de peşimân oldum
Sözlerim hâl-i perişânımı âgâh olsun
Ki bugün sevdiğime ben de peşimân oldum

Sengin Semâî　　　　　　　　İzak Varon
Seyretmek için seyrini ey rûh-i revânım
Kirpiklerim tâ ucuna gelmede cânım
Çeşmim seni görmezse görür görmeyi zâit
Hep senden ibârettir emîn ol ki cihânım

Devr-i Hindî　　　　　　　　Udî Nevres Bey
Yıllarca ben seni aradım durdum
Bülbülün sesinde gülün koynunda
Yıldızlara baktım ummâna sordum
Yıllarca boş yere koştum yoruldum
Gönlümün içinde buldum sonunda

FERAHNAK MAKAMI

Curcuna   **Cevdet Çağla**

Akşam olsun şu perdeler insin
Gel biraz neş'e sun yaşım dinsin
İçime sünbülün gülün sinsin
Gel biraz neş'e sun yaşım dinsin

Curcuna   **Şerif İçli**
Güfte: Avukat Râif Bey

Âvâre gönül lûtfunu bir gün görecek mi
Bir an gelecek âşık-ı giryân gülecek mi
Bilmem ki sevenler sevilen ölecek mi
Bir an gelecek âşık-ı giryân gülecek mi

Aksak   **Yüzükçü Ali Bey**

Bana ol meh gör neler etti
O aşnâlık savdı gitti
Her ne ise olup bitti
O aşnâlık savdı gitti

Sana ben gönlüm vereli
Olmadım hiç gamdan beri
Çâre nedir şimden geri
O aşnâlık savdı gitti

Yürük Semâî   **Şâkir Ağa**

Bir dilbere dil düştü ki mahbûbu dilimdir
Reftârı güzel kameti arar bedelimsin
Tîr-i nigehi gamzesi ger eylese te'sîr
Cânımda n'ola hayli zamandır emelimdir

Aksak   **Tanbûrî Cemil Bey**

Bir nigâhın kalbimi etti esir-ü zülfün âh
Her zaman kan ağlarım derdinle ey çeşm-i siyah
Yârelendi tîr-i müjgânınla kalb-i gam penâh
Her zaman kan ağlarım derdinle ey çeşm-i siyah

Sengin Semâî   **Bîmen Şen**

Dil bülbül olup gonce-i gülzâra sarıldım
Gül arâr iken neyleyim sünbüle sarıldım
Cevreyleriken kan içici tiğ-i nigâhın
Bilmezlik ile gamze-i hun-hâre sarıldım

Türk Aksağı   **Nikogos Ağa**

Dil verdim ol gül gonce-i zâre
Yaktım yine ben kendimi nâre
Lâyık değilim gerçi o yâre
Göz gördü gönül sevdi ne çâre

Semâî   Selâhaddin Pınar
                                   Güfte: Mustafa Nafiz Irmak

Çok bekledim akşam seni yollarda vefâsız
Gönlümle yetimler gibi kaldım yine yalnız
Ey kalbimi yıllarca karanlık bırakan kız
Gönlümle yetimler gibi kaldım yine yalnız

Devr-i Hindî   Kazasker Mustafa İzzed Efendi
Ey mürüvvet mâdeni kân-ı kerem
Geç geçenden gün bu gündür efendim, âh bu dem
Bildim ammâ cürmümü ey gonce fem
Geç geçmeden gün bu gündür efendim, âh bu dem

Aksak   Suyolcu Sâlih Efendi
Ey şûh-i cihan sevdim seni can
Lûtfeyle aman gel bezme heman
Etrafa bakın ağyârdan sakın
Akşama yakın gel bezme aman

Curcuna   Ali Salâhi Bey
Gelmez oldun sevgilim hiç yanıma
Yoksa girmek midir mûrâdın kanıma
Gönlüm aldın bâri kıyma canıma
Bir teselli ver dil-i nâlânıma

Aksak   Hasan Ağa
Görmeyince sabredemem bir saat
Ben bilirim gönlümündür kabahat
Görüşçe râdetim gitti ol saat
Ben bilirim gönlümündür kabahat

Curcuna   Tahsin Karakuş
                                   Gafte: Hüsnü Kayıran
Hasretim, gönülden özlediğimsin
Dört gözle yolunu gözlediğimsin
Adını herkesten gizlediğimsin
Dört gözle yolunu gözlediğimsin

Sengin Semâî   Lemî Atlı
Kan ağlar iken celb-i terahhüm emeliyle
Göz yaşlarımı silmedi bir kerre eliyle
Adını herkesten gizlediğimsin
Dört gözle yolunu gözlediğimsin

Ağır Aksak   Tahsin Karakuş
                                    Güfte: Orhan Rahmi Gökçe

Kimse yok bağçeler ürperdi derinden derine
Yine bir gizli keder çarptı ud'un tellerine
Sanki mızrâbım eş olmuş o elem hançerine
Yine bir gizli keder çarptı ud'un tellerine

Devr-i Hindî   İzak Varon

Merhamet et bu feryâde
Temâyül et beni şâde
Sun destime sen bir bâde
Sana meylim fevkalâde

Aksak   Dellâlzâde

Olmadım ben dest-res mânendine
Bir nazarla bende ettin kendine
İrmedi aklım senin hiç fendine
Bir nazarla bende ettin kendine

Yürük Semâî   Zekâî Dede Efendi
                                    Güfte: Süleyman Nahifî

Sensiz cihanda âşık'a işret revâ mıdır
Sensiz safâ-yı ehl-i mahabbet safâ mıdır
Ölsün mü neylesin olan âşüfte hüsnüne
Kurbânın olduğum seni sevmek hatâ mıdır

Hafif   Zekâî Dede Efendi
Beste
Söyletme beni cânım efendim kederim var
Bir gûne değil dildeki efkâr nelerim var
Bir bûseye can vermek ile müşterî oldum
Güldü leb-i gülfem dedi yok yok değerim var

Sengin Semâî   Udî Sabri Bey (Tophaneli)
Tesîr-i tehassürle gönül nev-hâger oldu
Zîrâ ki o gül gonce-i nevres heder oldu
Her katra-i eşkim bana hûn-i ciğer oldu
Bî-çâre dilin hâlini sorma neler oldu

Ağır Aksak   Selâhaddin Pınar
                                    Güfte: Nureddin Rüştü Bey
Zannederim aşkımı bir şûha bağlarsam geçer
Yar eliyle sînemi bir kerre dağlarsam geçer
Bitmiyor âh-ü figanım bülbül-i şeydâ gibi
Geçmiyor gülmekle hüznüm belki ağlarsam geçer

GERDÂNİYE MAKAMI

GERDÂNİYE MAKAMI

Sofyan

Yesârî Âsım Arsoy.
Güfte: Besteciye aittir.

Bahar olur yaz olur güzellerde naz olur
Vefâlısı az olur işvelisi az olur
Hilâl gibi kaş olur yarda yürek taş olur
Âşıkta göz yaş olur âşıkta göz yaş olur
Hele hele yakın gel gelmen deme sakın gel
Edâları takın gel işveleri takın gel

Yandım dilber elinden kurtar aşkın selinden
Öptüm saçın telinden sarsam ince belinden
Yakma dilber canımı yıkma dilber sanımı
Dağladın her yanımı kapladın her yanımı
Bu sevdâdan ölürsem helâl etmem kanımı
Helâl etmem, helâl etmem, helâl etmem kanımı

Düyek

Selâhaddin Pınar

Boş kalan kalbimi doldurmada derdim kederim
Nice yıldan-beri ben derbederim, derbederim
Ne bağın bülbülü kaldı ne de güllerde koku
Ömrü bir yük gibi ardımca sürükler giderim

Curcuna

Şeref Canku

Gidelim bağlara yemyeşil dağlara
Yeniden dönelim hey cânım ceylânım
Sevdâlı çağlara hey.
Âşıkım bir güle benzedim bülbüle
Bakmıyor gözlerim lâleye sünbüle
Gül yüzün göreyim güllerin dereyim
Yüz görümlüğüne canımı vereyim

Müsemmen

Turhan Toper
Güfte: Öksüz Âşık

Gül budanmış dal dal olmuş
Menekşesi yol yol olmuş
Siyah zülfün tel tel olmuş
Biz şu yerlerden gideli, gurbet ellere düşeli
Gül menekşeye karışmış
Küskün olanlar barışmış
Taze fidanlara yetişmiş
Biz şu yerlerden gideli, gurbet ellere düşeli

Nîm Sofyan.　　　　　　　　　　　　　　Sadettin Kaynak
Karşı dağdan uçan turna
Yaralı kalbime vurma
Aşk yolundan geçerseniz
Yâre selâm edin turna (Hey)

Turnalar köye gidince
Ayşe kız bize gelince
Eğlenmeli zevketmeli
Ayşe kızı mestetmeli (Hey)

Aksak　　　　　　　　　　　Suphi Ziya Özbekkan
　　　　　　　　　Güfte: Rıza Tevfik Bölükbaşı

Uçun kuşlar uçun doğduğum yere
Şimdi dağlarında mor sünbül vardır
Ormanlar koynunda bir serin dere
Dikenler içinde sarı gül vardır

Orada geçti benim güzel günlerim
O demleri anıp bugün inlerim
Destan-ı ömrümü okur dinlerim
İçimde oralı bir bülbül vardır

Sofyan　　　　　　　　　　　　　　Sadettin Kaynak
Yar ayrılık yaktı beni, hangi yürekle nâz-edem
Yar sensiz bıraktı beni, derdimi kime arzedem
Toprak kavuştu yeşile, ot başağa bülbül güle
Göz yaşımı sile sile, derdimi kime arzedem
Gurbet yol vermiyor geçem, vuslat şarâbını içem
Ben senden nasıl vazgeçem, derdimi kime arzedem

GÜL-İZAR MAKAMI

GÜL-İZAR MAKAMI

Düyek   Muzaffer İlkar
Aşkımızda düğüm var çözemez onu eller
Ahdımızda ölüm var bozamaz onu eller
Gel bu yerden gidelim kıskanır bizi eller
Gizli düğün edelim görmesin bizi eller
Yanağında gül açmış değmesin sakın eller
Onu yârin koparsın ele batsın dikenler

Aksak   Dede Efendi
Bî-vefâ bir çeşm-i bîdât ne yaman aldattı beni
Ben sînemi nişan diktim gamzesiyle vurdu beni
Ben o yâre ne söyledim aşkın deryâsını boyladım
Cihâr attım şeş oynadım yine felek yendi beni

Ağır Aksak   Zeki Duygulu
İçmeli âşık olanlardan yâr elinden bâdeyi
Süzmeli leblerden imbikler gibi peymâneyi
Bûseyi hem-dem ile nûş eyledikçe nazlı yâr
Mest olunca istemem vîran olan meyhâneyi

Aksak   ✓ Dede Efendi
Nazlı nazlı sekip gider ah
O güzel ceylân, o şirin ceylân
Dönüp dönüp bakar gider ah
O güzel ceylân, o şirin ceylân
Dağlar bana, dağlar bana vay
Bahçe sana bağlar bana vay
Kalmışım gurbet ellerde vay
Kimsem yoktur bağlar bana hey
Aldanmaz, avlanmaz
Serkeş olmuş ava gelmez
O güzel ceylân, o şirin ceylân

Sengin Semâî   Nikogos Ağa
Sormadı hâl-i dil-i gam-hâreyi
Şerhaledi sîne-i sad-pâreyi
Vermedin tîğ-i siteme âreyi
Kendisi açtı ciğere yâreyi
Kendi bulur bulsa yine çâreyi

HİCAZ MAKAMI

HİCAZ MAKAMI

Curcuna   **Bîmen Şen**
                              Güfte: Orhan Seyfi Orhon

Acaba şen misin kederin var mı
Ne kadar dertliyim haberin var mı
Koynunda bana da bir yerin var mı
Ne kadar dertliyim haberin var mı

Aksak   **Lem'i Atlı**

Acırım âşık olup da yanana
Aşkı bitmez diyerek aldanana
Bunu hissiyle meziyyet sanana
Ağlarım vasl ile şâdân olana
Gülerim hicrile giryân olana

Sofyan   **Rumeli Türküsü**

Açıl ey gönlümün vârı, bâd-ı sabâ olmadan
Girebilsem yar yanına gül cemâlim solmadan
Üsküp halkı kol kol olmuş Morova'da dolaşır
Giy efendim hep yeşiller dal boyuna yaraşır

Sofyan   **Yesârî Âsım Arsoy**

Adalarda bir yar gelir bizlere
Aman Allah gözlere bak gözlere
İpek çorap varsın düşsün dizlere
Hoş yaratmış Allah pek şirindir Billâh
İşvebazdır Vallah çapkınlardan kolla.
Adaların ıssız tenha yolları
Boynumda kaldı o yârin kolları
Menekşelerden biçilmiştir şalvarı

Sengin Semâî   **Mahmud Celâleddin Paşa**

Âfet misin ey hüsn-ü mücessem bu ne hâlet
Girmiş mi senin şekline bilmem ki muhabbet
Etmiş mi terâküm meleğim sende letâfet
Gülzâr ile hüsnün ediyor sanki rekabet

Curcuna   **Nubar Tekyay**
                              Güfte: Mustafa Nâfiz Irmak

Ağlamış, gülmüş, cefâya durmadan yanmış gönül
Her güzel râyâya kanmış, yâr aldanmış gönül
Bazı gün sevmiş, sevilmiş, bazı kıskanmış gönül
Bî-vefâ ellerde kalmış, sâde hicranmış gönül

Sengin Semâî

Bīmen Şen
Güfte: Süleyman Nazif

Ağyâr ile sen keşt-i güzâr eyle çemende
Ben ağlayayım hasretle günc-i mihende
Ey her gülüşü âleme bir gülşen-i hande
Birgün gelecek ağlayacaksın bana sen de

Nîm Sofyan

Hasan Dramalı (Güler)
Güfte: Besteciye aittir.

Akşam olur sabah olur yar gelmez
Sanırım ki beklediğimi bilmez
Gelmez canım, gelmez gülüm, gelmez yavrum, ah gelmez.
Gide gide yorgun gitmez dizlerim
Arıyorum görmez onu gözlerim
Gelmez canım, gelmez gülüm, gelmez yavrum, ah gelmez.
Yollarına baka baka yoruldum
O çapkının gözlerine vuruldum
Gelmez canım, gelmez gülüm, gelmez yavrum, ah gelmez.

Curcuna

Selâhaddin Pınar
Güfte: Mustafa Nafiz Irmak

Anladım sevmeyeceksin beni sen nazlı çiçek
Hasta gönlüm yine hicrânını yalnız çekecek
Belki rûhum seni çılgınca severken ölecek
Yine sensin beni bir lâhza şifâyâb edecek

Düyek

Alaeddin Yavaşça
Güfte: Faruk Nâfiz Çamlıbel

Artık bu solan bahçede bülbüllere yer yok
Bir yer ki sevenler sevilenlerden eser yok
Bezminde kadeh kırdığımız sevgililer yok
Bir yer ki sevenler sevilenlerden eser yok

Düyek

Fehmi Tokay

Aşkı seninle tattı hicranla yandı gönül
Evvel coştu taştı da şimdi uslandı gönül
Cevri safâya kattı hayli aldandı gönül
Evvel coştu taştı da şimdi uslandı gönül

Devr-i Hindî

Hafız Yusuf Efendi

Âteş-i aşkın harâbetti dil-i nâlânımı
Dûd-i endûh-i melâmet kapladı her yanımı
Sevdiğim lûtfeyle gûş-et nâlevü efganımı
Yapmadın gel bâri yıkma hâtır-ı vîrânımı

Düyek **Dede Efendi**
Aşkınla ben ey nâzenin
Mecburunam, mecburunam, mecburunam.
Ey serv-i kamet nev-zemîn
Geldim kapında bendenim
Hem bende-i üfkendenim
Rahmeyle gel nâlendenim
Mecburunam, mecburunam, mecburunam.

Curcuna **Fahri Kopuz**
Güfte: Süleyman Nazif
Bahar olsa, çemen-zâr olsa, âlem handedâr olsa
Sen olmazsan hayâlimde zemîn ağlar, semâ ağlar
Gönül mehcûr kaldıkça huzur ümmid eder sanma
Sen olmazsan hayâlimde zemîn ağlar, semâ ağlar

Lenk Fahte **Suphi Ezgi**
Beste
Baktıkça hüsn-ü ânına
Hayrân olur âşıkların
Geldikçe hicrin yâdıma
Nâlân olur âşıkların

Aksak **Sadettin Kaynak**
Bana yardan vazgeç derler
Ben geçerim gönül geçmez
Üftâdesi çoktur derler
Ben geçerim gönül geçmez
Aşkına düştüm ne çâre
Kapılmışım âh-ü zâre
Çekerlerse beni dâre
Ben geçerim gönül geçmez

Aksak **Medenî Aziz Efendi**
Ben ne ettim sana bilmem âh felek
Çille-i cevrin çekilmez oldu pek
Serhâdâr-ı hançer-i gamdır yürek
Çille-i cevrin çekilmez oldu pek

Aksak **Muzaffer İlkar**
Beni cânımdan ayırdı gönlümü yıktı temelden
Seni sevmek de suçmuş ki bilmedim yandım ezelden
Beni sana seni bana kavuştursun yârab tez-elden
Seni sevmek de suçmuş ki bilmedim yandım ezelden

Aksak Mısır'lı   **Udî İbrahim Efendi**
Uzzal
Beni sev rûhumu sar kalbime yaslan beni sev
Ne olur gönlüm avunsun diye bir an beni sev
Yine ayrılmayacakmış gibi candan beni sev
Ne olur gönlüm avunsun diye bir an beni sev

Sengin Semâî   **Yesârî Âsım Arsoy**
Bilmem niye bir bûseni sen çok görüyorsun
Bîgâne nigâhınla beni öldürüyorsun
Hicrin ile ben ağlar iken sen gülüyorsun
Bîgâne nigâhınla beni öldürüyorsun

Düyek   **Avni Anıl**
                      Güfte: ümit Yaşar Oğuzcan
Bir ateşim yanarım külüm yok, dumanım yok
Sen yoksan mekânım belli değil, zamânım yok
Fırtınalar içinde beni yalnız bırakma
Benim senden başka sığınacak limanım yok

Sofyan   **Avni Anıl**
                        Güfte: Ahmet Ilgaz
Bir çağrına bin can ile gelirim
Bak bir kerre, bakışınla eririm
Dîvâneyim ey gül endâm nâzenin
Can yurduma gel, ben cânım veririm

Aksak   **Kanûnî Hacı Arif Bey**
Bir gün seni görmez isem bana ölümden beter
Seni sevdim seveli başımdan gitmiyor keder
Senin der-i kahrınla hep oldum a zâlim heder
Söyle ey bî-vefâ yok mu merhametten hiç eser

Ağır Aksak   **Şekerci Cemil Bey**
Bir nigâh et ne olur hâlime ey gonca dehen
Göz göz oldu yüreğim gözlerinin derdinden
Niye baktım niye gördüm niye sevdim seni ben
Göz göz oldu yüreğim gözlerinin derdinden

Curcuna   **Suphi Ziya Özbekkan**
Bir zamanlar şek-i cuşâ-cûş olan
Vecde menbâ aşka bir âguş olan
Sen misin şimdi gönül hâmuş olan
Hey gönül hey sen misin bî-hûş olan

Curcuna Hayri Yenigün
Güfte: Süleyman Sıddık
Bu yaz geçti ne çabuk bu yıl bahar tez oldu
Dudakların, sevgilim nerdesin, demez oldu
Gönlüm nasıl yanmasın bu tâ'lisiz gözlerim
Senin o gül yüzünü artık göremez oldu

Semâî   **Yusuf Nalkesen**
                                   Güfte: Besteciye aittir.

Bülbülün çilesi yanmakmış güle
Ömürler geçiyor ağlaya güle
Yolcuyuz cümlemiz hep o meçhûle
İçelim a dostlar neş'e dolalım
İçelim bu akşam sermest olalım

Kimimiz hasretiz sevdiğimize
Kimimiz yanarız gençliğimize
Gelmeden yolculuk sırası bize
İçelim a dostlar neş'e dolalım
İçelim bu akşam sermest olalım

Ağır Aksak   **Bülbülî Salih Efendi**
Cevr-i hicrin arttırır feryâdımı
Senden artık Allah alsın dâdımı
Kırdın incittin dil-i nâşâdımı
Senden artık Allah alsın dâdımı

Curcuna   **Hayri Yenigün**
                                   Güfte: Rıfat Moralı

Çamlarda dolaşsak yine hülyâlara dalsak
Herşeyden uzak gailesiz biz bize kalsak
Mehtâb vuran enginlere bin kahkaha salsak
Hep yan yana, hep baş başa, hep diz dize kalsak

Curcuna   **Ahmed Râsim Bey**
Çâre bulan olmadı bu yâreye
Pek yazık oldu dil-i bî-çâreye
Mihnet-i hicran giriyor areye
Pek yazık oldu dil-i bî-çâreye

Geçti gam-ı firkat ile rûzigâr
Etmedi vuslat bile bu derde kâr
Ağlasa da sızlasa da hakkı var
Pek yazık oldu dil-i bî-çâreye

Ağır Aksak   **Astik Ağa**
Çeşm-i mahmûrun sebeptir nâle-vü feryâdıma
Hasta-i hicrân-ı aşkım gel yetiş imdâdıma
Çâre-sâz ol vuslatınla hâtır-ı nâşâdıma
Hasta-i hicrân-ı aşkım gel yetiş imdâdıma

Lenk Fahte   **Kanûnî Hacı Arif Bey**
Beste
Çıktıkça sûz-i dilden cânâ figan-ü nâle
Geldikçe yâde hicrin zehrâb olur piyale
Gül-rûlere hemişe lâyık olan vefâdar
Lûtfeyle bir nigâh et ersin gamım zevâle

Nîm Sofyan   **Muhlis Sabahattin Ezgi**
Çok yaşa sen Ayşe, köyün yıldızısın
Biricik kızısın, dayımın kuzususun
Bahtın açılsın, tâlih saçılsın
Gönlün şen olsun, kendini üzme sakın
Vur patlasın, çal oynasın
Bu hayat böyle geçer

Curcuna   **Şükrü Tunar**
Demedim hicrânımı ellere yarar diye
Gönlümü veremedim sevgili arar diye
Açtığın yârelere ellerin şifâ verir
Sardırmadım ellere yar gelir sarar diye

Sengin Semâ   **Enderûnî Ali Bey**
Derdimi arz-etmeğe ol şûha bir dem bulamadım
Hâlime hiç rahmeder âlemde hem-dem bulmadım
Ketmeder râz-ı derûnum yâr-ı mahrem bulmadım
Yâre açtı yâreme ammâ ki merhem bulmadım
Hâsılı bu âlemi ben eski âlem bulmadım

Curcuna   **Suphi Ziya Özbekkan**
                        Güfte: Fazıl Ahmed Aykaç
Dilerim bûse olup kalmaı her an dudağında
Yaşamak isteyişim ölmek içindir kucağında
Bu merâret dolu ömrün bu kadar gamlı çaında
Yaşamak isteyişim ölmek içindir kucağında

Düyek   **Avni Anıl**
                        Güfte: Turgut Yarkent
Dil-şâd olacak diye kaç yıl avuttu felek
Saçıma karlar yağmış boşuna yaz beklemek
Ne bülbül dile geldi ne de açtı bir çiçek
Saçıma karlar yağmış boşuna yaz beklemek

Aksak

Şevki Bey
Güfte: Hafid Bey

Dil yâresini andıracak yâre bulunmaz
Dünyada gönül yâresine çâre bulunmaz
Her derdin olur çâresi meşhur meseldir
Dünyada gönül yâresine çâre bulunmaz

Düyek
Dîvan

Suphi Ziya Özbekkan
Güfte: Rıza Tevfik Bölükbaşı

Dün gece ye'sile kendimden geçtim
Teselli aradım meyhânelerde
Baht-ı dûn elinden bir dolu içtim
O neş'e kalmamış peymânelerde
Her neye dokunsam zahm-ı firkat var
Çalkalanır ağlar bir âh-ü hasret var
Sularda çağlayan terânelerde
Bilmedim kim oldu bu hâle sebep
Ağladım ümmidim hebâ oldu hep
Bendeki sûz-i dil var mıdır acep
Tutuşup can veren pervânelerde

Düyek

Kaptanzâde Ali Rıza Bey
Güfte: Ömer Bedrettin Uşaklı

Eğilmez başın gibi gökler bulutlu efem
Dağlar yoldaşın gibi sana ne mutlu efem
Oyna yansın cepkenin yansın güneşten tenin
Gün senin şenlik senin bayramın kutlu efem.

Çoban yıldızı gibi gönlüme aktın efem
Bir yaz güneşi gibi sen beni yaktın efem
Oyna yansın cepkenin yansın güneşten tenin
Gün senin şenlik senin bayramın kutlu efem.

Düyek

Hacı Arif Bey

Ey dil ne bitmez bu âh-ü vâhın
Oldu diğer-gûn hâl-i tebâhın
İnsâfı yok mu bilmem o mâhın
Feryâd elinden baht-ı siyâhın

Düyek

Enderûnî Ali Bey

Eyledin şeydâ beni ey gül-beden
Ayrılıktır gönlümü mahzûn eden
Eylemem şekvâ efendim gayri ben
Ayrılıktır gönlümü mahzûn eden

Sofyan

Sadettin Kaynak
Güfte: Âşık Ömer

Elâ gözlerine kurbân olduğum
Yüzüne bakmaya doyamadım ben
İbret için gelmiş derler cihana
Noktadır benlerin sayamadım ben
Ayamadım ben doyamadım ben
Noktadır benlerin sayamadım ben

Aşkın ateşidir sînemi yakan
Lûtfuna erer mi cevrini çeken
Kolların boynuma dolanmış iken
Seni öpmelere kıyamadım ben
Ayamadım ben doyamadım ben
Seni öpmelere kıyamadım ben

Semâî

Dede Efendi
Güfte: Vâsıf

Ey büt-i nev-edâ, olmuşum müptelâ
Âşıkam ben sana, iltifât et bana
Gördüğümden-beri, olmuşum serseri
Bendenim ey peri, iltifât et bana
Hâsılı bunca dem, ben senin bendenem
İltifât et bana, âşıkam ben sana

Düyek

Avni Anıl
Güfte: Turgut Yarkent

Firâkınla yansa ten yine vuslat dilemem
Bî-mecâl kalsam bile senden tâkat dilemem
Âşıka âşıkım ben hiç sadâkat dilemem
Bî-mecâl kalsam bile senden tâkat dilemem

Türk Aksağı   **Fehmi Tokay**

Firkatte ne var gönlümü hasretle erittin
Ağyare gülerken bana bildin mi ne ettin
Mes'ut edemem git diye kalbimde yer ettin
Ben bahtıma küssem bile sen kendine ettin

Türk Aksağı   **Yesârî Âsım Arsoy**

Gamsız yaşarım eğlenirim, zevk ederim ben
Her çehrede bir hande-i ülfet sezerim ben
Kalbimde benim yer bulamaz gamlar elemler
Her çehrede bir hande-i ülfet sezerim ben

Türk Aksağı

Hırant Emre
Güfte: Şerif Bey

Gel nazlı güzel bana can ver gülüşünle
Gel sînemi aç yâremi gör kalbimi dinle
Aşkın yakıyor rûhumu her lâhzada cânân
Gel sînemi aç yâremi gör kalbimi dinle

Yürük Semâî

Münir Nureddin Selçuk
Güfte: Faruk Nafiz Çamlıbel

Gittin de bıraktın beni aylarca kederde
Mehtâb oluyordun bana aysız gecelerde
Dermân olur ancak dönüşün bizdeki derde
Mehtâb oluyordun bana aysız gecelerde

Düyek

Alaeddin Yavaşça

Gönlümü aldın güzel, kalbimi çaldın güzel
Sevdâya saldın güzel, gel üzme artık yeter
Aşkımsın, dileğimsin, bahârım, çiçeğimsin
Güzelsin, hem şirinsin, seviyorum seni ben.

Sevdâlı bakışların, canımı yakışların
Yeter kaş çatışların, gel üzme artık yeter.
Alev mi aşkın senin, gül müdür penbe tenin
Hasretiyim bûsenin, gel üzme artık yeter.

Düyek

Muzaffer İlkar

Gönlümün şarkısını gözlerinde okurum
Sevgimin neş'esini sözlerinde bulurum
Seni bir an göremezsem kederimden ölürüm
Göreyim şen yüzünü kaçma benden sevgilim
Sevgimin neş'esini sözlerinde bulurum

Curcuna

Selahaddin Pınar
Güfte: Mustafa Nafiz Irmak

Gönül yarasından acı duyanlar
Feleğin kahrına boyun eğermiş
Kara bahtın cilvesine uyanlar
Bir gün olur murâdına erermi

Ben de çile çektim göz yaşı döktüm
Cânâna yalvardım nice diz çöktüm
Şifâsız yaramı dağlayıp söktüm
Ağlayanlar bir gün olur gülermiş

Aksak

Avni Anıl
Güfte: Cemal Atayman

Gözlerin kömür senin, bakışın ömür senin
Aşkına tutulanlar kahırdan ölür senin
Gönlümü sana versem, bahçende bin gül dersem
O zaman öldür beni, başkasına gül dersem

Aksak   Rıfat Bey

Gülşen-i hüsnüne kimler varıyor
Kim ayağın öperek yalvarıyor
Bağrımı şâne gibi kim yarıyor
Sevdiğim zülfünü kimler tarıyor

Aksak Dede Efendi

Güzel gel aklımı aldın
Bir bakışla gönlüm çaldın
Aldatıp ferdâya saldın
Gelirim gelmezlenir
Bilir hâlim bilmezlenir
Aman gel, gülüm gel, gel aman.
Kâr-ü cefâ uşşâka hep
Bu cevre ne bilmem sebep
Kanda olsam ol gonce leb
Gelirim der gelmezlenir
Bilir hâlim bilmezlenir
Aman gel, gülüm gel, gel aman.

Curcuna   Leylâ Saz

Haberin yok mu senin ey dil-i zâr
Yine pür şevk-i emel geldi bahâr
Oluyor arz-ı semâ neşve-nisâr
Yine pür şevk-i emel geldi bahâr

Curcuna

Ekrem Güyer
Güfte: Halil Soyuer

Hançer-i aşkınla ey yâr gönlüm üzre vurma hiç
Öyle bir derde giriftârım ki halim sorma hiç
Ağladıkça gözlerimden kan gelir yaş yerine
Öyle bir derde giriftârım ki hâlim sorma hiç

Düyek   Mustafa Nafiz Irmak

Hasretin bağrımı delip geçiyor
Göz yaşı ömrümü silip geçiyor
Ne yazık bu çağım gelip geçiyor
Göz yaşı ömrümü silip geçiyor

Aksak					Selâhaddin Pınar
					Güfte: Mustafa Nafiz Irmak

Hasta kalbimde açılmış kanayan bir yarasın
Seni ölsem de unutmam bana son hâtırasın
Kaybolan cismini gönlüm nerelerde arasın
Seni ölsem de unutmam bana son hâtırasın

Aksak					Hırant Emre

Hastayım yaşıyorum görünmez hayâlile
Belki bir gün, bir gün diye, beklerim ümmidile
Çürüyor zavallı rûhum aşkının hasretiyle
Belki bir gün, bir gün diye, beklerim ümmidile

Türk Aksağı					Zeki Duygulu

Her gün o siyah gözlere baktıkça takıldım
Billâhi o yalan sevgine yıllarca kapıldım
Pervâne gibi âteş-i aşkınla yakıldım
Billâhi o yalan sevgine yıllarca kapıldım

Sengin Semâî					Haydar Tatlıyay

Hicrân-ü elem açtı yine sîneme yâre
Ey hasta gönül bekleme sen derdine çâre
Ümidin eğer kaldı ise fasl-ı bahâre
Ey hasta gönül bekleme sen derdine çâre

Düyek					Avni Anıl
					Güfte: Sedat Ergintuğ

Kader kime şikâyet edeyim seni bilemem
Alnıma yazılmış yazısı derinsin silemem
Doğarken yakışmış benimsin, tenimsin silemem
Alnıma yazılmış yazısın derinsin silemem

Aksak					Selâhaddin Pınar
					Güfte: Hüseyin Suad Bey

Kamadı bende ne arzû, ne gönül
Kime aldanmadı dîvâne gönül
Yandı hep boş yere pervâne gönül
Kime aldanmadı dîvâne gönül
Ne çiçek kokladım âlemde, ne gül
Takmadım göğsüme bir tek sünbül
Şakradıkça yuvasında bülbül
Kime aldanmadı dîvâne gönül

Nîm Sofyan   Kaptânzade Ali Rıza Bey
Kapıldım gidiyorum bahtımın rüzgârına
Ey ufuklar diyorum yolculuk var yarına
Ayrılık görünmüşken yâr tutmuyor elimden
Misafirim bugün ben Bursa akşamlarına

Türk Aksağı   Medenî Aziz Efendi
Kendine niçin emsâl ararsın
İsmin gibi pek nâzik edâsın
Gerçi biraz da sen bî-vefâsın
İsmin gibi pek nâzik edâsın

Aksak   Şevki Bey
Kış geldi firâk açmadadır sîneme yâre
Vuslat yine mi kaldı güzel başka bahâre
Bâri bulayım söyle de sen derdime çâre
Vuslat yine mi kaldı güzel başka bahâre

Devr-i Hindî   Hacı Arif Bey
Kudretin kâfi değildir sûz-i âh-ü zârıma
Karşı durma ey felek feryâd-ı âteş bârıma
Hirmen-i âlem dayanmaz şûle-i efganıma
Karşı durma ey felek feryâd-ı âteş bârıma

Aksak   Hacı Arif Bey
Kurdu meclis âşıkan meyhânede
Neş'eler var dîde-i mestânede
Aks-i hüsnün rünûmâ peymânede
Neş'eler var dîde-i peymânede

Türk Aksağı   Selâhaddin Pınar
                           Güfte: Mustafa Nafiz Irmak

Leylâ gibi hıçkırsa ve Mecnûn gibi yansa
Kalbin ne olur aşkıma bir lâhza inansa
Gönlüm tutuşan gözlerinin şîrine kansa
Kalbin ne olur aşkıma bir lâhza inansa

Sofyan   Refik Fersan
Mahmûr ufuklarda batan gün gibi ölgün
Nevmîd-i sevdâ ile rûhum sana küskün
Gönlüm, o zavallı yine âlâmına düşkün
Yâd-eyle beni terk-i cihân eylediğim gün

Sengin Semâî   Civan Ağa
Mecnûn gibi sahrâ-yı cünûn-içre yerim var
Zülf-i gam-ı Leylâ ile bin derd-i serim var
Sevdâ-yı muhabbetle şakır bülbül-i aşkım
Zülf-i gam-ı Leylâ ile bin derd-i serim var

Ağır Aksak   Hacı Faik Bey
Meyle teskîn eyle sâkî âh-ü âteş-zârımı
Pek harâbım gel sevindir hâtır-ı nâşâdımı
Almıyor sem-i kabule kimseler feryâdımı
Pek harâbım gel sevindir hâtır-ı nâşâdımı

Ağır Aksak   Hacı Faik Bey
Müptelâyı derd-i hicrandır gönül
Âteş-i firkatle sûzandır gönül
Kıl terahhum lûtfa şâyândır gönül
Âteş-i firkatle sûzandır gönül

Curcuna   Şemseddin Ziya Bey
Ne bahtımdır ne yâr-i bî-amandır
Beni giryân eden hükm-ü zamandır
Bu günkü handeler aynı figandır
Beni giryân eden hükm-ü zamandır

Düyek   Avni Anıl
                                        Güfte: Hilmi Soykut

Ne kadar rûha yakın neş'eli hâlin var bu gece
Her kadehde eriyor sanki melâlin bu gece
Yeni bir ay gibi meclisde gören der ki sana;
Seni kıskanması bundan mı hilâlin bu gece

Düyek   Zeki Arif Ataergin
Ne müşkülmüş güzel sevmek meğer
Yâr elinden gönül neler çektim neler
Sevmeyim bir dahi olsun tövbeler
Yâr elinden gönül neler çektim neler

Sengin Semâî   Yektâ Akıncı
                                    Güfte: Arif Rüştü Görgün

Neş'enle güzel gönlüme birden doluversen
Dermân arayan sîneme merhem oluversen
Bî-çâre gönül bezmine muhtâç geliversen
Dermân arayan sîneme merhem oluversen

Curcuna   Hacı Faik Bey
Ne yapsam, neylesem bu hâl-i zâre
Tahammül kalmadı bu kıl-ü kale
İşim her-dem benim feryâd-ü nâle
Tahammül kalmadı bu kıl-ü kale
İriştirse felek bahtım kemâle
Gönül vermek ne güç ol meh cemâle

Evsat   Nikogos Ağa
                    Güfte: Yavuz Sultan Selim

Niçin a sevdiğim niçin
Seni sevdim budur suçum
Turalanmış sırma saçın
Çözen benden beter olsun
Yeter olsun, yeter olsun
Çözen benden beter olsun

Aksak   Şevki Bey
Niçin şeb tâ seher ben zâr-ü zârım
Neden oldu benim feryâd-ü kârım
Medet gitti elimden ihtiyârım
Aman dostlar esir-i zülf-i yârım

Sengin Semâî   Enderûnî Ali Bey
N'olsun bu kadar âh-ü figan gönül
Ettin beni rüsvâ-yı cihan gönül
Bin derde dûçâr etmedesin bâşım her bâr
Rahat mı bulur sana uyan gönül
Sensin beni bu hâle koyan gönül

Aksak   Fâiz Kapancı
Okşadım saçlarını bir dizi sünbül mü dedim
Kokladım sînesini gonca mı ya gül mü dedim
Ya o gözler aman Allah, dayanılmaz buna Billâh
Ya o kâküller aman, lâle mi ya ful mü dedim

Ağır Aksak   Şeyh Ethem Efendi
Ol dil-rübânın herkes esiri
Hûbân içinde yoktur naziri
Hurşîde fâik vech-i mûniri
Hûbân içinde yoktur naziri

Ağır Aksak   Bîmen Şen
Ömrüm artar sana baktıkça perestişle benim
Cânımın cânı mısın rûhum musun şûh-i şenim
Seni gördükçe şifâyâb oluyor hasta tenim
Cânımın cânı mısın rûhum musun şâh-ı şenim

Düyek **Burhaneddin Deran**
Ayşem Güfte: Besteciye aittir.
Pınarın başında su verdin içtim
Sevdim seni candan yâr diye seçtim
Bu içten sevişle kendimden geçtim
Gönlümü gönlüne bağladın Ayşem
Aşkınla kalbimi dağladın Ayşem

Pınarın başında görmezsem seni
Ararım sularda hep hayâlini
Mecnûn-a döndürdü bu sevgi beni
Gönlümü gönlüme bağladın Ayşem
Aşkınla kalbimi dağladın Ayşem

Düyek **Alâeddin Yavaşça**
Riyâ imiş sevgisi o güzelin anladım
Yalnızlık tâkibeder rûhumu adım adım
Sevgiler bir masalmış aşksa büsbütün rüyâ
Kalbi gönlü ap-açık bir sevgili aradım
Gönlümün benden başka yâri yokmuş anladım
Seviyorum diyerek gönlüme yaslanan yâr
Benden uzakta iken başka sevgili arar
Sen gönlünü kalbini bağlasan neye yarar
Gözleri sendeyse de benliği eli sarar

Curcuna **Teoman Alpay**
Güfte: Tarık Hatusil

Saçının tellerine bütün ömrümü taktım
Seni sevdim bilerek kalbi ateşe yaktım
Gözlerinin ışığı hayat pınarım oldu
O ışıkta eridim sonsuzluklara aktım

Türk Aksağı **Hacı Arif Bey**
Saydeyledi bu gönlümü bir gözleri âhû
Bendeyledi zencire beni sünbül-i giysû
Bilmem ki ne sihreyledi ol gamze-i câdû
Saplandı ciğer-gâhıma dek hançer-i ebrû
Hûri mi acep nur-i mücessem mi bu

Ağır Aksak **Şekerci Cemil Bey**
Tıfl-ı nâ-kâmın acınmaz nâle-vü feryâdına
Hasta-i hülyâ-perestim kim gelir imdâdıma
Zerreler şâyân değildir âfitâbın yâdına
Hep bütün kendi sebeptir kendinin berbâdına

Curcuna
Avni Anıl
Güfte: İlham Behlül Pektaş

Sen âşık olamazsın gökte kaç yıldız var bilmiyorsun
Nerde bekliyor seni en güzel şarkılar bilmiyorsun
Ellerin yok senin, gözlerin yok, saçların yok, kalbin yok
İnsanın damarlarında esen bu rüzgâr bilmiyorsun
Nerde bekliyor seni en güzel şarkılar bilmiyorsun

Düyek
Avni Anıl
Güfte: Koray Ekener

Sen saçlarıma koşan aklar gibisin
Ansızın uykularıma dolan rüyâlar gibisin
Acılar, kahırlar, dertler getirdin bana
Şimdi içimde açan baharlar gibisin

Sengin Semâî
Enderûnî Ali Bey

Sen kân-ı kerem menba'ı ihsân olunca
Ben zâr-ı sitem dîde-i giryân olunca
Elbet de bulur kalb-i marîz derde devâsın
Tıbhâne-i lûtfunda şifâ cûyân olunca

Aksak
Şevki Bey

Severim cân-ü gönülden seni tersâ çiçeğim
Seni kabil mi görüp sevmemek ey göz bebeğim
Sana hem-tâ bu güzellikte bulunmaz meleğim
Seni kabil mi görüp sevmemek ey göz bebeğim

Semâî
Rüştü Şardağ
Güfte: Şahap Gürsel

Sevgiden, neş'eden düşmüşüz ayrı
Yıllar ne getirdi hüzünden gayrı
Bir hayâl kaldı mı kalb aynasında
Cânânın vefâsız yüzünden gayrı

Düyek
Avni Anıl
Güfte: İlham Behlül Pektaş

Sevmiyorum seni artık gözlerimi geri ver
Yalanmış yeminlerin hep sözlerimi geri ver
İsyânı tanımazdım ben seni sevmeden önce
O en mahzûn, o en mahçûb yüzlerimi geri ver

Semâî
Mısırlı İbrahim Efendi
Güfte: Ahmet Refik Bey (Altunay)

Sırma saçlı yârimin can bahşederken işvesi
Bâdeye revnâk verir lebler yakar gül bûsesi
Ruhûma te'sir eder âşüftedir her handesi
Bâdeye revnâk verir lebler yakar gül bûsesi

Semâî Mısırlı İbrahim Efendi
Güfte: Ahmet Refik Bey (Altunay)

Solsan da sararsan yine gül penbe dehensin
Rabbin bana bir nimeti varsa o da sensin
Sînem ebediyyen o güzel tenle bezensin
Rabbin bana bir nimeti varsa oda sensin

Düyek Sâdettin Kaynak
Güfte: Mustafa Nafiz Irmak

Son ümidim de bitti, kuş gibi uçtu gitti
Geri kalan hep yalan, içimde acı hicran
Şimdi bir emelim var, sevişen sevdâlılar
Tanrım onları etsin, bir arada bahtiyâr
Hayâlini anayım, onunla avunayım
Ben mihnetle yanayım, o tek bahtiyâr olsun.

Curcuna Hüseyin Mayadağ

Söyle derdini kaç yıl çekecek bu dertli başım
Bu gece sana bu son gelişim, son yalvarışım
Dilim varmazsa bu itirâfa, söyler göz yaşım
Bu gece sana bu son gelişim, son yalvarışım

Düyek

Şu gelen atlı mıdır, sorun Bağdatlı mıdır
Her gören yâri sorar, yar bu kadar tatlı mıdır
Şu gelen kimin kızı, yanakları kırmızı
Gerdanında beni var, sandım seher yıldızı

Semâî Muzaffer İlkar
Güfte: Güzide Taranoğlu

Tadı yok sensiz geçen ne baharın ne yazın
Kalmadı tesellisi ne şarkının, ne saz'ın
Sarıldım kadehlere dermân olur diyerek
Kalmadı tesellisi ne şarkının, ne saz'ın

Aksak Sadettin Kaynak

Tel tel taradım zülfünü, tellerine gül bağladım
Göğsündeki gonca gülün, yaprağına tül bağladım
Gül fidanı gibi kendi, yoktur cihanda menendi
Ben değil, âlem beğendi, endâmına bel bağladım
İndim yârin bahçesine, gül topladım çevresine
Âşık oldum lehçesine, dîvan durup el bağladım

Yürük Semâî

Şevki Bey

Ülfet etsem yâr ile ağyâre ne
Yansam âteşler gibi dildâre ne
Ben helâk olsam mürüvvet-kâre ne
Ülfet ister gönlüm ammâ, çâre ne

Bâğ-ı hüsnün ey gül-i nâzik teri
Nîm nigâhın sînede vardır yeri
Gül cemâlin gördüğüm günden-beri
Ülfet ister gönlüm ammâ, çare ne

Düyek

Yusuf Nalkesen
Güfte: Besteciye aittir.

Yalan değil pek kolay olmayacak unutmak
Öyle zor, öyle zor ki seni içimden atmak
İstemem o günahkâr ellerini bir daha
Ellerime alıp da ne öpmek, ne okşamak
Öyle zor, öyle zor ki seni içimden atmak

Sengin Semâî

Bîmen Şen

Yıllar ne çabuk geçti o günler arasından
Bir tel saç onun kaldı bütün hâtırasından
Hâlâ duyarım bin sızı ben her yarasından
Bir tel saç onun kaldı bütün hâtırasından

Düyek

Sâdettin Kaynak

Yollarına gül döktüm, gelir de geçer diye
Geçmedin boynum büktüm, başka yar seçer diye

Menekşe, lâle, hanımeli, güzel huyun yoktur bedeli
Sana gönül verdim vereli, sararıp soldum aman.

Aşkı içtim elinle, kalbim doldu seninle
Geçti ömrüm eninle, benden vazgeçer diye

Sarardı gül benzim, yıllar var ki sensizim
Şimdi ben bir öksüzüm, benden vaz geçer diye

Aksak

Selahaddin Pınar
Güfte: Mithat Ömer Karakoyun

Yüzüm gülse de kızlar, içimde yâre sızlar
Bu onulmaz yâreden, anlamaz yarasızlar
Sen çal dertli sazını gönlüm sızlasın dursun
Sen de türkümü söyle kalbim sesinde vursun
Kalbim durmadan vursun gönlüm sızlasın dursun
Gönül bir destandır ki sen de bir gün okursun
Saz ağlar, nağme ağlar, içimde yâre ağlar
Bu onulmaz yâreden, anlamaz yarasızlar

HİCAZKÂR MAKAMI

Aksak Hacı Arif Bey

Açıl ey gonce-i sadberk yaraşır
Sana gülzârda gezmek yaraşır
Takdığın gül rûyine pek yaraşır
Gül ki gül rûyine gülmek yaraşır

Aksak Nikogos Ağa
Güfte: Ziya Paşa

Akşam olur güneş gider şimdi buradan
Garip, garip kaval çalar çoban dereden
Pek körpesin esirgesin seni yaradan
Gir sürüye kurt kapmasın gel kuzucağım
Sonra yardan ayrılırsın âh yavrucağım

Ağır Aksak Şâkir Ağa

Âteş-i aşkın senin ey mehlikâ
Yaktı cismim eyledi mahv-ü hebâ
Gitti hep sabr-ü taammül bir yana
Yanmak âh mümkün müdür cânâ sana
Hüsn-ü âlem sûzuna yoktur bahâ

Curcuna Muhlis Sabahaddin Ezgi

Bahar geldi gül açıldı, aşka geldi bülbül şimdi
Yeşillendi bütün dağlar, çiçeklendi bağlar şimdi
Kuzu meler, kuşlar öter, dere hazîn hazîn çağlar
Uzakta bir kavak ağlar, aşka gelmiş çoban kızı

Çoban kızı, çoban kızı, sensiz dağların yıldızı
Duydukça kaval sesini, yüreğimde başlar sızı
Gönül mü verdin bir güle, rakîp olma sen bülbüle
Çoban kızı, çoban kızı, sensin dağların yıldızı

Aksak

Be bahçevan ben bahçemi bellerim
Hem bellerim hem gönlümü eğlerim
Bir vefâsız yâre düştüm neylerim
Bağdat ellerinde salınır gezer
Yazması boynunda dolanır gezer

Be bahçevan senin bahçen var mıdır
Bahçendeki ayva mıdır, nar mıdır
Senin benden başka da yârin var mıdır
Bağdat ellerinde salınır gezer
Yazması boynunda dolanır gezer

Düyek   Çorlu'lu
Aldı beni, aldıbeni, iki kaşın arası
Yaktı beni kül eyledi, gözlerinin karası
İçinizde tabip yok mu, nedir bunun çâresi
Sevdim ne çâre, ne söylesem o yâre
Eller âriftir.
Ne olursun güzel gözlüm, sen de bana yar mısın
Bir bakışla aklım aldın, akıl başta kor musun
Rahm-i şefkât etmeyip de, sen bana kıyar mısın

Aksak Semâî   Bolâhenk Nuri Bey
Benim serv-i hırâmânım
Benim sen nemden incindin
Saadet burcunun mâhı
Letâfet mülkinin şâhı

Curcuna   Çorlu'lu
Ben sana gönül vereli bak ne hâl-oldum
Açılmış gonca gül-iken sararıp soldum
Bir güzele gönül verip aşkına yandım
Âh efendim bu hâlimi kime söyleyim
Dünyâ bana harâm-oldu sensiz neyleyim

Sengin Semâî   Selânik'li Ahmed Bey
Bir câm-ı emel içsem o dildârın elinden
Nakdine-i cân olsa da kaçmam bedelinden
Kâm alsa idim o güzeller güzelinden
Nakdine-i cân olsa da kaçmam bedelinden

Sofyan   Hacı Arif Bey
Bir hâlet ile süzdü yine çeşmini dildâr
Evvel nazarı etti beni aşka giriftâr
Gel bâri nigehbanlığa ey tâli-i bidâr
Nâz uykusunun mestidir ol şûh-i sitemkâr

Yürük Semâî   Zekâî Dede Efendi
Bülbül gibi pûr oldu cihân nağmelerimden
Gel serv-i revân, gel gonca dehen
Gel kaşı keman, aman gel...

Hiç bûy-i vefâ görmedim ol verd-i terimden
Gel serv-i revân, gel gonca dehen
Gel kaşı keman, aman gel...

Hâküster olur çerh-i kemine şererimden
Gel serv-i revân, gel gonca dehen
Gel kaşı keman, aman gel...

Düyek   Sadettin Kaynak
Çözmek elimde değil gönlümü senden kadın
Benim sana bağlanan, sen beni bağlamadın,
Düşse düşse dilimden bağrıma düşer adın
Benim sana bağlanan, sen beni bağlamadın.

Kurtarmayı deneme benden onu boş yere
Kolum ince beline sarılmıştı bir kere
Yere anlatamazsam duyururum göklere
Benim sana bağlanan, sen beni bağlamadın.

Aksak   Hacı Ârif Bey
Dilerim zülfüne berdâr olayım
Sana bîhûde niçin bâr olayım
Tâbekey hicr ile bîzâr olayım
Mülk-i tenden çıkayım yâr olayım.

Sengin Semâî   Selânikli Ahmed Bey
Ey rûh-i revânım, ne âfet-i cansın
Yektâ-yi zamandır diye, meşhûr-u cihansın,
Dil almada, can yakmada, üstâd-ı zamansın
Yektâ-yi zamandır diye, meşhûr-u cihansın.

Müsemmen   Emin Ongan
                                  Güfte: Osman Nihat Akın
Gonca açmaz, gül olmaz, bahârı yok gönlümün,
Gonca açsa gül solar, karârı yok gönlümün,
Bir karîb âşıkım ben, diyârı yok gönlümün,
Gonca açsa gül solar, karârı yok gönlümün.

Devr-i ←   Hindî Şevki Bey
Gönlümü dûçâr eden bu hâle hep,
Kara gözlüm, kara baktımdır sebep.
Ettiğim âh-ü figane rûz-ü şeb,
Kara gözlüm, kara baktımdır sebep.

Aksak   Selâhaddin Pınar
Gönül derdi çekenleri, gizlice yaş dökenleri,
Bağrımdaki dikenleri, gidin sorun gecelerden.
Geceler hülyâ demidir, Âşıkların mahremidir,
Gök'de gizli kıpırdaşır, ay gülerek fısıldaşır,
Sevgiliden selâm taşır, sesi duyulur yücelerden.
Garib gecelerde ne var, yürekden özleyiş kadar,
Uzaklardan incelerden, ninni söyler hecelerden.
Geceler sırdaşım benim, yarını müjdeleyenim,
Çözülen bilmecelerden, ninni söyler hecelerden.

Sofyan

Kemal Niyazi Seyhun
Şiir: Yahya Kemal Beyatlı

Nazar
Gece, Leylâ'yı ayın on dördü,
Koyda tenhâ yıkanırken gördü.
"Kız vücûdun ne güzel böyle açık!
Kız yakından göreyim sâhile çık!"
Baktı etrâfına ürkek, ürkek
Dedi: "Tenhâda bu ses nolsa gerek?"
"Kız vücûdun sarı güler gibi ter!
Çık sudan kendini üryan göster!"
Aranırken ayın ölgün sesini,
Soğuk ay öptü beyaz ensesini.
Sardı her uzvunu bir ince sızı;
Bu öpüş gül gibi soldurdu kızı.
Soldu, günden güne sessiz, soldu!
Dediler hep: "Kıza bir hâl oldu!"
Tâ içindendi gelen hıçkırığı,
Kalbinin vardı derin bir kırığı.
Yattı, bir ses duyuyormuş gibi lâl.
Yattı, aylarca devâm etti bu hâl.
Sindi sîmâsına akşam hüznü,
Böyle, yastıkta görenler yüzünü,
Avuturlarken uzun sözlerle,
O susup baktı derin gözlerle.
Evi rüzgâr gibi bir sır gezdi,
Herkes endîşeli bir şey sezdi
Bir sabah söyledi son sözlerini,
Yumdu dünyâya elâ gözlerini;
Koptu evden acı bir vâveylâ,
Odalar inledi: "Leylâ! Leylâ!"
Geldi köy kızları, el bağladılar...
Diz çöküp ağladılar, ağladılar!
Nice günler bu şeâmetli ölüm,
Oldu çok kimseye bir gizli düğüm:
Nice günler bakarak dalgalara,
Dediler: "Uğradı Leylâ nazara!"

"Fahri Kapuz tarafından Nihâvend makamında bestelenmiştir."

Türk Aksağı

Udî Sâdi Ertem

Gül mevsimidir gül yüzünün gülleri gülsün
Gönlünde yanan şem'i sitem hâke dökülsün
Bir handeni bekler sararan ömr-ü bahârım
Sen gönlüme neş'e veren bir kırmızı gülsün

Sofyan Nev'eser Kökdeş
Gül dalında öten bülbülün olsam
Aşkını dilesem kalbimi sunsam
Ötsem yanık yanık kalbine dolsam
Ne olur uğruna sararıp solsam.
Bahârım, çiçeğim, güzelim sevgilim
Sar beni kollarına cânım vereyim.

Bir kuş olsam da pencerene konsam
Aşkın şarkısını sana okusam
Göğsünde yatsam da, biraz uyusam
Elemi unutsam neş'emi bulsam.

Türk Aksağı Sadettin Kaynak
Günlerce durmadan koşar ararım
Dağlara, taşlara onu sorarım
Görmeden ölürsem ona yanarım
O nazlı sevgili bilmem nerede?

Ne bahar, ne de bir bülbül sesi var
Aşkın ızdırabdan başka nesi var
İçimde hicrânın derin yası var
O nazlı sevgili bilmem nerede?

Aksak Hasan Fehmi Mutel
Her dilber için sînede bir yâre mi olsun
Nitsün dil-i mihnet-zede, bin pâre mi olsun
Uşşâkın olur mâyesi her lâhzada feryâd
Cânâ keremin zümre-i ağyâre mi olsun

Sengin Semâî Bîmen Şen
Hicrân ile dil-hastayım, ümmid ile nâlân
Gel sîneme, gel kalbime, gel rûhuma yaslan.
Mecnûn'a ben oldum halef ey rûh-i revânım
Gel sîneme, gel kalbime, gel rûhuma yaslan.

Ağır Aksak Selânikli Ahmed Bey
Hüznile çağlar sirişk-i çeşm-i giryânım benim
Bir nihayet bulmuyor hâlâ bu efganım benim
Artıyor, eksilmiyor bir türlü hicrânım benim
Bir nihayet bulmuyor halâ bu efganım benim

Ağır Aksak Bîmen Şen
Kırsa bin tel nâz ile, terk-i esâret eylemem
Kıl kadar sevdâ-yı zülfünden ferâgât eylemem
Her semen-bû dilbere arz-ı muhabbet eylemem
Kıl kadar sevdâ-yı zülfünden ferâgât eylemem

Sofyan Türkü
Konaklar yaptırdım a yârim dağlar başına
Çeşmeler yaptırdım a yârim yanı başına
Bu gençlikde neler geldi garib başıma
Ah efendim, a sultanım hastayım hasta
Başım yastıktadır a yârim gözlerim yasta

Sengin Semâî Şekerci Cemil Bey
Lâyık mı sana bu dil-i sevdâ-zede yansın
Bu âteş-i hicrâna nasıl sîne dayansın
Göster a gönül yandığını yâre, inansın
Bu âteş-i hicrâna nasıl sîne dayansın.

Düştü aman ol âteş-i sevdâya ne çâre
Bağlandı gönül âh ederek zülf-ü nigâre
Çâre bulunur belki deyû yandı bu nâre
Bu âteş-i hicrâna nasıl sîne dayansın.

Devr-i Hindî Ahmet Mithat Bey
Lezzed almış geçmiyor sevdâ-yı dildârdan gönül,
Geçti aylar, geçti yıllar, geçmedi yardan gönül.
Var mıdır bir fâide bu hâle ısrarda gönül;
Geçti aylar, geçti yıllar, geçmedi yardan gönül.

Ağır Aksak Selânikli Ahmed Bey
Meclis-i meyde elinden nûş edip hep bâdeler
Nîm nigehle âhû gözlerden dökülsün handeler
Aşk için, Allah için çalsın bütün sâzendeler
Nîm nigehle âhû gözlerden dökülsün handeler

Curcuna Ahmed Mithat Efendi
Metfûnun oldum ey vech-i ahsen
Ayrılmam artık bir lâhza senden
Vazgeçmem artık Vallâhi senden
Yandım tutuştum cân-ü gönülden
Ayrılmam artık bir lâhza senden
Vazgeçmem artık Vallâhi senden

Curcuna Lavtacı Ovrik Efendi
Mestim bu gece sen de bana mest olarak gel
Peymâne-i şevkim gibi sevdâ dolarak gel
Bilsen ne kadar döktü firâkınla gözüm yaş
Ey gül şu solan rûyimi gör de solarak bak

Aksak   **Leylâ Saz**
Nerdesin, nerde acep, gamla bıraktın da beni
Aradım, çok aradım âh, a gözüm nûru seni
Yine görmek iin o neşveli vech-i haseni
Aradım, çok aradım âh, a gözüm nûru seni

Ağır Semâî   **Leon Hancıyan**
Nihân ettim seni sînemde ey mehpâre, cânımsın
Benim râz-ı derûnum sevdiğim gözden nihânımsın
Gönül sende, gözüm hâk-i derinde ey meh-i devrân
Benim cân-ü cânânım sevdiğim vird-i zebânımsın
Âh dil nüvâzım, çâresâzım, kurbânın olam, halim pek yaman.

Yürük Semâî   **Enderûnî Ali Bey**
Ol kaaş-ı kemân cevr-ü cefâ yâyını kurdu,
Tîr-i nigehi mürg-i dil-i zârımı vurdu,
Peykân-ı gamı geçti ciğergâhıma durdu,
Âşıklığımı nâlelerim halka duyurdu;
Sultân-ı kader neyleyim böyle buyurdu.

Aksak Muhlis   **Sabahaddin Ezgi**
Oturmuş desti elindeçeşme taşına
Oyalı yemeni sarmış Ayşem başına
Fidan boylu Ayşem basmış onbeş yaşına
Kıvrak Ayşe kız,
Oynak Ayşe kız.
Şakrak Ayşe kız, şen
Köyün biricik kızı Ayşe kız
Vurgunum sana ben...

Ağır Aksak   **Lem'i Atlı**
                             Güfte: Mahmut Celâlettin Paşa

Penbelikle imtizâc etmiş tenin
Sîm'e yâ kâfur-a benzer gerdenin
Ben siyah pırlanta zannettim ben'in
Görmedim emsâlini cânâ senin.

Curcuna   **Nev'eser Kökdeş**
Rûhumda neş'e hayâle daldım
Gel sevgili gel, bir ömre bedel
Gönlüm ister görmek seni, aşkım şâheser.
Sevişirdik gündüz gece, tenhâlarda biz gizlice
Başım göğsünde yatarken okşardım nice
Gel sevgili gel, bir ömre bedel
Gönlüm ister görmek seni, aşkım şaheser.

Curcuna   Mızıkalı Lütfi Bey
Sana n'oldu gönül şâd olmuyorsun
Bu derd-ü gamdan âzâd olmuyorsun
Harâboldun da âbâd olmuyorsun
Bu derd-ü gamdan âzâd olmuyorsun

Semâî   Alaeddin Yavaşça
Sarı mimozamsın sen benim
Hayat bahçesinde gültenim
Ömrümün boyunca bendenim
Benimsin sevdiğim sen benim.

Neş'eler saçarsın her yerde
Devâsın bilirim her derde
Bir benzerin yoktur şu yerde
Benimsin sevdiğim sen benim.

Curcuna   Sabri Suha Ansen
Senelerce aşkı anmış, mahzûn kalbler hep ağlarmış
Gül dudaklar da sararmış, diyorlar ki aşk yalanmış
Kimi siyah göze kanmış, kimi kumral saça yanmış
Tutulanlar hep aldanmış, diyorlar ki aşk yalanmış
Aşkı o kız oyun sanmış, hem aldatmış, hem aldanmış
En sonunda yalnız kalmış, diyorlar ki aşk yalanmış.

Ağır Aksak   Selânikli Ahmed Bey
Seni görmek, seni sevmek emeliyle yaşarım
Seni bir gün göremezsem coşar ağlarım
Tâlin kahr-ı dil-âzârına cidden şaşarım
Seni bir gün göremezsem coşar ağlarım

Devr-i Hindî   Ömer Altuğ
Söndü hep ümitleri rûhumda hicran dinmiyor
Bir hayâle ağlarım rûhumda hüsrân dinmiyor
Öyle bir mâzi ki yıllar geçse bir an dinmiyor
Bir hayâle ağlarım rûhumda hüsrân dinmiyor

Curcuna   Muzaffer İlkar
Söyle güzel sana n'oldu, gül gibi soldun
Nedir gizli derdin, bana söylemez oldun
Mehtâb, hayat, aşkım diye, ederdin feryâd
Nedir gizli derdin, bana söylemez oldun

Düyek

Alâeddin Yavaşça
Güfte: Şükrü Öncel

Şen gözlerinle yüzüme bir baktın
Gözümden yol bulup gönlüme aktın
Kalbime girdin âteş gibi yaktın
Gözümden yol bulup gönlüme aktın

Sengin Semâî

Selânikli Ahmed Bey

Vaz geçti gönül aşkı muhabbet emelinden
Allah bilir çektiğimi bunlar elinden
Aldanma, vefâ umma zamanın güzelinden
Allah bilir çektiğimi bunlar elinden

Aksak

Lâtif Ağa

Yine hasretkeş-i dildâr oldum
Acınır hâle giriftâr oldum
Bâis-i hande-i ağyar oldum
Acınır hâle giriftâr oldum

Düyek

Sadi Işılay

Yolları gurbete bağlayan dağlar
Yaşlı gözler gibi ağlayan dağlar
Kâh başı duvaklı bir gelin gibi
Gizli bir hevesle çağlayan dağlar
Zümrüt duvağınla altın yüzünde
Leylâ'ya benzersiz Mecnûn gözünde
Bilen bilir ne var dağlar sözünde
Sabah gülen akşam ağlayan dağlar

HİSAR PÛSELİK MAKAMI

Aksak   **2. Mahmud Han**

Aman ey şûh-i nâzende
Gül gibi edersin hande
Dilde havâ, aşkın tende
Nâzik misâl gönlüm sende
Eğlenemem sensiz ben de...

Curcuna   **Refik Fersan**
                                  Güfte: Hüseyin Rıfat Bey

Baktıkça güzel gözlerine coşmadayım vâh
Sevmek de, sevilmek de felâket imiş eyvâh
Ben kendimi kaybetmişim, ey sevgili sende
Sen ben mi nesin, ben mi senim bilmiyorum âh.

Türk Aksağı   **Cevdet Çağla**
                                  Güfte: Şevki Sevgin

Bildin mi cânım sensin civânım
Hep hasretinle ağlar kemânım
Yansam, yakılsam, duymazsın ey yâr
Kalbin şen olsun, duy sen figanım
Hep hasretinle ağlar kemânım.

Türk Aksağı   **Rahmi Bey**
                                  Güfte: Besteciye aittir.

Bir nevcivansın, şûh-i cihansın
Rûh-i revansın, sînemde cansın
Canda nihansın, nûr-i ayansın
Göster cemâlin sen mihr-i ansın
Üftâdegâhın gün doğdu sansın
Setretme hüsnün dil seyre kansın
Uşşâka dâim sen mihribansın
Bu hüsn-ü-anla tâze fidansın
San ki cenansın, ezhâre şansın

Semâî   **Şekip Ayhan Özışık**

Dalma gönlüm dalma hayâle
Derd-ü gamdan düşme melâle
Gönlün yoktur belki visâle
Dalma gönlüm dalma hayâle.
İçme gönlüm içme şarâbı
Bitmiyor aşkın ızdırâbı
Bir defa gör kalb-i harâbı
Dalma gönlüm dalma hayâle.

Raks Aksağı   Tanbûrî Mustafa Çavuş
Dök zülfünü meydâne gel
Sür atını ferzâne gel
Al dayreni hengama gel
Bülbül senin, gülşen senin, yâr aman aman
Âşıkınım hayli zaman
Dil muntazır teşrîfine, gel aman aman...
Verdin cevâb ünvân ile
Yaktın sinem sûzân ile
Müştâk sana bin cân ile
Bülbül senin...
Kestin mi târ-ı ülfeti
Kırdın mı câm-ı sohbeti
Çektirme bâri firkati
Bülbül senin...

Yürük Semâî   Zekâî Dede Efendi
Gönlüm hevesi zülf-ü siyehkâre düşürdüm
Mürg-i dilimi âteş-i hicrâne düşürdüm
Gül şevkine bîtâb bugün nâleler ettim
Sad-pâre dil-i gonce-i gül fâme düşürdüm
Mürg-i dilimi âteş-i hicrâne düşürdüm

Müsemmen   İsmail Hakkı Bey
Rûşen et bezmimi artık, gözümün nûru görün
Edeyim vasla felekten, göreyim bir iki gün
Daha elvermedi mi, çektiğim âlâmı düşün
Edeyim vasla felekten, göreyim bir iki gün.

Darb-ı Fetih   Zekâi Dede Efendi
Beste
Yâr olmayacak câm-ı safâyı çekemez dil
Her ne ise çeker, böyle cefâyı çekemez dil
Hûn-i dil-i bir zevk ile nûş etmede gamı
Ol lezzed ile zehr-i safâyı çekemez dil.

HÜSEYNİ MAKAMI

Düyek Hacı Fâik Bey
Ağlama ey âşık-ı mihnet-zede, gel yânıma
Dökme gözyaşını bakıp dîde-i mestânıma
Müptelâ-yı cevre lâyık görmeyim be şânıma
Yakmayım uşşâkı tövbe, âteş-i sûzanıma.

Curcuna   Selâhaddin İçli
                              Güfte: Faruk Nâfiz Çamlıbel

Âh eden kimdir bu saat kuytuda
Sustu bülbüller hıyâbân uykuda
Şimdi ay, bir serv-i simindir su'da
Esme ey bâd, esme cânân uykuda.

Sengin Semâî   Nuri Halil Poyraz
Artık yetişir, şimdiyeminlerle de kanmam
Vallâhi inanmam sana, Billâhi inanmam.
Aldandığıma çok acırım, ömrüme yanmam
Vallâhi inanmam sana, Billâhi inanmam.

Aksak   Emin Ongan
Arzetmediğim yâre meğer yâre mi kaldı
Ya, derd-i dile kılmadığım çâre mi kaldı
Bülbül ne acep terk-i diyâr eyledi bülbül
İklim-i çemen yoksa yine hâre mi kaldı.

Düyek   Sadettin Kaynak
                            Güfte: Fuad Hulûsi Demirelli

Bağrıma taş basaydın
Basaydım da susaydım,
Düşmezdim el diline
Sana yalvarmasaydım.

Yazık oldu yazıma
Öksüz, içli sazıma,
Kış değmezdi yazıma
Kapına varmasaydım.

Artık içim kırıktır
Sesim bir hıçkırıktır
Demezdim ki, yazıktır
Sana yalvarmasaydım.

Yazık oldu yazıma
Öksüz, içli sazıma
Kış değmezdi yazıma
Kapına varmasaydım.

Sofyan   Ali Rıfat Çağatay

Ağyârı alma yânına
Lâyık değildir şânına
Düşmez senin irfânına
Dinle figanım gel beri...

Gel yânıma ey nevcivan
Döndür bana rûyin aman
Lûtfeyleyip sen her zaman
Dinle figanım gel beri...

Türk Aksağı   İsak Varon

Baygın suların göğsüne yaslandı da bîtâb
Şen Marmara'nın kalbini dinler gibi mehtâb
Bir hâtıra canlandı güzel mâvi denizde
Şen Marmara'nın kalbini dinler gibi mehtâb.

Yürük Semâî   Tab'i Mustafa Efendi

Ben gibi sana âşık-ı üftâde bulunmaz
Sen gibi güzel dahi dünyâda buunmaz
Mutrib yine gül gibi açılmazsın aceb sen,
Bu bezm-i safâ her zaman âmâde bulunmaz.

Düyek   Necip Mirkelâmoğlu

Bizm-i meyde dün geme peymâne gibi döndüm
Cânımın etrafında pervâne gibi döndüm
Fasl-ı aşkı geçenler sabâya başlayınca
Muhabbet sahnesinde Mevlâna diye döndüm
Âhang-i ney'e uyup dîvâne gibi döndüm.

Türk Aksağı   Melâhat Pars
                           Güfte: Celâl Kadızâde

Bir gonca gülsün, gönlüm bağında
Bülbülde gülsün, sevdâ yolunda
Kalbimde ağsın, aşkımda çağsın
Sînemde dağsın, sevdâ yolunda.
Gülşende bülbül, fecrinde bir gül
Açmakta sünbül, sevdâ yolunda.
Nâlân-ı giryân, kalb-i perişân
Handân-ı şâdân, sevdâ yolunda
Kalbimde sensin, fikrimde sensin,
Her demde sensin, sevd yolunda.

Türk Aksağı   Tahsin Karakuş
Güfte: Âtıf Ölmez

Bir vefâsız yâr elinden ben neler çektim, neler,
Gözlerim yollarda kaldı, gelmiyor hiç bir haber,
Anladım sözler, vaadler hep hayâl olmuş meğer;
Gözlerim yollarda kaldı, gelmiyor hiç bir haber.

Sengin Semâî   Yorgo Bacanos

Bir yaz gecesi Çamlıca mehtâbına geldim,
Billâh o gece sen, iki mehtâba bedeldin,
Aydan da, güneşten de, mehtâbdan da güzeldin;
Billâh o gece sen, iki mehtâba bedeldin.

Sengin Semâî   Şemseddin Ziya Bey

Çektim elimi senden ey âfet beni yakma
Ağyâr ile hem bezm-i safâ ol, bana bakma
Zencîr-i belâyı yine sen boynuma takma
Ağyâr ile hem bezm-i safâ ol, bana bakma.

Düyek   Medenî Aziz Efendi

Değmesin bu yâreme ağyâr eli
Çünki sînem yâr elinden yâreli
Sıhhat elvermez gönül sad pâreli
Çünki sînem yâr elinden yâreli.

Derd-i hicr-i yâre düştüm nâgehân
Âteş-i firkatle yandım el'aman
Bakmasın efganıma şimdi cihan
Çünkî sînem yâr elinden yâreli.

Curcuna   Leylâ Saz

Dest-i felek girdi medet kaanıma
Hançer-i gam işledi tâ cânıma
Sonra bakıp hâl-i perişânıma
Güldü de döndü yine zâlim felek...

Aksak   İsmail Hakkı Nebioğlu
Güfte: Dertli

Doğru gitsem yollar komaz
Bükük yollar boynum gibi
Yüce dağlardan aşılmaz
Viran dağlar gönlüm gibi

Coşkun dere durmaz akar
Gözümdeki yaşlar gibi
Yosun tutmuş hep kayalar
Bağrımdaki taşlar gibi...

Aksak   Giriftzen Âsım Bey
Dil vereliden ey yüzü mâhım sana
Sormadın sen hâlimi n'oldu bana
Ben yolunda cânım etmişken fedâ
Sormadın sen hâlimi n'oldu bana.

Ağır Aksak   Bîmen Şen
                                    Güfte: Fazıl Ahmet Aykaç
Durmadan aylar geçer, yıllar geçer, gelmez sesin
Hasretin gönlümde lâkin, kimbilir sen nerdesin
Sızlayan kalbim benim ister misin her dem desin
Hasretin gönlümde lâkin, kimbilir sen nerdesin
         "Münir Nureddin Selçuk tarafından Sûznâk makamında da bestelenmiştir."

Curcuna   Ali Rıfat Çağatay
                                    Güfte: Samih Rıfat

Edâlı bir yosma karârım aldı
Beni Mecnûn gibi sahrâya saldı
Gönül gam içinde bunaldı kaldı
Ağlarım sızlarım hâlimi bilmez
Âşıkın mihneti artar eksilmez

Curcuna   Sadettin Kaynak
Esmer bugün ağlamış, ciğerini dağlamış
İnce belin üstüne, mâvi yazma bağlamış
Oy nidem, nidem, nidem, evi barkı terkidem
Yâr seni alıp gidem...
Esmerim biçim biçim, ölürüm senin için
Âlem bana düşmandır, seni sevdiğim için
Oy nidem...

Aksak   Şerif İçli
                                    Güfte: Mehmet Âkif Ersoy
Ezelden âşinânım ben, ezelden hem-zebânımsın
Beraber ahde bağlandık, ne olsan yar-ı cânımsın
Ne olsan zerrenim kalbimde halâ çarpar esrârın
Gel ey cânâ, gel ey can kalmasın ferdâya didârın

Curcuna   Suphi Ziya Özbekkan
                                    Güfte: Mehmet Enis Çakıroğlu
Feryâd ediyor bir gül için bülbül-i şeydâ
Mecnûn-u gönül zencîrine bağladı Leylâ
Her zerrede bir aşk eseri oldu hüveydâ
Sevmekle sevilmek ezelî maksad-ı aksâ
Kaanun-u tabiat ediyor hükmünü icrâ

Müsemmen   Şükrü Tunar
                              Güfte: Hüseyin Sîret Özsever

Geçti sevdâlarla ömrüm, ihtiyâr oldum bugün,
Ak-pak olmuş saçlarımla, bî-karâr oldum bugün,
Bir muhabbet neş'esiyle, ilkbahar oldum bugün;
Ben huzûrunda yer öptüm, tâcidâr oldum bugün.

                "Nuri Halil Poyraz tarafından Beyâti makamında da bestelenmiştir."

Aksak   Sadettin Kaynak

Göresin mi geldi beni meleğim
Bahar ayı açılsın da geleyim
Avun kuzum, avun budur dileğim
Koyun, kuzu seçilsin de geleyim.

Gurbet ellerinde halim yandır
Seni görmeyeli hayli zamandır
Şimdi yollarımız kıştır, dumandır
Koca çaydan geçilsin de geleyim...

Düyek   Alâeddin Yavaşça

Gülen gözlerinin mânâsı derin
Gönlümün tahtıdır güzelim yerin
Aşkımın ufkunda doğar güneşin
Gönlümün tahtıdır güzelim yerin.

Curcuna   Avni Anıl
                              Güfte: Ömer Çalışır

Güzel gözler menekşe, yüce dağlar mor olur,
Bir ilâhî övgüsün, senden kopmak zor olur,
Hasretinle tutuşan yanar, yine kor olur;
Bir ilâhî övgüsün, senden kopmak zor olur.

Curcuna   Suphi Ziya Özbekkan
                              Güfte: Reşat Özpirinççi

Hasretle zâr-ü-zâr gönül, çeker fîrak-ı yâr gönül
Gözünde gül'izâr gönül, harâb-ı intizâr gönül
Aman gönül, yaman gönül, güzel sevip yanan gönül
Yanar yanar, tüter gönül, bülbül olur öter gönül.

Bu âh-ü-zâr yeter gönül, acep ne dem güler gönül
Görünce gül-cemâl gönül, neler eder hayâl gönül
Ümid eden visâl gönül, çeker mi hiç melâl gönül
Gözündeki bu nem gönül, diner acep ne dem gönül

Esîrinim nidem gönül, yeter yeter elem gönül
Aman gönül, yaman gönül, güzel sevip yanan gönül.

Sofyan   **Sadettin Kaynak**
                                  Güfte: Besteciye aittir.

Haticem saçlarını dalga dalga taratmış
Tanrı bizi topraktan onu nûrdan yaratmış
Kız Hatice, Hatice, kaçalım gel bu gece
El ayak çekilince, bahçeye çık gizlice vay vay...

Güzele doyum olur, sana hiç doyan olmaz
Hatice kalk gidelim, bizi hiç duyan olmaz
Kız Hatice, Hatice, kaçalım gel bu gece
El ayak çekilince, bahçeye çık gizlice vay vay...

Düyek   **Nihat Adlim**
                             Güfte: Siyâmi Özel

Her seherde sen gelirsin aklıma
Ufuklar çep-çevre ağardığı zaman
Bilsen nasıl çarpıyor kalbim
Nasıl, anlatamam!

Sen karanlık geceleri severdin
Sim-siyâh gözlerin vardı
Sonra elvedâ dedin bir gün
Bütün ümitlerim karardı
Nasıl, anlatamam!

Türk Aksağı   **Şevki Bey**
Hicrân oku sînem deler
Olmaktadır hâlim beter
Bu iftirâk artık yeter
İnsâfa gel ey şiveger
Bir gün olur çağın geçer.

Ben âşıkam bî-iştibâh
Aşkım benim oldu tebâh
Rahmetmemek gayet günâh
İnsâfa gel ey şiveger
Bir gün olur çağın geçer.

Aksak   **Lem'i Atlı**
O güzel gözlerle bakmasını bil
Sâde kendin yanma yakmasını bil
Sevdâ pınarından gelen bir su ol
Gönülden gönüle akmasını bil.

Düyek

Avni Anıl
Güfte: Mustafa Yeşilova

Ben gönlümü bilmez miyim
Irmakla akıp taşmışım
Bulutla gezip şaşmışım
Senin için dağ aşmışım
Ben gönlümü bilmez miyim.

Bağlandım sana derinden
Ayrılmışam yurt yerinden
Geçti Mecnûn treninden
Ben gönlümü bilmez miyim.

Bağımın hasreti suya
Dallar uzamış kuytuya
Gözü yoktur ki uykuya
Ben gönlümü bilmez miyim.

Yürük Semâî

Tanbûrî Ali Efendi
Güfte: Nevres-i Kadîm

Senden bilirim yok bana bir fâide ey gül
Gül yağını eller sürünür çatlasa bülbül
Etsem de abestir sitem-i hâre tehammül
Gül yağını eller sürünür çatlasa bülbül

Aksak

Mahmud Celâleddin Paşa
Güfte: Nedîm

Sevdiğim cemâlin çünki göremem
Çıkmasın hayâlin dil-i şeydâdan
Bastığın yerlere yüzüm süremem
Alayım peyâmın bâd-ı sabâdan

Curcuna

Türkü

Sinemde bir tutuşmuş yanmış ocağ olaydı
Zülfün karanlığında bezme çerâğ olaydı
Olaydı yâr olaydı, yâr bâde dolduraydı
Şu garib gönlüm için kanun îcâd olaydı

Meyhâneler kapısı bahtım gibi kapansın
Rindâne bâde içmek sensiz yasağ olaydı
Olaydı yâr...

Zülfün görenlerin hep bahtı siyah olurmuş
Tek zülfünü göreyim bahtım siyâh olaydı
Olaydı yâr...

Curcuna   Şekerci Cemil Bey
Tarf-ı çeşmen-zâre bakar ağlarım
Bir güle, bir hâre bakar ağlarım
Nafile ben yâre bakar ağlarım
Bir güle, bir hâre bakar ağlarım

Curcuna   Yılmaz Yüksel
                                              Güfte: Semra Nazlıben

Sabrımı özlemli yıllara saldım
Yeşile hasretken çöllere daldım
Bir yudumda bana can verdin birden
Oysa ki ben bitmiş kupkuru daldım.

Sevginle açılmış beşik kucağa
Bana duvar ören nazlı ocağa
Tutuldum sevginle ördüğün ağa
Burası durağım, dedim de kaldım...

Düyek   Yesârî Âsım Arsoy
Sarı Zambak
Yeniköy'de bir kız gördüm, adı sarı zambakmış
Dediler, çok vefâsızmış, kalbler kırmış, can yakmış
Recâ, niyâz dinlemiş, her âşıka yan bakmış
Bahârın son günlerinde açılan bir zambakmış.

İşte bugün buralarda hep onu ararım
Sarı zambak dedikleri o çiçeği sorarım
Bir görürsem hemen alıp kaçırmaktır kararım
Yemîn ettim a kız seni, hatır gütmem sararım.

Sofyan   Selâhaddin İnal
                                              Güfte: Necdet Atılgan
Tez geçse de her sevgide bin hâtıra vardır
Sevdâ denilen şey yaşayan hâtıralardır
Sevmek de sevilmek de bahâr ömrü kadardır
Sevdâ denilen şey yaşayan hâtıralardır

Aksak   Münir Nureddin Selçuk
Varayım kûy-i dilârâya gönül, hû diyerek
Kokalım gülleri gonce-i hoş-bû diyerek
Şerbet-i lâl-i hayâli bizi öldürdü medet
Gidelim kûyine yârin, bir içim su diyerek

Aksak   Şerif İçli
Yine yol göründü sevdâ eline
Bu dağlar gönlüme dar diye diye
Bir nazlı âhûnun düştüm diline
Varayım izinden yâr diye diye...

Gönlüm izindedir akar su gibi
Özlemek ayılmaz kan uyku gibi
Ağlasam izinde bir yavru gibi
Al beni göğsüne sar diye diye...

Düyek   Lem'i Atlı
                   Güfte: Fâik Âli Bey

Zaman olur ki ânın hacle-i visâlinde
Bir inzivâ ve o cânânı bî-vefâ bulurum
Zaman olur ki gözümden kaçan hayâlinde
Hayâtı rûhuma müşfik bir âşinâ bulurum.

Nîm Sofyan   Sadettin Kaynak
Karşı dağdan uçan turna
Yaralı kalbime vurma
Aşk yolundan geçerseniz
Yâre selâm edin turna.

Turnalar köye gidince
Ayşe kız bize gelince
Eğlenmeli zevketmeli
Ayşe kızı mestetmeli...

Raks Aksağı   Türkü
Menekşe kokulu yârim
Kime arzedem hâlim
Elimden aldılar yârim

Nîm Sofyan   Türkü
Keklik dağlarda çağıldar
Yavrum diye diye ağlar
Günden güne ye'se dalar
Görenlerin bağrı yanar
Ağlarım ben kekliğime, ney...
Seherde öten diline.................
Keklik bizden uzaklaştı
Yolumuz sarpa dolaştı
Hünkâr kal'asını aştı
Belki yavrusuna kavuştu
Ağlarım ben...

Aksak Türkü
İki karpuz bir koltuğa sığar mı?
İlk sevilen yar, son sevilene anam uyar mı?
Biricik öpsem zâlim anan duyar mı?
Kaçındadır o yosmanın kızı kaçında
Menekşeler kokuyor o senin sırmalı saçında
Ağlama güzelim sızlama ben yine gelirim
Gurbet elde kimseye bakmaz anam dönerim.
Attan indim gül dalına bağladım
Asker oldum mavzerimi yağladım
Vardım baktım nazlı yârim uykuda
Öptüm sevdim, kara kara gözlerinden ayrıldım.
Ağlama güzelim...

Yârim al beni al beni
Al da sînene sar beni.
Yârim gül damlası damlası
Yâri sîneye sarması
Yârim al beni...

Menekşesi biçim biçim
Ölüyorum senin için
Bir bûse ver bâşın için
Yârim al beni...

Curcuna   Ömer Altuğ
Neden böyle yorgunsun
Kızıl ırmak, al ırmak
Gönlümden de yorgunsn
Saçları dal dal ırmak.

Sende ömrün bölümü
Yoktur aşkın ölümü
Gel al götür gönlümü
Ufuklara dal ırmak.

Benim garib başım var
Hergün gamdan aşım var
Yüzünde göz yaşım var
Onu yâre sal ırmak.

Aksak Hacı   Fâik Bey
Neyleyim bî-çâre dil encâm-ı kâr
Bir gül-i nevresteye oldu şikâr
Vadedip de hulfeder pek cilvekâr
Bir gül-i nevresteye oldu şikâr

HÜZZAM MAKAMI

Aksak   **Şükrü Tunar**
Ada'nın yeşil çamları, aşkımıza yer olsun
Ne çâre ayırdı felek, kalblerimiz bir olsun
İpek saçından bir tel ver, bana yâdigâr olsun
Ne çâre ayırdı felek, kalblerimiz bir olsun.

Curcuna   **Selâhaddin Pınar**
                     Güfte: Mustafa Nafiz Irmak
Ağladım günlerce arkandan senin, gönlüm kırık
Hasretin ruhumda hâlâ dinmeyen bir hıçkırık
İnliyor kalbim ölen bir kuş gibi, âh ayrılık!
Hasretin ruhumda hâlâ dinmeyen bir hıçkırık.

Curcuna   **Naci Tektel**
Ağlıyor kalbim benim derdime eş ararım
Yok muydu sevgi sende kalbsiz miydin sorarım
Aşkınla yana yana yüce dağlar aşarım
Yok muydu sevgi sende kalbsiz miydin sorarım.

Curcuna   **Marko Çolakoğlu**
                     Güfte: Mustafa Nafiz Irmak
Akşam dönüşü geçtim o esrarlı bağından
Bir gül koparıp kalbime taktım yanağından
Hicrânı teselli diye içtim dudağından
Bir gül koparıp kalbime taktım yanağından

Ağır Remel   **Hâfız Şeydâ (Abdullah Ağa)**
Aldım hayâl-i perçemin ey mâh dîdeme
Görürse gece hâb yüzünü vâh dîdeme
Ben mâcerâmı kemdim anar, kendim ağlarım
Kâh âsiyâb-ı âbe bakar kâh dîdeme.

Sengin Semâî   **Aleko Bacanos**
Aşkın beni bak gülüm ne müşküllere saldı
Leyl-i emelim zulmet-i hicrânına daldı
Kahrınla, inadınla gönül sanki bunaldı
Vallâhi inan, kurtuluşum lûtfuna kaldı.

Aksak   **Melahat Pars**
Âvâre gönül yine sensiz hicrâna daldı,
Bilmem ki neden o siyah gözlere kandı,
Hasta kalbim yaşamaktan bıktı, usandı;
Bilmem ki neden o siyah gözlere kandı.

Curcuna

Avni Anıl
Güfte: Şahap Gürsel

Ayrılık ümitlerin ötesinde bir şehir
Ne bir kuş, ne bir haber, ne de bir selâm gelir.
Çâresiz seslenişler, beyhûde bekleyişler;
Bir teselli yerine hüzünlü akşam gelir.

Türk Aksağı

Şeyh Ethem Efendi

Bahâr oldu beyim evde durulmaz
Bu mevsimde çemen-zâre doyulmaz
Gezer bülbül gibi gönlüm yorulmaz
Bu mevsimde çemen-zâre doyulmaz.

Aksak

Şükrü Tunar

Balkonda saatlerce düşündüm, seni andım
Bittim, eridim, göz yaşı dökmekten usandım
Hicrâna tahammül güç imiş, şimdi inandım
Bittim, eridim, göz yaşı dökmekten usandım.

Ağır Aksak

Râkım Elkutlu
Güfte: Hüseyin Mayadağ

Bekledim yıllarca lâkin gelmedin ey nazlı yâr
Sende Leylâ, bende Mecnûn olmak istîdâdı var.
Geçmesin eyyâm-ı hârın, bitmesin artık bahar
Sende Leylâ, bende Mecnûn olmak istîdâdı var.

Değişmeli

Sadettin Öktenay
Güfte: Mehmet Erbulan

Benim şu yollardan üzgün geçtiğim senin yüzünden
Sabahlara kadar hergün içtiğim senin yüzünden
Ben bağrıma bassam taşlar, her gün başka acı başlar
Gözlerimden kanlı yaşlar, döktüğüm senin yüzünden.

Düşünerek kara kara, bakar dururum yollara
Benim bu garîb hallere, düştüğüm senin yüzünden.
Seni sevmiştim gönülden, anlamadın beni neden
Artık aşktan ve sevgiden, kaçtığım senin yüzünden.

Aksak

Osman Nihat Akın
Güfte: Necdet Atılgan

Bilmem bu gönülle ben nasıl yaşayacağım
O daha genç yaşında, benimse geçti çağım
Ayrılmak mümkün olsa, bırakip kaçacağım
Ne yazık ki elinde, şimdi bir oyuncağım

"Münir Nureddin Selçuk tarafından Nihavend makamında da bestelenmiştir."

Türk Aksağı

Zeki Arif Ataergin
Güfte: Enis Behiç Koryürek

Bir çile ipeğimsin
Bir tek sevdiceğimsin
Güzeller pek çok ammâ
En şirin bebeğimsin.

Gel boynuma sarıl da
Haz içinde bayıl da
Titreyerek de bana:
Âşıkımsın, beyimsin...

Curcuna

Hayri Yenigün
Güfte: Mustafa Nafiz Irmak

Bir gül kokusundan daha baygın nefesin
Bülbülleri kıskandıracak tatlı sesin var
Lâkin ne amansız ve ne zâlim hevesin var
Bülbülleri kıskandıracak tatlı sesin var

Türk Aksağı

Yesârî Âsım Arsoy

Bir lâhza bile ayrılamam şen kucağından
Öptükçe senin ben o güzel gül dudağından
İlk bûse-i aşkın duyarım zevkîni her an
Öptükçe senin ben o güzel gül dudağından

Curcuna

Sadettin Kaynak
Güfte: Vecdi Bingöl

Çıkar yücelerden haber sorarım
Solarken dağların gümüş yaldızı
Bilmem neredeyim neyi ararım
Uyanır içimde derin bir sızı.

Derim neden yoksun, gezdiğim bağlar
Yok mu bu ellerde benimle ağlar
Sesime ses verin dumanlı dağlar
Derdime eş olur bir çoban kızı...

İkiz Aksak

Üzeyr Hacıbeyli

Çırpınırdı Karadeniz bakıp Türk'ün bayrağına
Âh ölmeden bir görseydim düşebilsem ayağına
Sırmalar saç sağ soluna inciler dizsem yoluna
Fırtınalar dursun yana yol ver Türk'ün bayrağına.
Ayrı düşmüş dost elinden yıllar var ki çarpar sînem
Vefâlı Türk geldi yine selâm Türk'ün bayrağına.

Ağır Aksak　　　　　　　　　　　　　　İsak Varon
　　　　　　　　　　　　　　　　　　Güfte: Avrâm Naum

Derd-i dil bitmez derûnumda ne âteşler yanar
Rengi mi soldu hicrin yâre-i aşkım kadar
Dâr-ı dünyâdan göçüp ufuklara etsem ufûl
İştiyâk-ı rûhumu üstündeki taşlar anar
Nâz-ü istiğnâna bilmem fart-ı aşkın mı sebep
Hem sevindirmek, hem ağlatmak murâdın mı sebep

Semâî　　　　　　　　　　　　　　　　　Bîmen Şen

Dil-hûn olurum yâd-ı cemâlinle senin ben
Çıkmaz gözümün nûru gözün dîdelerinden
Yıllarca senin râhına göz nûru dökerken
Sildin beni ey mihr-i emel toz gibi gözden

Ağır Aksak　　　　　　　　　　　　　　Leylâ Saz

Duymasın kimse yine kalbî olan feryâdımı
Bilmesin, keşfetmesin hâl-i dil-i nâşâdımı
Rahmet şâyân bulmasınlar ye'sü-gam-ı mu'tâdımı
Olmasın ta'yip edenler dilber-i bîdâdımı

Düyek　　　　　　　　　　　　Semahat Özdenses
　　　　　　　　　　　　　　　　Güfte: Nedim Güntel

Dün gece mehtâba dalıp hep seni andım
Öyle bir an geldi ki, mehtâb seni sandım
Sevgili rüyâna mı aldın beni bir dem
Öyle bir an geldi ki, mehtâb seni sandım.

Aksak　　　　　　　　　　　　　Zekâî Dede Efendi

Ey hüsn-ü cemâl âleme sen darb-ı meselsin
Âşıkları âşüfte eden nazlı meleksin
Yoktur şu cihanda sana fâik, ne güzelsin
Her sadre sezâvâr olacak, gonca çiçeksin.

Ağır Aksak　　　　　　　　　　　　　　Leylâ Saz

Ey sabâhı hüsn-ü ânın âfitâb-ı enveri
Ey zerâfet bağının şen bülbül-i nâzik teri
Yokken aslâ gönlümün kalb-i lâtifinde yeri
Ben bu hâlimle ne sevdim, sen gibi bir dilberi.

Aksak　　　　　　　　　　　　　　　Rakım Elkutlu

Feryâd ki hep gönlümün nevâsıdır
Seni sevmek ömrümün safâsıdır
Çektiğim dert tâliimin belâsıdır
Seni sevmek ömrümün safâsıdır.

Aksak

Hikmet Münir Ebcioğlu
Güfte: Mehmet Fâruk Gürtunca

Gece her yer dalıyor uykulara
Düştü bir dal gibi gölgen sulara
Uçtu rüzgâr yine tâ kuytulara
Düştü bir dal gibi gölgen sulara.

Aksak Kırımlı

Neş'et Molla

Gelince bezme mestâne
Döner meclis gülistâne
Çıkıp nâz ile devrâne
Bana bir bâde vermez mi
Böyle güzel sevilmez mi...
Nedir bu sînemin dâğı
Dedim ben dîdemin bağı
Tamâm açılmanın çağı
Bana bir bâde vermez mi
Böyle güzel sevilmez mi...
Gelir bezme o bir güldür
Saçları büklüm büklümdür
Sedâsı aynı bülbüldür
Bana bir bâde vermez mi
Böyle güzel sevilmez mi...

Sengin Semâî

Mustafa Nafiz Irmak
Güfte: Vecdi Bingöl

Gönlüm nice bir senden uzak günleri saysın
Sen ufkuma aşkımla beraber doğan aysın
Güldükçe yüzün gönlüme mehtâbını yaksın
Sen ufkuma aşkımla berâber doğan aysın.

Curcuna

Şükrü Tunar
Güfte: Selim Aru

Gönül durup dururken bir güle uçtu kuş gibi
Çırpındı dalında, dikeni tanıyormuş gibi
Yoruldu boş yere derdini atıyormuş gibi
Döndü geldi bana yarası kanıyormuş gibi.

Yürük Semâî

Hacı Fâik Bey

Gör hâlimi cânâ bana çeşmin (hicrin) neler etti
Tîr-i elemin tâ ciğerimden güzer etti
Çeşmânımı âlûde-i hûn-i ciğer etti
Senden dil-i bîçâreciğim kâm alacak mı
Yâ vuslatımız tâ dem-i haşre kalacak mı...

HÜZZAM

Ağır Aksak   **Selânikli Ahmet Bey**
Görmedim uysun felek âmâlime
Ağla ey dil ağla durma hâlime
Ağlarım her dem bu kem ikbâlime
Ağla ey dil ağla durma hâlime.

Düyek   **Avni Anıl**
                            Güfte: İlham Behlül Pektaş

Gözlerin, sen gözlerin
Beni nar rengi rüyâlardan
Peşine takan gözlerin,
Sabahları mavi, daha sonra yeşil,
Akşamları simsiyah bakan gözlerin...
Gözlerin, senin gözlerin
Ölsem de gülen
Yaşasam da gülen gözlerin.
Ne zaman yüzüne baksam
Ne düşündüğümü bilen gözlerin.
Sabahları mavi, daha sonra yeşil,
Akşamları simsiyah bakan gözlerin...

Aksak   **Selâhaddin Pınar**
                                 Güfte: Vecdi Bingöl

Gözünün rengini sordum, kara sevdâ dediler
Beni Mecnûn edenin ismine Leylâ dediler
Zülfüne bağlı kalan dillere şeydâ dediler
Beni Mecnûn edenin ismine Leylâ dediler.

Aksak   **Nev'eser Kökdeş**
Gül olsam ya sünbül olsam, beni koklar mısın
Süzgün süzgün bakışlarla, gizli yalvarışlarla
Başımı göğsüne koysam, beni okşar mısın.

Gel yanıma yanıma, çapkın güzeli
Sevdâlıyım ben sana ezelî
Her hâlinde var bir başkalık
Yüreğim pek yanık...

Bir görüşte sevdim seni, ne kadar üzdün beni
İnan artık sözlerime, biraz bak gözlerime
Kalbimin üstüne gel yat, bu bana verir hayat

Gel yanıma çapkın güzeli
Sevdâlıyım ben sana ezeli
Her hâlinde var bir başkalık
Yüreğim pek yanık...

Curcuna Hacı Arif Bey
Güzel gün görmedi âvâre gönlüm
Neler çekti neler bî-çâre gönlüm
Muhabbetle serâpâ yâre gönlüm
Neler çekti neler bî-çâre gönlüm

Sengin Semâî Hacı Arif Bey
Hâl-i dil-i zârımı duysa cihan
Rahmedip ağlar bana hep âşıkan
Olmada günden güne hâlim yaman
Rahmedip ağlar bana hep âşıkan

Curcuna Leylâ Saz
Harâb-ı intizâr oldum aman gel
Yeter üzme efendim her zaman gel
Güzel sözlerle neşven can-fezâdır
Beni ihyâ edersin her zaman gel

Düyek Hüseyin Mayadağ
Hayat budur sevgilim, geçenler unutulur
Yâre ömrünü versen, yine başka yâr bulur
Bu şifâsız yaradan, sanma gönül kurtulur
Yâre ömrünü versen, yine başka yâr bulur

Curcuna Melâhat Pars
Güfte: Besteciye aittir.

Her zaman bir olur mu hunrîz nigâhım
Sen acımaz isen, bana acır Allahım
Söyle ey âteş-i sûzan, nedir günâhım
Sen acımaz isen, bana acır Allahım

Curcuna Fâiz Kapancı
Hicr-ile günler geçer, aylar geçer, gelmez sesin
Âteş-i aşkın ile yandım sevdiğim bilmez misin
Hasretinle göz yaşımı silmez misin
Söyle yavrum söyle rûhum, nerdesin sen, nerdesin

Düyek Avni Anıl
Güfte: Fahreddin Ulaş

İçtiğim meydesin, duyduğum her sestesin
Hayâtımsın benim, aldığım nefestesin
Dilimde, gönlümde unutulmaz bestesin
Hayâtımsın benim, aldığım nefestesin

Semâî

Avni Anıl
Güfte: Ahmet Kaçar

İçimde her uyanış
Seni bir başka anış
Hatırlamaya çalış
Bir şey unutmadın mı?

Saadetler taşıyan
Hayâllerde yaşayan
Ayrılırken başlayan
Bir şey unutmadın mı?

Curcuna

Muzaffer İlkar

Kalbime koy başını doktor, nabzımı bırak
Gülen gözüme değil, ağlayan gönlüme bak
Bir an yaşa rûhumda, gör çâresi ne uzak
Gülen gözüme değil, ağlayan gönlüme bak

Evfer

Medenî Aziz Efendi

Kerem eyle mestâne kıl bir nigâh
Şarâb iç süzülsün o çeşm-i siyâh
Bu bezm-i safâdır gel ey rûy-i mâh
Şarâb iç süzülsün o çeşm-i siyâh

Sengin Semâî Artaki Candan

Kirpiklerinin her teli bir katre taşırken
Bin hâtırânın mâtemi canlandı gözümde
Bak şimdi de ben ağlıyorum kalbim acırken
Vallâhi rirâ yoktur efendim bu sözümde.

Curcuna

Sadettin Kaynak
Güfte: Fuad Hulûsi Demirelli

Leylâkların hayâli, salkımların emeli
Görmektir her gönülde hakîm bir hanımeli
Mâdemki bu hayâtın rüyâ imiş temeli
Gençlik elden gitmeden zevk-u safâ sürmeli

Curcuna

Yusuf Nalkesen

Mâdem küstün dargındın, neden geldin ağladın
Rıhtımda boynun büküp, bana mendil salladın
Bu hâlinle beni bil, şifâsız yaraladın
Rıhdımda boynun büküp, bana mendil salladın.

Sengin Semâî   Ekrem Güyer

Mahzûn duruşun âşıka bin ömre bedeldir
Sevdâ-zedeyim gönlüme bir başkası eldir
Cevretme sakın dîdelerim lûtfuna hayran
Sevdâ-zedeyim gönlüme bir başkası eldir.

Aksak   Sâdi Işılay
                                             Güfte: Rüştü Şardağ

Mânâda güzel, ruhda güzel, tende güzelsin
Ey sevgili sen elde değil, bende güzelsin
Neş'en de hoş ammâ bana, giryende güzelsin
Ey sevgili sen elde değil, bende güzelsin.

Curcuna   Sadettin Kaynak

Meğer çok sevilenler bir gün unutulurmuş
Gözden ırak olanlar gönülden de olurmuş
Vefâsızlık edenler vefâsızlık bulurmuş
Gözden ırak olanlar gönülden de olurmuş

Curcuna   Şevki Sevgin

Mevsim yine gülden, çile çekmek yine meyden
Bülbül yine susmuş, duyulan yine neyden.
Gönlüm yara halâ, seni sevmek gibi şeyden
Bülbül yine susmuş, duyulan yine neyden.

Düyek   Bestecisi bilinmiyor.

Misli yok bir şûh-i rânâ
Görmedim böyle dilâra
Yok eşin âlemde halâ
Tarzı, tavrı gâyet âlâ

Aksak   Sâdi Hoşses
Curcuna

Ne dökmek istesem yaş var, ne çeşmânımda fer kaldı
Bu sevdâdan bana bitmez tükenmez gam, keder kaldı
Ne cânândan vefâ gördüm, ne aşkından eser kaldı
Bu sevdâdan bana bitmez tükenmez gam, keder kaldı.

Türk Aksağı   Ömer Altuğ

Neyden dökülen nağme olup kalbine aksam
Tanbur gibi her lâhza güzel ruhumu yaksam
Doymam o siyah gözlere baksam, yine baksam
Tanbur gibi her lâhza güzel ruhunu yaksam

HÜZZAM

Düyek

Niçin nâlendesin böyle
Gönül derdin nedir söyle
Seni ben istemem öyle
Gönül derdin nedir söyle...

Kimin aşkıyle nâlânsın
Kimin hicriyle sûzansın
Neden böyle perîşansın
Gönül derdin nedir söyle...

Düyek   Sâdi Işılay
                              Güfte: Nâhit Hilmi Özeren

Ömrüm bu hazan mevsimi hep âh ile geçti
Âlemde felek zulmedecek bir beni seçti
Rûhum bu hayâtın yalnız zehrini içti
Âlemde felek zulmedecek bir beni seçti.
"Yektâ Akıncı tarafından Rast Makamında da bestelenmiştir..."

Semâî   Avni Anıl
                                    Güfte: Onur Şenli

Ömrümüzün son saati çalmadan gel ne olur
Sensiz yorulan şu kalbim durmadan gel ne olur
Yaşamak ezgisini sevdâmızla söyleyelim
Halâ seviyor mu diye sormadan gel ne olur...

Curcuna   Cevdet Çağla
                             Güfte: Bâkî Süha Edipoğlu

Rûhum bir uzak hâtırânın uğruna yandı
Sonsuz gecelerde doğacak fecre inandı
Aşkın ezelî zehrini kevser diye andı
Mihnet gülünün bûyine Mecnûn gibi kandı.

Curcuna   Sadettin Kaynak
                              Güfte: Besteciye aittir.

Saatlerce baş başa kaldığımız geceler
Âh o tatlı demleri deli gönlüm heceler
Hayâl oldu o demler, o tatlı eğlenceler
Âh o tatlı demleri deli gönlüm heceler

Ağır Aksak Bîmen Şen
Sabrımı gamzelerin sihrile târâc-edeli
O güzel gözlerinin nûruna yandım ezelî
Acı, öldürme ki, kalbimde hayâlin yaşasın
Yeter ey gözleri sevdâ dolu esmer güzeli

Ağır Aksak   Bîmen Şen
Sakladım söylemedim derdimi, her derdi unuttum
Sana göstermedim hicrânımı, kalbimde uyuttum
İncinirsin, üzülürsün, kırılırsın diye korktum
Seni ey gonce gülüm bir gül-i rânâ gibi tuttum

Devr-i Hindî   Şerif İçli
                                              Güfte: Hilmi Soykut

Sen de Leylâ'dan mı öğrendin cefâkâr olmayı
Bir bakışla ey güzel Mecnûn'a döndürdün beni
Öğren Allah aşkına öğren vefâkâr olmayı
Bir bakışla ey güzel Mecnûn'a döndürdün beni

Düyek   Sâdi Hoşses
Seni, sesini, gözlerinin rengini unutabilsem
Şu yaralı gönlümü avutabilsem, avutabilsem
Geçen o tatlı günleri unutabilsem, unutabilsem
Şu yaralı gönlümü avutabilsem, avutabilsem.

Sengin Semâî   Musa Süreyya Bey
Sen sanki baharın gülsün, şen çiçeğimsin
Sen her gece rüyâma giren göz bebeğimsin
Sen şimdi uzaklarda gülen bir meleğimsin
Sen her gece rüyâma giren göz bebeğimsin

Türk Aksağı   Yorgo Bacanos
Sevdâsı henüz sînede gönlüm gibi sağdı
Rûhumda çiçekler yaratan neş'esi vardı
Göz yaşları sevdâmıza bir çığ gibi yağdı
Virân olası dilde emeller de sarardı.

Aksak   Selâhaddin Pınar
                                         Güfte: Mustafa Nafiz Irmak
Seviyordum onu rûhumda kanarken yaralar
Âh o gözlerde bahâr akşamının hasreti var
Acı bir yaştı gözümden dökülen hâtırâlar
Hasta kalbimde siyah gözlerinin mâtemi var.

Cuncuna   Fahri Kopuz
                                              Güfte: Sâbit
Sunar bir câm-ı memlû bin teh-i peymâneden sonra
Felek ehl-i dil-i dilşâd eder ammâ, neden sonra
Mezeyâ-yı muhabbetten eğer kâm almak istersen
Leb-i dildârı bûs-eyle, leb-i peymâneden sonra

Sofyan   Münir Nureddin Selçuk
                                       Güfte: Vecdi Bingöl

Solgun durma isteklen, sevin, açın çiçeklen
Gel sen de bize eklen, goncalardan örneklen
Sevin, açıl çiçeklen...
Bugün de bir yarın da, şu elem diyârında
Ömrümün bahârında, goncalardan örneklen
Sevin, açıl çiçeklen...
Aşk güzel, hayat güzel, sevişmek kat kat güzel
Gel bu zevki tad güzel, bülbül gibi ahenklen
Sevinç, açın çiçeklen...

Aksak   Bîmen Şen
Sükûnda geçer ömrüm seyri gibi enhârın
Esîridir gönül eski bir yâr-ı sehhârın
Bîgâneyim ben devrânına leyl-ü nehârın
Esîridir gönül eski bir yâr-ı sehhârın

Düyek   Cevdet Çağla
                             Güfte: Hikmet Münir Ebcioğlu
Şu göğsüm yırtılıp baksan, dikenler aynı güldendir
Şikâyet bilmeyen kalbim kanar, hep aynı eldendir
Bu dertden kurtulan yok mu, duâlar hangi dildendir
Şikâyet bilmeyen kalbim kanar, hep aynı eldendir.

Müsemmen   Şerif İçli
                                   Güfte: Rahmi Duman
Türlü derde ben devâ buldum elimle çok zaman
Kimse bilmez bir tabibe ben de muhtâcım bugün
Anlatılmaz, anlaşılmaz, hâl hazîn, mevsim hazân
Nev-civân mahzûn melekten bir perî-tâcım bugün

Türk Aksağı   Selâhaddin Pınar
                             Güfte: Nureddin Rüştü Bey
Ümdini kirpiklerine bağladı gönlüm
Yıllarca o bir çift göz için ağladı gönlüm
Seylâbe-i aşka tutulup çağladı gönlüm
Yıllarca o bir çift göz için ağladı gönlüm.

Düyek   Ali Erköse
                                 Güfte: Müzehher Güyer
Ümitsiz bir bekleyiş hasreti var içimde
Gelecekmiş gibisin sanki günün birinde
Bakıyorken yollara andım seni demin de
Gelecekmiş gibisin sanki günün birinde.

Aksak   Şerif İçli

Yine bir sızı var içimde akşam oldu diye
Gözüm acıyor ağlarım halâ bilmem niye
İstemem geceyi, onda mehtâb gam oldu diye
Gözüm acıyor ağlarım halâ bilmem niye.

Aksak   **Klarnet İbrahim Efendi**
                                    Güfte: Sermed

Zamanı var ki her bezmin anarsın
Beni bir gün olur elbet ararsın
Gelince hâtıra durmaz yanarsın
Beni bir gün olur elbet ararsın.

İSFAHAN MAKAMI

Evfer   Dede Efendi

Âşık olalı sen yâre gönül
Yanmakta yürek pür-yâre gönül
Tek etme fedâ sen bu kulunu
Râzı oluyor âzâre gönül
Dîvâne gönül, bîçâre gönül.

Devr-i Hindî   Suphi Ziya Özbekkan
                          Güfte: Vecdi Bingöl

Ben esîr-i derd-i hicrânım, vefâsız yâre ne,
Çâre ne, bî-dert elinden, dertmende çâre ne,
Ben ki mahrûmum o yârin mahrem-i ağyâre ne;
Çâre ne, bî-dest elinden, dertmende çâre ne...

Aksak Tanbûrî   Mustafa Çavuş

Böyle rakkas ne demeli, sim-ü tendir gül bedeni
Beste, şarkı okudukça, çalpâreden gitmez eli.
Sakınıp eyleme ar, olasın bendene yâr
Anarım yâr seni her-bâr, hakka güzel beli, beli.
Yüz veririm pek severler, hüsnün bağın methederler
Meyve veren o fidana, elbet ana diş bilerler.
Âşıklığın en evveli, serde eser kavak yeli
Tanbûrî eğlencededir, semâ eder her güzeli...

Devr-i Hindî   Mahmud Celâleddin Paşa

Dil-i bî-çâre senin-çün yanıyor
Vuslat eyyâmını dâim anıyor
Vâd'i ferdâya ne yapsın, kanıyor
Cevrine ağlanarak katlanıyor...

Aksak   Lavtacı Hristo

Düştün elem-i aşka gönül, dağları aştın
Mecnûn gibi sahrâ-yı melânette dolaştın
Gittin yine bir şûh-i cihân-sûze sataştın
Mecnûn gibi sahrâ-yı melâmette dolaştın

Düyek- Devr-i revân   Sadettin Kaynak
                              Güfte: Şeyh Galip

Fâriğ olmam eylesen yüz bin cefâ sevdim seni
Böyle yazmış alnıma kilk-i kaza sevdim seni
Ben bu sözden dönmezem devr eyledikçe nûh felek
Şâhit olsun aşkımıza arz-ı semâ sevdim seni
Gâlib-i dîvâneyim Ferhâd ü Mecnûn'a salâ
Yüz çevirmem olsa dünyâ bir yana, ben bir yana
Şem'ine pervâneyim pervâ ne lâzımdır bana
Anlasın bigâne bilsün âşina, sevdim seni...

Aksak Türkü

Fesliğen ektim gül bitti
Dalında bülbüller öttü
Ötme bülbül yârim gitti
Ben dertliyim kan ağlarım
Kareler bağlar ağlarım...

Fesliğenim ocak, ocak
Ne kaçarsın köşe bucak
Ne kaçarsın köşe bucak
Geleceksen nazı bırak
Ben dertliyim kan ağlarım
Kareler bağlar ağlarım...

Zencîr İtrî
Güfte: Nâbî

Gel ey nesîm-i sabâ hatt-ı yârdan ne haber?
Gelir mi kaafile-i müşk-i bârdan ne haber?
Şem'imi zülfüne âmâdedir meşâm-ı ümit
Ne güne cümbüşü var rûzîgârdan ne haber?

Aksak Nûman Ağa
Güfte: Hakkı

Gönlüm seni sâdık sandı
Ettiğin ahde inandı
Yüze gülmene inandı
İşte buna sabrım yandı

Aksak Nûman Ağa

Göz süzerek bezme geldin
Gönlüme bir neşe' verdin
Söyle bana nedir derdin
Kaçma benden gel a nazlım
Şimdi gönlüm sende nazlım...

Al eline bâdeyi çâk
Oyna durma zilleri tak
Ben âşıkım, sen bana bak
Sende varken böyle edâ
Böyle hüsn, böyle sadâ
Vârım olsun sana fedâ...

Devr-i Hindî   Ûdî Nevres Bey
Kalmadı sabra karârım ey perî
Reh-güzârın beklerim çoktan-beri
Bunca nâzın var mıdır, söyle yeri
Görmem artık âlemi şimden geri

Çenber   Zaharya
Beste
Leyle-i zülfün dil-i Mecnûn olur dîvânesi
Mürg-i aşkın mu-be-mu zencîr-i pâdır lânesi
Gonce-i sadberk-i bâğ-ı vuslat ol bâri hemân
Ey hezârân âşıka yüz vermeyen bir tânesi

Aksak Semâî   Suphi Ziya Özbekkan
                                                    Güfte: Fuzûlî

Nedir ey çerh-i zâlim, yâri yârinden cüdâ kılmak
Murâd ehlin esîr-i dâm-ı bî-dâd-ü belâ kılmak
Sana lâzımsa ger kılmak, cüdâ her yâri yârinden
Çeküp zahmet ne lâzım, bir biriyle âşinâ kılmak

Sengin Semâî   Hacı Arif Bey
Ol gonca gülü görmeyeli hayli zamandır
Üftâdesinin hâl-i firâkiyle yamandır
Lûtfet dil-i bîmârımı bir dem oyalandır
Ey bâd-ı sabâ ol gül-i handânı uyandır

Ağır Aksak   Ûdî Hasan Bey
Sen de mi hâlâ esîr-i zülfiyâr olmaktasın
Uslan ey dil uslan artık ihtiyâr olmaktasın
Bilmiyorsun kendini, zâr-ü zâr olmaktasın
Uslan ey dil uslan artık, ihtiyar olmaktasın.

Türk Aksağı   Hacı Arif Bey
Vaz geçmez mi sîne âhüzârdan
Yârelendim bir vefâsız yardan
El-aman ol gonce-i hunhârdan
Yârelendim bir vefâsız yardan

Aksak   Mustafa Nafiz Irmak
                                          Güfte: Yahya Kemal Beyatlı

Yokmuş o hayâl ettiğimiz âleme yol
Artık ne açıl ey gül-i ümid, ne sol
Ey rûy-i zemîn bu ye'simizden sonra
İster vîrân ol, ister âbâdan ol...

KARCIĞAR MAKAMI

Aksak   **Köçekçe**
Benli'yi aldım kaçaktan
Görünmez oldu saçaktan
Arzum almadım köçekten benli,
Niçin olmaz, eller kınalı
Gözler sürmeli, nerde bulmalı,
Satın almalı, benli, ah sürmeli gel...

Bir incecik tütün tüter,
Gül dalında bülbül öter,
Gül dalında bülbül öter,
Benim yârim bana yeter,
Benli...

Türk Aksağı   **Leon Hancıyan**
                             Güfte: Ahmet Rasim Bey

Bilmem ki safâ neş'e bu ömrün neresinde
Şâd-olsa gönül bâri biraz son nefesinde
Hâlâ elem-i yâre tahammül hevesinde
Şâd-olsa gönül bâri biraz son hevesinde

Sengin Semâî   **Hacı Arif Bey**
Bir goncaya bir hâre nigâh eyledi bülbül
Derdi iki olduğuna âh eyledi bülbül
Mâtem-zede zannetti görüp dûd-i siyâhı
Bir âh ile gülzârı siyah eyledi bülbül

Yürük Semâî   **Sâdi Hoşses**
Bir gün gelecek sen de beni anlayacaksın
Ettiklerine nâdim olup ağlayacaksın
Heyhât o zaman âşıkını bulmayacaksın
Ettiklerine nâdim olup ağlayacaksın

Aksak   **Mustafa Nafiz Irmak**
Bir kuş uçmaz kervan geçmez ellerde
Kalırdım sen benim yârim olsaydın
Çiçeksiz, nağmesiz vahşî çöllerde
Yaşardım tek benim yârim olsaydın.

Hayâlin gözümde gülşen olurdu
Baktıkça can evim rûşen olurdu
Akşamım, seherim hep şen olurdu
Kalırdım sen benim yârim olsaydın

Aksak   Tanbûrî Ali Efendi
Bir taraftan âşık-ı derd-i gamı yâr ağlatır
Bir taraftan vaz'ı nâ-hemvârı ağyâr ağlatır
Sanma şeydâ gönlümü baht-ı siyekâr ağlatır
Geh felek, geh gam beni, geh cevr-i dildâr ağlatır.

Olmadım âzâde ser sevdâyı zülf-ü yârdan
Rûy-i şâdi görmedim ben bir güzel gam-hârdan
Kanlı yaş eksik mi sandın dîde-i hun-bârdan
Geh felek, geh gam beni, geh cevr-i dildâr ağlatır.

Aksak   Artaki Candan
         Güfte: Mustafa Nafiz Irmak

Bu gece çamlarda kalsak ne olur
Felek'den bir gece çalsak ne olur
Denize, mehtâba dalsak ne olur
Felek'den bir gece çalsak ne olur.

Aksak   Hacı Arif Bey
Dağda tavşanlar geziyor
Yar'da kuzular meliyor
Çobanın aklın alıyor
Sular çağlar, bülbül ağlar
Yar'da kuzular meliyor.

Aksak   Selahaddin Pınar
Curcuna   Güfte: Fuad Edip Baksı
Dile düştüm senin yüzünden yine
Bana çatılmayan kaşlar kalmadı
Üstelik bu acı sitemlerine
Ağlayan gözümde yaşlar kalmadı.

Dargınlık bir yandan, eller bir yandan
Gel gör ki bıktırdı beni canımdan
Seni sevdim diye dostdan düşmandan
Bize atılmadık taşlar kalmadı.

Ağır Aksak   Zeki Arif Ataergin
Ey gönül niçin perişansın beyaz kâkül gibi
Ağladın, soldun sarardın sen güle bir gül gibi
Ufk-u istikbâline baktım, sönen bir kül gibi
Söyle feryâd etmemek mümkün müdür bülbül gibi

Aksak   Dede Efendi
Girdi gönül aşk yoluna
Bakmaz sağına soluna
Bilmem ne eyler kuluna
Âhû gözlerin, şirin sözlerin...

Âşıka vermez aman
Pek bî-aman ol nevcivân
Aman, zaman, vermez aman
Âhû gözlerin, şirin sözlerin...

Curcuna   Selânikli Ahmet Bey
Görünce ben seni ey mâh
Perîşandır benim hâlim âh.
Yeter gâyrı bu âh-ü vâh
Perîşandır benim hâlim âh.

Aksak   Mustafa Nafiz Irmak
                        Güfte: Faruk Nâfiz Çamlıbel

Gülmezse yüzün, goncaların kalbi ağlar
Güllerle dolar, görse gülerken seni dağlar
Meşk etse sular şarkını bülbül gibi çağlar
Güllerle dolar, görse gülerken seni dağlar

Evfer   Gültekin Çeki
                           Güfte: Nedim Güntel

Hani bir gün bile görmezsen ölürdün güzelim
Sormadın hiç seneler geçti de bir gün güzelim
Bana bir hâtırâdır artık o günler ne yazık
Sormadın hiç seneler geçti de bir gün güzelim.

Ağır Aksak   Astik Ağa
                             Güfte: Leylâ Saz

Hasta-i gamdır şifâ ister gönül
Dost elinden bir devâ ister gönül
Kayd-ı mihnetten rehâ ister gönül
Bir gülistân-ı safâ ister gönül

Curcuna   Sadi Hoşses
                          Güfte: Rıfat Ayaydın

Hiç sönmeyen bir arzudur sana olan hasretim
Geçti gecem yine sensiz bir teselli bekledim
Acı duydum, harâboldum, derde bin dert ekledim
Geçti gecem yine sensiz hep boş yere bekledim

Ağır Aksak

Lem'i Atlı
Güfte: Rıfat Ayaydın

Hüsnüne etvâr-ı nâzın şan senin
Bende tâkât kalmadı ferman senin
İhtiyârım gitti elden can senin
Bende tâkât kalmadı ferman senin

Aksak

Sadettin Kaynak
Güfte: Ramazan Gökalp Arkın

Kara bulutları kaldır aradan
Beri gel gönlüme çağlayanım gel
Ne kadar özenmiş seni yaradan
Beri gel gönlüme çağlayanım gel...

Dilinden anlayan bülbül az olur
Gönülden çağlayan aşkın saz olur
Sen gelmezsen bahar geçer yaz olur
Beri gel gönlüme çağlayanım gel...

Curcuna

Şerif İçli
Güfte: Rahmi Duman

Mest-oldu gönül, gözlerini gördüğüm akşam
Ömrüm senin aşkınla helâk olsa da yanmam
Zindan kesilir her bir ufuk senden uzaksam
Zülfün beni bağlar ve çeker her neye baksam.

Devr-i Hindî

Selânikli Ahmet Bey

Nazirin yok senin ey mâh yerde
Arar gönlüm seni seyyârelerde
Bakar bî-çâre hep âh eder de
Arar gönlüm seni seyyârelerde

Aksak

Refik Fersan
Güfte: Cenab Muhiddin Kozanoğlu

Ne güzel şöyle yakından bakışın vardı senin
Su olup gönlüme birden akışın vardı senin
Hiç unutmam hele bir gül takışın vardı senin
Böyle bir işve bulup can yakışın vardı senin
Beni yaktın sana kim derler elâ gözlü kadın
Yaraşır çehrene, endâmına Âfet'se adın...

Curcuna

Fehmi Tokay

O âhû bakışlara bir anda kandın gönül
Neden inandın ona, nasıl aldandın gönül
Sen ki her söze kanmaz, her vâ'de inanmazdın
Neden inandın ona, nasıl aldandın gönül.

Ağır Aksak　　　　　　　　　　　　　　Hafız Yusuf Efendi

Sensin ey mihr'im bu âlemde muhabbet rehberi
Yer yüzünde dür-rü yektâsın melâhat peykeri
Tiğ-i gamzenle helâk ettin nice bin dilberi
Ben de düştüm dâmına ey hilkatin bâlâ-teri.

Türk Aksağı　　　　　　　　　　　　Sadettin Kaynak
　　　　　　　　　　　　Güfte: Refik Ahmed Sevengil

Tanburamın ince kıvrak beli var
Sırma saça benzer ipek teli var
Bülbül gibi söyler şarkı dili var
Vur tellere yanık yanık çağlasın aman
Tanburamda deli gönül ağlasın aman...

Fidan diktim bayırlara sel aldı aman
Bunca yıllık emekleri yel aldı aman
Ben büyüttüm nazlı yâri el aldı aman
Vur tellere yanık yanık çağlasın aman
Tanburamda deli gönül ağlasın aman...

Düyek　　　　　　　　　　　　　　Şekip Ayhan Özışık
　　　　　　　　　　　　Güfte: Müzehher Güyer

Unutmadım seni ben, unutmadım,
Her zaman kalbimdesin.
Aylar, yıllar geçti, söyle sen nerdesin.
Anlaşıldı sen geri dönülmeyen yerdesin,
Anlaşıldı sen geri dönmeyeceksin.
Unutmadım, unutamadım seni ben
Her zaman kalbimdesin...

Türk Aksağı　　　　　　　　　　　　　Hacı Arif Bey

Varken gönülde bin türlü yâre
Düş-oldu gönlüm bir dil-fikâre
Etmezdim arzu ammâ ne çâre
Düş-oldu gönlüm bir dil-fikâre

Sengin Semâî　　　　　　　　　　　　Hacı Arif Bey

Yıkma sakın burc-u penâhım felek
Gün ola tutar seni âhım felek
Kesme benim maksûd-u râhım felek
Çekmeyesin sonra günâhım felek.

Ağır Aksak　　　　　　　　　　　　Selânikli Ahmet Bey

Zahm-ı hicrânım gibi âlemde yâre var mıdır
İltiyâm-ı yâreme bilmem ki çâre var mıdır
Âlem içre ben gibi bir baht-ı kaare var mıdır
İltiyâm-ı yâreme bilmem ki çâre var mıdır.

KÜRDÎLİ HİCAZKÂR MAKAMI

Curcuna   Müzehher Güyer

Ağlama dertli gönlüm sevgilim dönmez geri
Geçti günler sen halâ bekliyorsun gideni
Âşıklar görmüş müdür hiç böyle inleyeni
Geçti günler sen halâ bekliyorsun gideni.

Curcuna   Osman Nihat Akın
Güfte: Besteciye aittir.

Akşam güneşi kakmalı, saçlara güller takmalı
Menekşeler giyinerek, durgun sulara bakmalı
Akşam güneşi batınca, saçlara güller takınca
Sen de sana bayılırsın, durgun sulara bakınca

Düyek   Avni Anıl
Güfte: Zeynep Arıcan

Âlem bahânedir varlığın için
Çiçekler, yapraklar, dallar bahâne
Kendini kendinden gizledin nîçin
Arılar, petekler, ballar bahâne.

Kastın var âşığı nâlân etmeye
Gözümü, gönlümü giryân etmeye
Aşkını kendine ilân etmeye
Leylâ'lar, Mecnûn'lar, çöller bahâne...

Sengin Semâî   Artaki Candan
Güfte: Faruk Nafiz Çamlıbel

Artık ne siyah gözlerinin gölgesi kaldı
Kalbim o büyük aşka bedel kinlere daldı
Lânet, o güzel gözlerinin nûruna yağsın
Bin aşk yaratan saçların âhımla ağarsın

Aksak   Muzaffer İlkar
Güfte: Besteciye aittir.

Aşkına tutuldu gönlüm harâboldu
Sensiz dünyâ bana bil ki harâmoldu
Gülleri sarardı bülbül ötmez oldu
Gurubu kalmadı güneş doğmaz oldu
Bu ıssız hayâtın adı gönlüm oldu

Türk Aksağı   Şerif İçli

Aşkıyle meğer aşkıma son dem vuracakmış
Günler gelecek, güllere bülbül susacakmış
Kalbin niye sevmiş seni, mâdem duracakmış
Günler gelecek, güllere bülbül susacakmış

Türk Aksağı   Ardaki Candan

Ay dalgalanırken suların oynak izinde
Mehtâba açılsak gecenin şen denizinde
Dalsam o derin gözlerine bir lâhza dizinde
Mehtâba açılsak gecenin şen denizinde

Türk Aksağı   Artaki Candan
Güfte: Bedri Ziya Bey

Bağlandı gönül bir güzele bağlar içinde
Bî-çâre ne yapsın açılır dağlar içinde
Bir tatlı bakış, bir gülüşü cânıma yetti
Düştüm o pamuk ellerine ağlar içinde

Curcuna   Ekrem Güyer

Bakıp kır saçlarıma âh ettim yana yana
Anlaşıldı mâziyi unutmak düştü bana
Dile kolay, katlanmak, bu çekilmez hicrâna
Anlaşıldı mâziyi unutmak düştü bana.

Düyek   Alâeddin Yavaşça
Güfte: Bâki Sühâ Edipoğlu

Başka söz söylemem aşktan yana ben
Yaralı bir kuşum, battım kana ben
Ömrümce baş koydum güzelliğine
Âzatsız köleyim, belki sana ben.

Aksak   Şükrü Tunar

Benden kaçarak kol kola bir yaz günü erken
Tenhâda gören var seni ellerle gezerken
Ben dağ gibi hicrânımı kalbimde ezerken
Tenhâda gören var seni ellerle gezerken

Yürük Semâ   Hacı Arif Bey
Ber-dâr olalı zülfüne yâr fikr-i hayâlim
Râmetti dil-i senk-i sitem ile o zâlim
Artık siteme sabredecek kalmadı hâlim
Tedbirde kusur eylemedim gerçi ne çâre...

Düyek   Alâeddin Şensoy
Güfte: Hüseyin Uyar

Bir bahâr diledim, bir gönül için
Ufkumda dolaşan o bülbül için
Görmedim ne bahâr, ne gül, ne bülbül
Bir ömür çürüttüm, bir gönül için

Aksak   **Avni Anıl**
Güfte: Halil Soyuer

Kanlıca
Bir geceye bir ömür verilir Kanlıca'da
İstanbul'un sırrına erilir Kanlıca'da
Mehtâb oynar su ile, ışıklar gelir dile
Geçmiş sevdâlar bile, dirilir Kanlıca'da

Sengin Semâî   **Selahaddin Pınar**
Güfte: Faruk Nâfiz Irmak

Bir gizli günâhın izi, gül benzini sarmış
Esmer güzeli gözlerin esrarla kararmış
Duydum ki seni dün gece, ağyâr eli sarmış
Nerden geliyorsun, yüzünün rengi sararmış

Curcuna   **Selahaddin Pınar**
Güfte: Mustafa Nafiz Irmak

Bir gonca açılmış pınarın dertli başında
Bir yosma civan ki, henüz on altı yaşında
Bir gamzesi vardır, bükülen ince kaşında
Bir yosma civan ki, henüz on altı yaşında

Sengin Semâî   **Sadettin Kaynak**
Güfte: Hâmit Refik Bey

Bir gün yaşadık, hâtırâsı yıllara erdi
Mor gözleri sevdâma, bahâr örtüsü verdi
Bir bûse değil, keblerinin rûhunu verdi
Mor gözleri sevdâma bahâr örtüsü serdi

Sengin Semâî   **Lem'i Atlı**
Güfte: Besteciye aittir.

Bir kendi gibi zâlimi sevmiş yanıyormuş
Duydum ki beni şimdi vefâsız anıyormuş
Kalbim gibi feryâd ediyor sızlanıyormuş
Duydum ki beni şimdi vefâsız anıyormuş

Ağır Aksak   **Selânikli Ahmet Bey**

Bir nigâh et yeniden çeşmine hayrân olayım
O ne gözler, yaratan Tanrı'ya kurbân olayım
Bakayım çeşmine, baktıkça perîşan olayım
O ne gözler yaratan Tanrı'ya kurbân olayım

Curcuna   **Selâhaddin İçli**
Güfte: Selim Aru

Bitmez tükenmez bu dert, ömür diyorlar buna,
Bu gece mehtâp gibi, aşkım da bitse suda,
Gönlüm uyusun sesinde, gel dokunma şuna;
Bu gece mehtâp gibi, aşkım da bitse suda

Curcuna　　　　　　　　　　　　　　　　√Avni Anıl
　　　　　　　　　　　　　　　Güfte: Turhan Oğuzbaş
Bu akşam bütün meyhânelerini dolaştım İstanbul'un
Seni aradım kadehlerdeki dudak izlerinde
Canım doya doya sarhoş olmak istiyordu
Seni aradım kadehlerdeki dudak izlerinde...

Aksak Nev'eser Kökdeş
Bugün biz hep neş'eliyiz
Şenlendi yüreklerimiz, sevdâlıdır içimiz.
Eğlencesiz yaşamayız, bu zevkden anlamayız
Burda hergün nağme çağlar
Kalbimizde hâtırâlar
Ateşlensin sevdâlılar, o tatlı anlar...

Gel güzelim gel bana sen
Kalbimdeki cânânım sen
Aşkımın çiçeği de sen
Esîrin oldum senin ben.
Yaşamak olur mu sensiz
Hayat bana gelir zevksiz.
Burda her gün nağme çağlar...

Yürük Semâî　　　　　　　　Münir Nureddin Selçuk
Bu yıl da böyle geçti şirin sözlü sevgili
Hayâl içinde geçti o tatlı günlerimiz
Geçen yılı yâdedip üzülme ey sevgili
Şevke ümmide doğru kanatlı günlerimiz

Sengin Semâî　　　　　　　　Artaki Candan
Cismin gibi rûhun da güzel zannedip ey mâh
Sevmişti kalbim seni ancak, seni Billâh
Rûhun meğer o hoş bedenin aksi imiş pek
Aldanmaz iken dîdemi aldattı gözün âh.

Ağır Aksak　　　　　　　Klarnet İbrahim Efendi
Çâre-sâzım sensin ancak, rahmet Allah aşkına
Kalbimin feryâdını gel dinle, Allah aşkına,
Çünki ben senden kazandım, derd-i aşkı ey melek;
Sende yok mu kalb-i vicdân, söyle Allah aşkına.

Aksak   Rakım Elkutlu
                                    Güfte: Orhan Rahmi Gökçe
Demedim hiç ona, "Kimsin ve nesin, ne adın"
Niye yıllarca hayâlimde süründün, yaşadın.
O kadın, âh o kadın, âh o kadın, âh o kadın;
Niye kahrın bana düşmüş, niye ellerde tadın.
Niye yıllarca hayâlimde süründün, yaşadın...

Düyek   Selahaddin İnal
                                    Güfte: Sırrı Uzunhasanoğlu
Dertleri zevk edindim bende neş'e ne arar
Elem dolu kalbimden, gitmiyor hâtırâlar
Mâziden kalan her iz, beni içten yaralar
Elem dolu kalbimden, gitmiyor hâtıralar.

Curcuna   Mihran Efendi (Bursalı)
Ehl-i aşkın dilinden haberdâr olmayan bilmez
Muhabbet bir belâdır giriftâr olmayan bilmez
Nağmeye çıksa bülbül nağmekâr olmayan bilmez
Muhabbet bir belâdır giriftâr olmayan bilmez

Ağır Aksak   Tatyos Efendi
Ehl-i aşkın neşvegâhı kûşe-i meyhânedir
Sâkiyâ uşşâkı dilşâd eyleyen peymânedir
Güft-ü gû-yi âleme aldanma hep efsânedir
Sâkîyâ uşşâkı dilşâd eyleyen peymânedir.

Curcuna   Şerif İçli
                                    Güfte: Rıza Tevfik Bölükbaşı
Emeller aldatıp avutmuş beni
Karanlık geceler uyutmuş beni
Sevdiğim çehreler unutmuş beni
Bana hiç birinin yokmuşvefâsı...

Müsemmen   Lem'i Atlı
                                    Güfte: Ahmet Hikmet Müftüoğlu
Esîrindir benim gönlüm
Güzel gözlüm, güzel gözlüm
Melek seslim, şirin sözlüm
Güzel gözlüm, güzel gözlüm.

Nehâr-ü şen, bahâr-ı şen
Güler söyler, şakırsın sen
Bakarken can yakarsın sen
Güzel gözlüm, güzel gözlüm.

Curcuna

Selahaddin Pınar
Güfte: Faruk Şükrü Yersel

Dudağım dudağında
Kemençede yay gibi
Bûseler yanağımda
Çağlasın bir çay gibi
Göğsün tanbûrum olsun
Aşkım onun mızrabı
Nağmelerim boğulsun
İçelim ızdırâbı
Kahkahadan besteler
Şâheserler yapayım
Sonra sana derbeder
Bir kul gibi tapayım.

Yürük Semâî

Rahmi Bey
Güfte: Besteciye aittir.

Ey mutrîb-i zevk âşinâ
Bir şarkı yaptım ben sana
Tarz-ı usûl-i nev-edâ
Çal, söyle, eğlen dâimâ...

Semâî

Avni Anıl
Güfte: Bâki Sühâ Edipoğlu

Ey bu bahçelerde esen eski şarkılar
Nerdesiniz, nerdesiniz?
Belki de ulu ağaçların yapraklarına saklanmış
Susuyorsunuz, susuyorsunuz...

Sanırım şu eski havuzun durgun sularında
Uyuyorsunuz, uyuyorsunuz...

Kimler geldi, kimler geçti
Otlar sarmış bu bahçeden
Kimler geldi, kimler geçti
Şu kırılmış masalardan...

Ağır Aksak

Hacı Arif Bey
Güfte: Şeyh Galip

Geçti zahm-ı tîr-i hicrin tâ dil-i nâşâdıma
Merhamet ey gamze-i câdû yetiş imdâdıma
Öyle bî-hûş eyledim âzâr ile kim tab'ımı
Gelmez oldu bir dahi lûtf-u kelâmın yâdıma
Meclis-i ehl-i sühande yek kalemdir bu gazel
Es'ada söz var mı hüsn-ü tâb-ı istidâdıma...

Aksak Cevdet Çağla
Güfte: Mustafa Nâfiz Irmak

Gelmiyorsun, yakıyor bağrımı hicrânın eli,
Bu gönül neyle avunsun a güzeller güzeli,
Hasretin bağrıma saplandı, yüzün görmeyeli,
Beklerim gittiğin akşamları âvâre, deli;
Bu gönül neyle avunsun a güzeller güzeli...

Aksak Lavtacı Hristo Efendi

Gidelim Göksu'ya bir âlem-i âb eyleyelim
Ol kadeh-kâr güzeli, yâr olarak peyleyelim
Bize bu tâliimiz olmadı yâr, neyleyelim
Ol kadeh-kâr güzeli, yâr olarak peyleyelim...

Semâî Selâhaddin Erköse
Güfte: Nezih Korkut

Gitmesin hayâlin ölürüm dîdeden
Seni her-an kıskanırım ben âlemden
Gel bülbülüm kaçma sen benden
Seni her-an kıskanırım âlemden

Semâî Muzaffer İlkar
Güfte: Nezihe Becerikli

Gönlümün bahçesinde henüz bir gonca gülsün
Gülüver sevdiğim perîşân ömrüm gülsün
Billûr şebnemlerine değerse ağyar eli
Kurusun yaprakların açılmadan dökülsün.

Aksak Lem'i Atlı

Gözlerim gözlerine hayrandır
Bu gönül aşkın ile nâlândır
Yoluna cânım ise kurbandır
Emelimdir seni görmek, seni görmek emelim...

Aksak Refik Fersan
Güfte: Yusuf Ziya Ortaç

Gözlerin mâvi mine
Vuruldum perçemine
Aşkın beni çevirdi
Aslı'nın Kerem'ine
Köyün dilberi, dilberi
Çok sevdim seni...

Aç şu perçemlerini
Böyle istemem seni
Sevdiğim kızdınsa
Geriye al bûseni...

Curcuna   **Osman Nihat Akın**
Gözümden gitmiyor bir dem hayâli
Gönülden çıkmanın yok ihtimâli
Hele bir parçacıs sarhoşca hâli
Gönülden çıkmanın yok ihtimâli

Düyek   **Ekrem Güyer**
Gurûrun oldu sebep bitmeyen bu hicrâna
Sen orda, ben uzaklarda, her gün âh ettik
Ağardı saçlarımız söndü kalbimiz şimdi
Sen orda, ben uzaklarda, her gün âh ettik

Türk Aksağı   **Astikzâde Bogos Efendi**
Güller açmış bülbül olmuş bî-karâr
Gel açıl gülşende ey reşk-i bahâr
Cânâ te'sîr etti ye's-i intizâr
Gel açıl gülşende ey reşk-i bahâr

Curcuna   **Melâhat Pars**
                                 Güfte: Ş. Kalkavan

Gümüş tellerle örsem saçının her telini
Kimse alamaz benden kalbimdeki yerini
Bir an görmezsem inan ölürüm gözlerini
Kimse alamaz benden kalbimdeki yerini.

Sofyan   **Civan Ağa**
Gülsen, açılsan çemen gülşenlenir
Goncasın, gülşen seninle şenlenir
Gül yüzünle dîdeler rûşenlenir
Goncasın, gülşen seninle şenlenir.

Aksak   **Hacı Arif Bey**
Güzelim hiç aramaz mı dil-i âvâre seni
Ne kadar da seviyor bilsen o bî-çâre seni
Beri gel göstereyim dîde-i hunhâre seni
Ne kadar da seviyor bilsen o bî-çare seni.

Curcuna   **Tahsin Karakuş**
                            Güfte: Hüsnü Kayıran

Hasret acısı gönülde ateş
Yalnızım şimdi yok bana bir eş
Mehtâb da sönük, kararmış güneş
Yalnızım şimdi yok bana bir eş...

Aksak   Artaki Candan
Hani ya sen benimdin, niye döndün sözünden
Çapkın aldattın beni anlıyorum gözünden
Kâfi değil mi acep, çektiklerim elinden
Çapkın aldattın beni anlıyorum gözünden...

Düyek   Muzaffer İlkar
                    Güfte: Taner Şener
Hep keder, hep gözyaşı, gülmek harâm oldu artık bize
İnandık ömrümüzce, her tebessüme, her tatlı söze
Her geçen gün bir rüyâ, ümit, hayâl oldu artık bize
İnandık ömrümüzce, her tebessüme, her tatlı söze

Sengin Semâî   Kaptanzâde Âli Rıza Bey
Her tel saçı bir ter dudağın değdiği yerdir
Uslanmadı, yaşlanmadı hayret senelerdir
Bir gül ki henüz gonca gibi râyihâ-verdir
Uslanmadı yaşlanmadı hayret senelerdir...

Semâî   Ömer Altuğ
Hicrâna bürünmüş gidiyor baht-ı siyâhım
Tâkip ediyor bir gölge gibi hep onu âhım
Bil, aşkının uğrunda perişân-ı tabâhım
Tâkip ediyor bir gölge gibi hep onu âhım...

Müsemmen   Cevdet Çağla
İhtiyarlık bahsi hiçtir, ölse uslanmaz gönül
Meyl-i sevdâdır hamiri sevmeye kanmaz gönül
Neylesin ki her zaman bir tâze aşk bulmaz gönül
Serde sevdâ, elde sahbâ, bir de saz ister gönül.

Türk Aksağı   Ekrem Güyer
Kaç yıl o kadın gönlüme sevdâ diye akmış
Kaç kalbi yazık boş yere hicrânına yakmış
Uğrunda solan yüzlere bir el gibi bakmış
Kaç kalbi yazık boş yere hicrânına yakmış...

Ağır Aksak   Selânikli Ahmet Bey
Kalb-i sevdâzedeler âh ile dâim inler
Bir açık yâreye doktor vurulur mu neşter
Âşıkın zahm-ı derûnu ezelîden inler
Bir açık yâreye doktor vurulur mu neşter.

Aksak　　　　　　　　　　　　　　　　　Hacı Arif Bey
Kanlar döküyor derdin ile dîde-i giryân
Âteş saçıyor hicrin ile sîne-i sûzân
Zülf-ü siyehin gibi dilim hâl-i perişân
Öldürdü beni derd-i gamın ey şeh-i hûban

Aydın　　　　　　　　　　　　　Lavtacı Hristo Efendi
Karşıyaka'da İzmir'in gülü
Seyrân ediyor elinde mülü
Beri yakada gönül bülbülü

Ne garip, garip öter yuvada
Ne hazîn, hazîn uçar havada...

Bakın şu kızın elâ gözüne
Sabah güneşi vurmuş yüzüne
Sitem hançeri takmış gözüne

Curcuna　　　　　　　　　　　　　　　　Bîmen Şen
Kemend-i zülfüne bend etti beni, bir nev-civân esmer
Bulunmaz bir mânend-i emsâli, kaaşı kemân esmer
Dağıttı zülfü gibi akl-ı şuûrum kalmadı serde
Perîşân etti hâlimi, aman esmer, yaman esmer.

Aksak　　　　　　　　　　　　　　　Alaeddin Yavaşça
　　　　　　　　　　　　　　　　　　Güfte: Azize Tüzen

Kimdir bu kadın saçları ak, benzi sararmış
Şaştım bu sabah aynaya bir lâhza bakınca
Yaz mevsimi bitmiş onu kış korkusu sarmış
Şaştım bu sabah aynaya bir lâhza bakınca.

Ağır Aksak　　　　　　　　　　　　　　　Bîmen Şen
Koparan sinemi ağyâr elidir
Dost elinden yüreğim yârelidir
Yâreme yâre açan, yâr elidir
Dost elinden yüreğim yârelidir.

Müsemmen　　　　　　　　　　　　　Şekerci Cemil Bey
Mahmûr bakışın âşıka bin lûtfa bedeldir
Vallâhi güzel gözleri, Billâhi güzeldir.
Bir kerre nigâh etmesi aksâ-yı emeldir
Vallâhi güzel gözleri, Billâhi güzeldir.

Semâî   **Alâeddin Yavaşça**
                                    Güfte: Münir Müeyyed Berkman

Mâvi gök, mâvi deniz
Hep sevginle gezeriz
Neş'e de biz aşk da biz
Ne güzel şey yaşamak...

Sevilmek hoş, sevmek hoş
Gönül sarhoş, göz sarhoş
Heyecansız günler boş
Ne güzel şey yaşamak...

Hayat coşkun bir dere
Dalma gama kedere
Üzme canın boş yere
Ne güzel şey yaşamak...

Arzular bir şelâle
Işık saçar hilâle
Gül, karanfil ve lâle
Ne güzel şey yaşamak...

Aksak   **Hacı Arif Bey**
Muntazır teşrîfine hâzır kayık
İnce yaşmakla bu Cuma, seyre çık
Penbe mantinden ferâcen pek de şık
İnce yaşmakla bu Cuma, seyre çık...

Kırma lûtfen hâtır-ı mestâneyi
Süslenip tak zülfün üzre şâneyi
Eyle ihyâ semt-i Kâğıthâneyi
İnce yaşmakla bu Cuma, seyre çık...

Aksak   **Muzaffer İlkar**
Güfte: Fuad Edip Baksı
Nâzında senin özlediğim eski cefâ yok
Derdinde vefâ var güzelim, sende vefâ yok
Bezminde kadehten içilen meyde şifâ yok
Derdinde vefâ var güzelim, sende vefâ yok...

               "Emin Ongan tarafından da aynı makamda bestelenmiştir."

Aksak   **Selâhaddin Pınar**
                                    Güfte: Zekâî Cankardeş
Ne gelen var, ne haber var, gün uzun, yollar uzak
Bekledim kaç geceler böyle içim sızlayarak
Aydan imdât diledim, göklere açtım elimi
Bekledim kaç geceler böyle içim sızlayarak.

Düyek   Selâhaddin Pınar

Ne demiştin, niçin caydın sözünden
Hevesin bir an mıydı, yemînin yalan mıydı.
Âh vefâsız anlıyorum gözünden
O bakış bir an mıydı, o gülüş yalan mıydı.
Hangi kara kedi ayırdı bizi
Seni hercâi seni, hani sevmiştin beni...

Semâî   Yusuf Nalkesen
                              Güfte: Besteciye aittir.

Ne o bensiz edebilir
Ne temelli gidebilir
Ben de öyle bunu bilir
Sâde gözden ırağız biz
Alev, alev çerâğız biz
Ayrılsak da beraberiz...

Gün olur ne arar sorar
Gizlenir de beni sınar
Bilirim ki içi yanar
Sâde gözden...

Bazı günler hep nâz-eder
Hem küser, hem niyâz eder
Sanırsın sâhiden gider
Sâde gözden...

Ağır Aksak   Mustafa Sunar
Nerdesin sen gönlümün nazlı civânı nerdesin
Kimbilir hangi diyârda, hangi ıssız yerdesin
Gurbetin hicrân esen rüzgârı da vermez haber
Bir tesellî varsa ancak her zaman gönlümdesin.

Aksak   Muzaffer İlkar
                            Güfte: Erol Sayan

Ne senin aşkına muhtâc, ne esîrin olacağım
Öyle bir sevgili buldum ki, seni unutacağım
Yeni aşkın kucağında, yeniden doğacağım
Öyle bir sevgili buldum ki, seni unutacağım

Aksak   Cevdet Çağla
                            Güfte: Ferruh Bora

Ne zaman ki kalbim o yeşil gözlüm için vursa
Anlamak hiç mümkün mü seni ey güzel Bursa
O da benim gibi hep yeşil yurdu severdi
Sen mi onun gözüne, o mu sana renk verdi.

Aksak
Cevdet Çağla
Güfte: Niyazi Bey

O yâr bezme geldi, kalmadı gitti,
Neş'emize bir an, dalmadı gitti,
Eğlenir dedim, gönlümü verdim;
Pek harâb diyerek, almadı gitti.

Aksak Münir
Nureddin Selçuk
Güfte: Nedîm

Rakkas bu hâlet senin oynunda mıdır
Âşıkların günâhı boynunda mıdır
Doymam şeb-i vaslına şeb-i rûze gibi
Ey sîm beden, sabah senin, koynunda mıdır.

Ağır Aksak
Bîmen Şen

Rûz-i hicrânın uzattıkça uzatmıştı felek
Nâle-i dil sûzimi hiç istemezdi dinlemek
Sen eğer ihsânını istersen itmâm eylemek
Ey şeb-i vuslat açılma tâ sabâh-ı haşredek...

Aksak
Hacı Arif Bey

Sana hiç nâle eser etmez mi
Nâzenin kalbini incitmez mi
Âşıka cevr-i sitem yetmez mi...
Nâzenin kalbini incitmez mi...

Va'di visâlin yine te'kid etme
Beni âşüfte-i ümmid etme
Yine dâğ-ı dil-i tecdîd etme
Açtığın zahm-ı derûn yetmez mi...

Devr-i Hindî
Mahmud Celâleddin Paşa

Sen beni bir bûseye ettin fedâ
Yüz yüze bakmaz mı zâlim bir daha
Verdiğim bunca emek oldu hebâ
Yüz yüze bakmaz mı zâlim bir daha...

Semâî
Selâhaddin İçli
Güfte: Orhan Yüksel

Senden kalan bir bûsedir, dermân olan bu derde
Mehtâb nihavend, gönül hüzzam, nağme uşşâk o yerde
Ağlardı başka bir hicrân her şarkıda perde, perde

Sabâ yine esen rüzgâr, gel gör yârdan selâm nerde
Mehtâb nihavend, gönül hüzzam, nağme uşşâk o yerde
Ağlardı başka bir hicrân her şarkıda perde, perde...

Aksak

Cevdet Çağla
Güfte: Âtıf Yâr

Seni coşkun suların koynuna mehtâb alamaz
Bana yaklaş deli gönlüm yine sensiz olamaz
Yüreğim her seferinden daha sevdâlı bu yaz
Ne çıkar saçlarımın kırları artmışsa biraz

Aksak

Yesârî Âsım Arsoy

Sen git gide bir âfet-i devrân olacaksın
Canlar yakacak âteş-i sûzân olacaksın
Bilmem ne zaman derdime dermân olacaksın
Çağın geçecek sonra peşîmân olacaksın...

Yürük Semâî

Münir Nureddin Selçuk

Sevgi dillerde yara
Gözümüzde rüyâdır
İz bırakan hâtırâ
Rûhûmuzu kanatır.

Severiz usanmadan
Nelere katlanırız
Güleriz zaman zaman
Ağlarız yalvarırız.

Hayat bu bir neş'eden
Gönülde bin gül açar
Bir damla göz yaşından
Gizli bir ummân taşar

Düyek

Avni Anıl
Güfte: Şâdi Kurtuluş

Sevmek acı bir arzu derler, sevilmiyor sevenler
Ağlayan şu gözlerim, ne güldü, ne de gülecekler.
Hayat böyle bu yoldan, daha kimler geçecekler
Ağlayan şu gözlerim, ne güldü, ne de gülecekler.

Ağır Aksak

Mısırlı İbrahim Efendi
Güfte: Ahmet Refik Altınay

Sîneler aşkınla inler, dîdeler mahmûr olur
Sen içerken bezmimizde bâdeler hep nûr olur
Neş'eden şazlar coşar vîrâneler mâmur olur
Sen içerken bezmimizde bâdeler hep nûr olur

Düyek

Sâdi Hoşses
Güfte: Behçet Kemal Çağlar

Şarap mahzende yıllanır, aşkın kalbimde yıllanıyor
İkisini birden içtim, inan içim yanıyor
İnsan, dudak, kadeh, kadeh dudaktır sanıyor
İkisini birden içtim, inan içim yanıyor...

Ağır Aksak

Cevdet Çağla
Güfte: Rüştü Şardağ

Şimdi hâtırda mıdır, âşık-ı nâlân acaba
Kim onun artık o gül rûyine hayrân acaba
Yine yâdında mıdır eski perîşân acaba
Kim onun artık o gül rûyine hayrân acaba...

Devr-i Hindî

Müzehher Güyer

Titremeden seyredemem seni Billâh şâheser
Fecre benzer saçlarımdan rûha, bin meltem eser
Kalbe mihrâb olsa diye aşkın gönlümden geçer
Fecre benzer saçlarımdan rûha bin meltem eser.

Curcuna

Yesârî Âsım Arsoy

Uçsun adadan gönlüme sînendeki gamlar
Yelpâzelesin rûhumu dil'deki çamlar
Mehtâb ile gönder bize binlerce selâm
Yelpâzelesin rûhumu dil'deki çamlar...

Düyek
Semâî
Sen Yoksan

Avni Anıl
Güfte: Ümit Yaşar Oğuzcan

Uzuyor yıllar gibi dakikalar, sen yoksan
Tesellîler, ümitler neye yarar, sen yoksan
Alev, alev yanarken, bilsen nasıl her gece
Bin defa ölüyorum fecre kadar, sen yoksan

Curcuna

Sâdun Aksüt
Güfte: Ahmet Hâşim

Yârin dudağından getirilmiş
Bir katre alevdir bu karanfil
Rûhum acısından bunu bildi
Düştükçe vurulmuş gibi yer yer
Kızgın kokusundan kelebekler
Gönlüm ona pervâne kesildi.

Aksak　　　　　　　　　　　　**Muhlis Sabahaddin Ezgi**
Yeşillendi Ödemiş'in bağları
Çoban kızı sürüsünün başında
Gezer tozar çayırları dağları
Saçı sarı henüz onbeş yaşında

Sengin Semâî　　　　　　　　　　　**Ekrem Güyer**
　　　　　　　　　　　　　Güfte: Süleyman Güyer
Yollarda kalan gözlere yaşlar doluyor gel
Bir gün daha sensiz geçip akşam oluyor gel
Rüyâma girme hazlı hayâlin soluyor gel
Bir gün daha sensiz geçip akşam oluyor gel...
"Muzaffer İlkar tarafından Acem Kürdî makamında da bestelenmiştir."

Curcuna　　　　　　　　　　　　　**Bîmen Şen**
Yüzüm şen, hâtırâm şen, meclisim şen, mevkîim gül-şen
Dilim şen, hem-revim şen, hem serim şen, hem-demim rûşen
Nasıl şen olmasın gönlüm bu bezm-i iş-ü işrette
İçen şen, söyleyen şen, dinleyen şen, yâr-ü ağyâr şen...

MÂHUR MAKAMI

Aksak   Süleyman Erguner
                                            Güfte: Arif Rüştü Bey

Akdeniz'de parlayan
Bir incisin Alanya
Eşin yoktur dünyâda
Bir incisin Alanya.
Eşsiz güzelliğinle
Bir tanesin Alanya...

Yem yeşildir her zaman
Bahçelerin bağların
Gözü gönlü doyuran
Zümrüt yalçın dağların
Tabiatin şi'rine
Bir hâlesin Alanya...

Seni gören her gözden
Hayâlin hiç silinmez
Bu ne füsûn, ne sihir
Ne kuvvettir bilinmez...

Aksak   Şerif İçli
                                          Güfte: Hakkı Sühâ Gezgin

Alamam doğrusu dest-i emele
Bir kadeh ki dolaşır elden ele
İstemem çâre de olsa ecele
Bir kadeh ki dolaşır elden ele.

Müsemmen   Lem'i Atlı
Aman sâkî lûtfuna âmâdeyim
Sen bilirsin ki esîr-i bâdeyim
Bir melek sîmâya hem üftâdeyim
Sen bilirsin ki esîr-i bâdeyim.

Curcuna   Emin Ongan
Aşkınla harâb gönlümü gel gör, neye döndüm
Âhlarla gezen bir deli dîvâneye döndüm.
Yanmış ve yıkılmış gibi, vîrâneye döndüm
Ahlarla gezen bir deli dîvâneye döndüm.

Ağır Aksak   Selânikli Ahmet Bey
                                          Güfte: Ahmet Refik Altınay

Bâdeler döndükçe artar bezm-i ıyş'n neş'esi
Çınlatırken bağları mâhurdan nâzik sesi
Sîneler tanbûr ile feryâd ederler subha-dek
Çınlatırken bağları mâhurdan nâzik sesi...

Düyek
Bayram Gecesi

Sadettin Kaynak
Güfte: Vecdi Bingöl

Hoş geldin evimize
Şiir oldun dilimize
Bayram gecesi...

Altın hilâlin ince ışığı serpilince
Bürüdü güzelleri gümüş buğulu peçe
Bayram gecesi...

Birlikte yârân bugün yapıyor, dernek düğün
Âvâre gönüllerde kalır mı artık hüzün
Bayram gecesi...

Söz yok âb-u tâbına, kanılmaz şarâbına
Yurdun inci kızları, eş olur mehtâbına
Bayram gecesi...

Baş başa kumrular da, sevişir kuytularda
Bir kayık süzülüyor, ışıl ışıl sularda
Bayram gecesi...

Neş'e gibi taşalım, engelleri aşalım
Gel seninle sevgili, biz de bayramlaşalım
Bayram gecesi...

Sadettin Kaynak
Güfte: Karacaoğlan

Düyek

Ben güzele güzel demem
Güzel benim olmayınca
Muhannâtın kahrın çekmem
Gel deyip de gelmeyince
Senin çağın geçer olur
Bu dünyâlar kime kalır
Domurcuk gül gazel olur
Vaktinde derilmeyince...

Karacaoğlan sözün haktır
Düşmanın dostundan çoktur
Bizim-çün ayrılık yoktur
Ya sen, ya ben ölmeyince
Senin çağın...

Darbeyn
(Beste)
Ebûbekir Ağa

Bir âfet-i mehpeyker ile nüktelerim var, fehmetmesi müşkil
Aşkı gibi sînemde bulunmaz güherim var, sad şevke muadil
Ebrûleri îmâ ile gizli eder iş'âr, bir bûse atâsın
Idiyye nihânî kereminden haberim var, müjde sana ey dil.

Ağır Aksak
Selânikli Ahmet Bey

Bir sararmış sâk-a döndüm, hep görenler ağlasın
Hâlime âlemle güller, hem çemenler ağlasın
Bir devâsız derde düştüm, rahmedenler ağlasın
Hâlime âlemde güller, hem çemenler ağlasın.

Düyek
Muzaffer İlkar
Güfte: Besteciye aittir.

Bu son şarkımda sen varsın, ilk şarkımda yine sen vardın
Bana yıllarca rûh verdin, ilhâmınla beni yaşattın.
Sendin gönlümün varlığı, her nefeste yine sen vardın
Geçti seninle bu hayat, son şarkımda yine sen varsın...

Nîm Sofyan Arif Sâmi Toker
Çek küreği güzelim, uzanalım Göksu'ya
Gün inerken dönelim, süzülerek Moda'ya

Karşımda güzel Bebek, bakarken solgun aya
Su üstünde sekerek, süzülelim Göksu'ya

Mâvi bir cennet gibi, uzanıyor Marmara
Biz de cennet'den geçip, uzanalım Göksu'ya.

Aksak
Alaeddin Yavaşça
Güfte: Gevherî

Elâ gözlü nazlı dilber
Seni senden sakınırım
Kandan değil hey efendim
Seni candan sakınırım.

O yana, bu yana bakma
Beni âteşlere yakma
Elini koynuna sokma
Seni senden sakınırım.

Gevherî der ben bir merdim
Yüreğimden çıkmaz derdim
Sen bir kuzu ben bir kurdum
Seni benden sakınırım...

Devr-i Hindî   **Suphi Ziya Özbekkan**

Durmadan aksın eğer isterse her gün göz yaşım
Hasretin mâdem ki olmuş, en samîmi yoldaşım
Kimsesizlikten nîçin lâkin yanar halâ başım
Hasretin mâdem ki olmuş, en samîmi yoldaşım.

Curcuna   **Rahmi Bey**
                 Güfte: Besteciye aittir.

Esir ettin beni ey dil pesendim
Senin zencîr-i zülfündür kemendim
Eşin yoktur güzelsin bî-menendim
Sana bin cân ile vallâhi bendim...

Hafif   **Dede Efendi**
Beste

Ey gonca hâr-ı elem cânıma geçti
Tîr-i sitemin her biri bir yânıma geçti
Şimdi hele ey sabr-ü tahammül sana yâhû
Bu mihnet-ü gam çâk-i giryânıma geçti.

Sengin Semâî   **Selânikli Ahmet Bey**
               Güfte: Ahmet Refik Altınay

Gel bir daha gül rûyini aç handeni göster
Çeşmim seni, sînem seni, kalbim seni ister
Efsâne imiş eski muhabbetler, emeller
Çeşmim seni, sînem seni, kalbim seni ister.

Curcuna   **Nuri Halil Poyraz**

Gittin gideli ben deli divâneye döndüm
Gelmezsen eğer bil ki sana doymadan öldüm
Solgun yüzümü, okşadığım ellere gömdüm
Gelmezsen eğer bil ki sana doymadan öldüm

Sofyan   **Dede Efendi**

Gördüm bugün cânân-ı dil
Cânın da tâze cân-ü dil
Ettim yine seyrân-ı dil
Dökmüş saçın çeşmin süzer
Gayet güzel cânân-ı dil
Pek bî-bedel cânân-ı dil

Semâî   **Alaeddin Yavaşça**
               Güfte: Rahmi Duman

Görmeyim kimseye göz süzdüğünü mahvolurum
Sonra bir anda nehirler gibi çağlar coşarım
Sen eğer kuş gibi ummanları aşsan farazâ
Ben de rüzgâr gibi iklimleri çiğner koşarım

Düyek Yusuf Nalkesen

Gurûbun renkleri gömülürken sulara
Esmer bir tül örtülür sâhille yalılara
Martılar yorgun yorgun dönerken kuytulara
Başlar körfezde akşam bu onun bestesidir
Canım İzmir her akşam bir ışık bahçesidir.
Gecenin rengi sarar körfezi sessiz, sessiz
Ne günün rengi kalır, ne gurûb vaktinden iz
Kuşlardan daha erken dalar uykuya deniz
Başlar körfezde akşam, bu onun bestesidir
Canım İzmir her akşam bir ışık bahçesidir.

Curcuna Muhlis Sabahaddin Ezgi

Gücendim ben sana unuttun artık beni
Tam üç yıl Mecnûn gibi sevmiştim ben seni
Beni incittin sen Billâh, seni de yaksın Allah
Tam üç yıl Mecnûn gibi sevmiştim ben seni.

Ağır Aksak Basmacı Abdi Efendi
Güfte: Hâşim

Gülşen-i ezhârı açtı her yana
Nüshetiyedir kasr-ı dil-küşâ
Kandedir gelsin hezâr-ı hoş-nevâ
Nüshetiyedir kasr-ı dil-küşâ

Aksak Kemal Emin Bara

İki gözüm sensiz lûtfet de söyle
Bu uzun geceler geçer mi böyle?
Kuralım sahbâyı baş-başa şöyle
Bu uzun geceler geçer mi böyle?
Ney ve tanbûr, bâde, herşey âmâde
Bu gece bezmimiz pek fevkalâde
Sevelim sâkîyi içelim bâde
Bu uzun geceler geçer mi böyle?

Düyek Rüştü Eriç
Güfte: Hikmet Münir Ebcioğlu

Kadehin dudağımda, gelsen de gelmesen de
Gölgen masamda sarhoş, hâtıran bana yeter.
Kalbim senindir artık, bilsen de bilmesen de
Bir kadeh, bir hâtıra, bir ömür böyle biter

Ağır Aksak Nasibin Mehmet Yürü

Merhamet ey çeşm-i âhû, yaktı beni gözlerin,
Râm-eder uşşâkını bir anda fettan gözlerin,
Var mıdır bilmem acep ben görmedim bir mislini;
Tâ ezelden âşinâ-yı zâr-ı aşktır gözlerin.

Aksak

Refik Fersan
Güfte: Faruk Nafiz Çamlıbel

Kirpiğine sürme çek
Kına yak parmağına
Bu yıl yaşın girecek
Kız gelinlik çağına.

Anlatıyor duruşum
Ben sana vurulmuşum
Ko düşsün gönül kuşum
Saçlarının ağına.

Yaş olsam gözden akmam
Göz olsam gayre bakmam
Sevgilimsin bırakmam
Ellerin kucağına...

Curcuna

Yılmaz Yüksel
Güfte: Ziyâ Paşa

Niçin nâlendesin böyle
Gönül, derdin nedir söyle
Seni ben istemem öyle
Gönül, derdin nedir söyle.

Kimin aşkıyla nâlânsın
Kimin hicriyle sûzânsın
Neden böyle perişansın
Gönül, derdin nedir söyle...

Evsat

İbrahim Ağa
Güfte: Karacaoğlan

Sabah olsun ben şu yerden gideyim
Garip bülbül gibi feryâd edeyim
Sen dururken, ya ben kime gideyim
Şakı bülbül var uyandır yârimi
Ben kıyamam sen uyandır eşimi...

Müsemmen

Münir Nureddin Selçuk
Güfte: 2. Sultan Murad Han

Sâkî getir yine dünki şerâbımı
Söylet dile gelir çeng-ü rûbâbımı
Ben variken gerek bana bu zevk-u bu safâ
Bir gün gele ki görmeye kimse turâbımı

Aksak Semâî   Bestecisi belli değildir
Sarsam miyânın ey gül-i ter yâsemen gibi
Sürsem hemîşe pâyine rûyim çemen gibi
Yaksın visâl-i anber idüp cânımı dahî
Dildâre varsa hayâli dahî yâre ben gibi

Aksak   Rahmi Bey
                                Güfte: Besteciye aittir.

Servinâzı seyret, çıkmış oyuna
Penbeler yaraşmış fidan boyuna
Acep ne cinsi diyorlar soyuna
Penbeler yaraşmış fidan boyuna.

Aksak   Şemseddin Ziya Bey
Şu güzele bir bakın bakışı nûr saçıyor
Dönüp, dönüp bakıyor, âhû gibi kaçıyor
Sıkıldıkça havadan sînesini açıyor
Dönüp dönüp bakıyor, âhû gibi kaçıyor.

Tavrı, tarzı dil-rübâ, anlı şanlı bir perî
Sürünüyor ardınca zülfü kadar müşteri
Döküldükçe rûyine sırma saçın telleri
Dönüp, dönüp bakıyor, âhû gibi kaçıyor.

Aksak   Lâtif Ağa
                          Güfte: Mehmed Sâdi Bey

Te'lif edebilsem feleği âh emelimle
Dünyâyı fedâ eyler-idim mahasalimle
Ben uğraşırım belki o demde ecelimle
Nakdine-i cânı veririm kendi elimle
Hem bezm-i visâl olsam eğer ol güzelimle.

Aksak   Refik Fersan
                          Güfte: Cemal Yeşil

Ver sâkî tâzelendi derdim bu gece
Bir tek daha ver, sorma gelen kim bu gece
Çok, pek çok uzak, gitmediğim görmediğim
Bir yerden hasretinle geldim bu gece
Bir tek daha ver, sorma gelen kim bu gece.

Curcuna　　　　　　　　　　　　　　　Selâhaddin Pınar
　　　　　　　　　　　　　　　　　　Güfte: Fakih Fakılar

Yüce dağdan esen rüzgâr, sevgiliye selâm götür
Yollarımı kesen rüzgâr, sevgiliye selâm götür.
Yas'da, işkencede midir, zevk'de eğlencede midir
Deme gündüz gece midir,　sevgiliye selâm götür.
Araya girse de dağlar, bizi kara sevdâ bağlar
Belki gizli gizli ağlar, sevgiliye selâm götür.

MUHAYYER MAKAMI

Curcuna

Sadettin Kaynak
Güfte: Necdet Rüştü Efe

Batan gün kana benziyor
Yaralı câna benziyor
Esmerim vay, vay
Âh ediyor bir gül için
O bülbül bana benziyor
Vay benim garîb gönlüm...

Rahatça bir dem olaydım
Yarana merhem olayım
Esmerim vay, vay
Kurtulurdum daha çabuk
Âşıklar merhem olaydı...

Yürük Semâî

Sadullah Ağa

Bir elif çekti yine sîneme cânân bu gece
Pek sarıldı bana ol serv-i hırâmân bu gece
Ayın on-dördü gibi dün gece meclisde idi
Kande akşamlayacak ol meh-i hitâbân bu gece.

Ağır Aksak

Mehmed Kasabalı
Güfte: Necdet Rüştü Efe

Buldu gönlüm bir teselli vâde aldandıkça ben
Ağlatıldım, inletildim, yaktılar yandıkça ben
Can evimden incitildim, hasma dost sandıkça ben
Ağlatıldım, inletildim, yaktılar yandıkça ben.

Düyek

Sadettin Kaynak
Güfte: Vecdi Bingöl

Bülbülüm gel de dile, söyle benimle bile
Sesini duyur ele, çile bülbülüm çile.
Issız yuvada tekdin, çekilmez çile çektin
Kim derdi gülecektin, çile bülbülüm çile.

Müjde ey güzel kuşum, bahara döndü kışım
Gülüyor içim dışım, çile bülbülüm çile...

Aksak

Hacı Arif Bey

Devâ yokmuş neden bîmâr-ı aşka
Niçin bir çâre yok nâçâr-ı aşka
Reha olmaz mı bend-i târ-ı aşka
Aman Yarabbî yandım nâr-ı aşka

Düyek   **Münir Nureddin Selçuk**
                                Güfte: Yahyâ Kemal Beyatlı

Çepçevre bahâr içinde bir yer gördük
Ferhâd ile Şîrin'i beraber gördük
Baktık geceden fecre kadar ellerde
Yıldızlara yükselen kadehler gördük.

Eslâf kapıldıkça güzelden güzele
Fer vermiş o neşveyle gazelden gazele
Sönmez seheri haşre kadar şi-ri kadîm
Bir meş'aledir devredilir elden ele...

Düyek   **Sadettin Kaynak**
                            Güfte: Rıza Tevfik Bölükbaşı

Dizlerine kapansam
Kana kana ağlasam
O güzel saçlarını
Ben çözüp ben bağlasam.

Başka bir şey istemem
Yanında sabahlasam
O güzel saçlarını
Ben çözüp ben bağlasam.

Aksak   **Hacı Arif Bey**

Ey âteş-i gam bağrımı yak kanlı kebâb-et
Vîrân-olası hâne-i kalbimi harâb-et
Sâkî ciğerim kanını al bezme şarâb-et
Mahşerde sorarlarsa bile böyle cevâb-et

Düyek   **Sadettin Kaynak**

Gece gündüz uyku girmez gözüme
İntizârım elâ gözlü yâr deyu...
Gündüz hayâlimde gece düşümde
Selâmı çok bir sevgilim var deyu...
Sevgili cicim, yanıyor içim
Kul kölen olam ben senin için...

Ne mümkündür yüzün yardan döndüren
Yeri göğü aşk oduna yandıran
Bir sırdaşım yoktur yâre gönderem
Var cânım hâtırım sor deyu...
Sevgili cicim, yanıyor içim
Kul kölen olam ben senin için...

Aksak   Hristo
Efem şimdi eller sözüne kandı
Vefâsızdan benim cânım, aman efem pek yandı
Aman efe, efe, efe pek yandı
Geçti muhabbetim, o bir zamandı..

Düyek   Hacı Fâik Bey
Gözden cemâlin çün ırağ oldu
Mecnûn'a döndüm yerim dağ oldu
Zülf-ü zenciri bana bağ oldu
Mecnûn'a döndüm yerim dağ oldu.

Aksak   Mustafa Çavuş
Halâ gönlüm bir güzelde
Sabrı müşkül gizli yerde
Müptelâyım yüz çevirmem
Baş tâcıdır aşkı serde.

Okundukça beste dilde
Tanbûriyi pek tut elde
Sen çıkarma gizle aşkın
Muhayyerde zîrâ perde.

Sevdiğim gel şeref bulsun
Dahi beter güzel olsun
İrâdemle aldı gönlüm
Bergüzârım anda dursun.
Yar aman... Sensin güzel şu âlemde...

Aksak Semâî   Sadullah Ağa
Hâl-i siyeh-i gerdeni nâzik terindedir
Perçem sanır ol nûr-u siyehi gören velî
Bir bûsene cânımı versem yerindedir
Zıll-i hümâyi evc-i saâdet serindedir.

Aksak Suphi   Ziya Özbekkan
Nar bahçesinin goncası gülgûn dehenindir
Gönlüm gibi rûhum da, hayâtım da senindir
Gündüz gecenin, mey içenin, yâr sevenindir
Gönlüm gibi rûhum da, hayâtım da senindir.

Aksak   Rahmi Bey
     Güfte: Nedîm

Serâpâ hüsn-ü-ânsın, dil-sitânsın, naz-perversin
Civân-ü mihribansın, şûhsun, nâzende dilbersin
Nazirin yok cihanda, hüsn-ile mihr-i mücevhersin
Bahâ olmaz sana cânâ acep pâkize gevhersin
Mücevhersin, mücevhersin, değil rûh-i musavversin.

Düyek   **Güfte: Dertli**
Dîvân
Ok gibi hûblar beni yaydan yabana attılar
Bilmediler kadrimi ucuz pahâya sattılar
Neydi vaktinde güzeller bûseler vâdettiler
Bir sözle hâsılı şu gönlümü aldattılar.

Hani yâ sâdık deyu meth-ettiğin ol nev-civân
Dün gece ol dilberi bir bâdeye oynattılar
Gördüm o hûr-i hüsnün ağyâr ile ülfet eyler
Hasretinden Dertli'yi toplar gibi patlattılar.

Yürük Semâî   **Dede Efendi**
Sevdiceğim âşıkını ağlatır
Göz yaşını sular gibi çağlatır
Felek bana kareleri bağlatır
Aman felek, yaman felek vay...
Yâreliyim, yâreliyim, yâr
Yalvarırım vay
Eyle benim çâremi vay...

Aksak   **Şevki Bey**
Şeb-i yeldâ-yı hicrân içre kaldım
Yetiş imdâda hüsrân içre kaldım
Serâpâ nâr-ı hicrân içre kaldım
Yetiş imdâda hüsrân içre kaldım.

Neler ettin neler ben müptelâya
Düşürdün âkîbet beni sevdâya
İnan dâd etmeden senden hüdâya
Yetiş imdâda hüsrân içre kaldım.

Aksak   **Şükrü Tunar**
Yâdımda o sevdâlı yeşil didelerin var
Ölsem de unutmam seni kalbimde yerin var
Sînemde açılmış ebedî yârelerin var
Ölsem de unutmam seni kalbimde yerin var.

Curcuna   **Rahmi Bey**
                             Güfte: Nedîm

Yetmez mi sana bister-ü bâlin kucağım
Serd-oldu hava çıkma koyundan kuzucağım
Âteşlik eder sana bu sînemdeki dâğım
Serd-oldu hava çıkma koyundan kuzucağım.

Sofyan   Sadettin Kaynak

Yine dumanlı dağlar, yollar geçilmez oldu
Uzakta bir ses ağlar, yönü seçilmez oldu
Bana teselli yâr'dı, beni sever okşardı
Bahârımı kış sardı, sular içilmez oldu
Güller açılsın diye, bülbül bekler bahârı
Sorarım gökde aya, uçup giden o yâri
Dertli akıyor sular, kışa benzedi bahâr
Vakitsiz yağdı bu kar, çiçekler açtı sarı.

MUHAYYER KÜRDÎ MAKAMI

Nîm Sofyan   Gündoğdu Duran
"Ankara Rüzgârı"
Penbe küçük dudağın söyledi şarkımız
İndi bahâr Ankara'nın sisli yamaçlarına
İçli sesin, âh ne kadar, açtı gönülde sızı
Her gören ağladı, kalbini bağladı, dalgalı saçlarına

Söyledim aşkımı ben Ankara rüzgârına...
Olmadı kaldı benim, her hevesim yarına
Her gören ağladı, kalbini bağladı, dalgalı saçlarına..

Önce biraz gülecek, kalbe ümit katacak
Söz verecek, gelmeyecek, hep beni aldatacak
Sev diyecek, sevmeyecek, belki de ağlatacak
Boş yere ağlama, kalbini bağlama, Ankara kızlarına...

Düyek   Şekip Ayhan Özışık
Bakarım yollarına nerdesin sevgilim
Açarım kollarımı nerdesin sevgilim
Bahârı bitirdik, yazı geçirdik, kışı getirdik
Nerdesin sevgilim...

Yalancı dünyâ geçer mi sensiz
Nerdesin sevgilim...

Geçiyor günlerim gel bana
Dön bana sevgilim
Perîşân hallerimiz
Gel bana, dön bana sevgilim...

Düyek   Sadettin Kaynak
Bir içim su gibi özlerim seni
Korkulu durumda gözlerim seni
Kendimi veririm gizlerim seni
Gönlümün yıldızı Zührem nerdesin?

Her gece sorarım yıldıza senden
Rüzgârı içerim böyle derinden
Yoksulum güzelim şimdi sesinden
Gönlümün yıldızı Zührem nerdesin?

Aksak   Emin Ongan
Bülbül gibi her şâm-ü seher nâlelerim var
Beyhûde değil sen gibi bir gonca terim var
Bigânen için mahrem olan bezm-i visâle
Söyletme beni sen, bu gönülde nelerim var.

Düyek

Âmir Ateş
Güfte: Melek Hiç

Bir kızıl goncaya benzer dudağın
Açılan tek gülüsün sen bu bağın
Kurulur kalbime sevdâ otağın
Kimbilir hangi gönüldür durağın.

Her gören, göğsüme taksam seni der
Kimi, âteş gibi yaktın beni der
Kimi, billûr bakışından söz-eder
Kimbilir hangi gönüldür durağın.

Semâî

Yusuf Nalkesen
Güfte: Şahap Gürsel

Dün zirvede idik, bugün etekte
Damla bal kalmadı, işte petekte
Seneler geçiyor, geçme desek de
Sahiller söylüyor gamlı şarkıyı...

Meyvanın nasîbi kesildi daldan
Toprak el uzatır oldu dört koldan
Dönecek Tanrıya geldiği yoldan
Enginler eriyor göründü kıyı
Sahiller söylüyor gamlı şarkıyı...

Düyek

Yıldırım Gürses
Güfte: Besteciye aittir.

Elvedâ gençliğim
Elvedâ ey hâtırâlar

Elvedâ mes'ut günlerim
Ümit dolu sayfalar...

Yine mevsimler dönecek
Yine yapraklar düşecek
Giden gençliğim hiç

Geri gelmeyecek.
Ellerim semâya doğru, yalvardım yıllarca
Dursun zaman, dönmesin mevsimler
Tanrım! Bana ümit ver,
Heyhât...

Yine mevsimler dönecek
Yine yapraklar düşecek
Giden gençliğim hiç
Geri gelmeyecek...

Düyek   Sadettin Kaynak
Gönlüm özledikçe görürdüm hele
Lâcivert kanatlı kumru olsaydım
Seni kıskanırdım rüyâda bile
Âhu gözlerinde uyku olsaydım.

Sanma ki sevgilim solar biterdim
Belki mûrâdıma böyle yeterdim
Gonca leblerinde yanar tüterdim
Güllerden süzülen koku olsaydım

Duyabilmek için inceden ince
Bütün benliğimi sana verince
Dalarım aşkına şöyle derince
Gönlünce yaşayan duygu olsaydım.

Düyek Erol Sayan
Güfte: Atilla Barlas
Gönülde bu saltanat
Sevginle alır kanat
Seviyorum seni ben
Bilsin bütün kâinât

Gel kucakla sev beni
Sînende sakla beni
Derdinle yakma beni
Gönlümden bağla beni.

Nasıl bir sevmişim
Benim aşkım demişim
Unutamam bir daha
Kalbimde yer vermişim.

Gülerse güzel yüzün
Günlerim bahâr olur
Kaderse kavuşmamız
Ayrılık ölüm olur...

Düyek   Yusuf Nalkesen
Kapın her çalındıkça o mudur diyeceksin
Beni kaybettin artık, sen çok bekleyeceksin
Hele bir yalnız kal da, nasılmış göreceksin
Beni kaybettin artık, sen çok bekleyeceksin.

Düyek
Necdet Tokatlıoğlu
Güfte: Besteciye aittir.

Hiç tükenmeyecek sandığımız aşkımız bitecek miydi
Kalbimizde yanan aşk âteşi gün gelip sönecek miydi
Nerdesin sevgilim, kimbilir nerde
Ararım seni ben gezdiğim yerde.
El ele tutuşup gezdiğim demleri
Anarım şimdi mutlu günlerimi
Yâdederek âh edip yanarım şimdi
Nerdesin sevgilim, kimbilir nerde
Ararım seni ben gezdiğim yerde
Sorarım seni ben gezdiğim yerde.

Curcuna
Avni Anıl
Güfte: Mustafa Nâdir

Kalbimi dolduran güzel gözlerin
Siyah mıydı, elâ mıydı unuttum
Yaslanıp üstünde hayâl kurduğum
Saçının rengini bile unuttum.

Araya sim-siyah perdeler indi
Sensizlik kimsesiz yollara sindi
Belki bir başkası seviyor şimdi
Ağladım, inledim, sustum... Unuttum.

Semâî
Ümit Gürelman
Güfte: Metin Pütmek

Nasıl tanımamışım seni ben daha önce
Aşk'dan ve senden uzak ben nasıl yaşamışım
Kalbim boş hayâllerle uyumuş gecelerde
Mutluluğu hep kurak çöllerde aramışım.

Şimdi artık sen varsın, dünyâ nasıl aydınlık
Susmuş dudaklarımda yalnızlık şarkıları
Silinmiş içimdeki hüzün dolu kanlık
Sesin müjdeliyorken en güzel baharları.

Aksak
Necdet Varol

Ne tâc ister, ne taht ister
Ne mal, ne mülk, ne pul ister
Varsın hepsi ırak olsun
Gönül senden seni ister...

Varım, yoğum senin olsun
Gayrısı tüm yalan olsun
Gönül senden seni ister
Özüm sana kurban olsun.

Curcuna

Emin Ongan
Güfte: Orhan Seyfi Orhon

Sen gül dalında gonca
Ben dağ yolunda yonca
Sen açılır gülersin
Ben sararıp solunca.

Huzuruna varayım
Diz çöküp yalvarayım
Sensin çalan gönlümü
Aç koynunu arayım.

"Kasım İnaltekin tarafından Hicaz makamında da bestelenmiştir."

Düyek

Selâhaddin Erköse
Güfte: Rüştü Şardağ

Unutulmaz adınla dudakta kal sevgilim
Hâtıran yeter bana uzakta kal sevgilim
Sakın güneş doğmasın şafakta kal sevgilim
Hâtıran yeter bana uzakta kal sevgilim.

Düyek

Avni Anıl
Güfte: Turhan Oğuzbaş

Unutulmuş ne varsa sevgiden geri kalan
Bir kadeh şarap gibi içilmiş şarkılarda
Bütün ışıklar sönmüş terkedilmiş hâtıran
Bir senin aydınlığın karanlık sokaklarda.

MÜSTEAR MAKAMI

Ağır Aksak Selânik'li Ahmed Bey

Andelib feryâdının hengâmı geldi sevgilim
Çık çemen-zâre bahâr eyyâmı geldi sevdiğim
Âşıka zevk-u safa bayramı geldi sevgilim
Çık çemen-zâre bahâr eyyâmı geldi sevdiğim.

Aksak Şâkir Ağa

Evvel benim nazlı yârim
Severim kimseler bilmez
Bir aşkadır düştü gönlüm
Severim kimseler bilmez.

Sevdim seni etmem inkâr
Gönül sende kıldı karâr
Bir aşkadır düştü gönlüm
Severim kimseler bilmez...

Aksak Rahmi Bey
Güfte: Besteciye aittir.

Gel ey sâkî şarâbı tâzelendir
Hevâ-yı zülfünü yelpâzelendir
Rebâb-ı sînemi âvâzelendir
Şu sönmüş neş'emi yelpâzelendir.

Aksak Şâkir Ağa

Evvel benim nazlı yârim
Severim kimseler bilmez
Bir aşkadır düştü gönlüm
Severim kimseler bilmez.

Sevdim seni etmem inkâr
Gönül sende kıldı karâr
Bir aşkadır düştü gönlüm
Severim kimseler bilmez...

Düyek Hâşim Bey

Ey şûh seninle gizlice
Mehtâba çıksak bir gece
Kimseye açma mahfice
Mehtâba çıksak bir gece.

Aksak Rahmi Bey
Güfte: Besteciye aittir.

Gel ey sâkî şarâbı tâzelendir
Hevâ-yı zülfünü yelpâzelendir
Rebâb-ı sîne âvâzelendir
Şu sönmüş neş'emi yelpâzelendir.

Sofyan　　　　　　　　　　　Süleyman Erguner
İlâhî　　　　　　　　　　　Güfte: Yûnus Emre

Dervîş bağrı taş gerek
Gözü dolu yaş gerek
Koyundan yavaş gerek
Sen dervîş olamazsın
Sen hakk'ı bulamazsın
Yâ Mevlâm, hû Mevlâm
Aşkın bize ver Mevlâm...
Doğruya varmayınca
Mürşide ermeyince
Hak nâsib etmeyince
Sen dervîş olamazsın
Sen hakk'ı bulamazsın
Yâ Mevlâm, hû Mevlâm
Aşkın bize ver Mevlâm...
Döğene elsiz gerek
Söğene dilsiz gerek
Dervîş gönülsüz gerek
Sen derviş olamazsın
Sen hakk'ı bulamazsın
Dervîş Yûnus gel imdi
Ummânlara dal imdi
Ummâna dalmayınca
Sen derviş olamazsın
Sen hakk'ı bulamazsın...

Ağır Aksak　　　　　　　　　Izzettin Hümâî

Hükmü yoktur nev-bahârın gülşenin
Bir bedâyi burcu olmuş gül-tenin
Kâinâtı cezbeder hüsnün senin
Bir bedâyi' burcu olmuş gül-tenin.

Aksak　　　　　　　　　　　Melekzet Efendi

Ne güzelsin meleğim
Senden var bir dileğim
Eyle vâdin bileyim
Ne zaman ben geleyim.

Hele gitmiş ağyâr
Muhtazırmış bana yâr
Eyleyip terk-i diyâr
Ne zaman ben geleyim.

Müsemmen   **Selânik'li Ahmed Bey**
O güzel hüsnünü dünyâ seviyor cânânım
Allah Allah, yakışır mı dili üzmek cânım
Ne vebâlim var ise söyle bana sultânım
Allah Allah, yakışır mı dili üzmek cânım.

Aksak Mustafa Nâfiz Irmak
Sen geldiğin an meclîse, pervânen olur dil
Sararır gülleri öksüz yuvanın bülbül ölür
Sen gidersen kül olur, gözlerimin nûru söner
Boş kalan ömrüme bir yaş gibi hicrin dökülür.

NEVÂ MAKAMI

Aksak

Selâhaddin Pınar
Güfte: Mithat Ömer Karakoyun

Bir deli gönlüm var, bir kırık sazın
Çırpınır durursun doğdun doğalı
Deli gönlün gibi, o da yaralı.
Varsın deli gönlün ağlasın dursun
Göz yaşın sel gibi çağlasın dursun
Bağrını bin acı dağlasın dursun.

Sakîl
Hafız Post

Dil verdim ol perîye nihân gördüğüm gibi
Oldum esîr-i aşkı heman gördüğüm gibi
Ey âfitâb-ı şebnem eden hüsn-ü eşkimi
Benden o demde gitti nişan gördüğüm gibi

Yürük Semâî
Dede Efendi

Ey gonca dehen âh-ı seherden hazer eyle
Âyine-i mihr-i rûhunu bî-keder eyle
Ey bülbül hûş lehçe gezüp nağme serayân
Her gûşde sâd cilve nümâ işveler ile.

Aksak Semâî
Ziya Paşa

Ey perî-i nağme evce-dek âvâzını
Nâle-i cangâhıma erdir nevâ-yı sâzını
Okşadıkça zülfünü bir hoş havâ duymaktayım
Bağladın târ-ı dile her târ-ı efzûn sâzını.

Ağır Aksak
Dede Efendi

Müşkil oldu sûzişim etmek nihân
Gerçi oldum cevre lâyık ben hemân
Sîneden çıktı yine âh-ü figan
Yandım insâf-eyle cânım, el-aman.

Yürük Semâî
Zekâî Dede Efendi

Yine bağlandı dil bir nev-nihâle
Misâli gelmez âlemde hayâle
Nigeh-i akla ziyândır zülf-ü hâle
Amansız girmez âguş-u visâle
Ne sabra çâre var ne arz-ı hâle.

Melâhat gülşeninde tâce bir gül
Felekte olmaz akrân-ı tahayyül
Dökülmüş turrâ turrâ cüyâ sünbül
Reh-i tâbânı üzre ebrû kâkül
O mâh-ı hüsnüne olmuş zülf-ü hâl.

Nîm   Sakîl Itrî
Neva-Kâr   Güfte: Hâfız-ı Şîrâzî
Gülbûn-i ıyş mîdemed sâkî-i gül-i zâr-ı kû
Bâd-ı bahâr mî vezed bâde-i hoş-güvâr-ı kû

Her gül-i nevzî gül rûh-i yâd hemi kûned velî
Gûş-i sühân şinev küşâ dîde-i itibar-ı kû

Meclis-i bezm-i ıyş-râ galiye-i murâd nîst
Ey dem-i subh-i hoş nefes nafe-i zülf-i yâr-i kû

Ey şâhid-i kudsî ki keşed bend-i nikab-et
Vey mürg-i behiş-ti ki dihed dâne-vü âbet

"İşret fidanı yeşerdi (yetişti), gül yanaklı sâkî hani?
Bahar rüzgârı esiyor, hoş lezzetli bâde hani?

Her yeni gül bir gül yanaklıyı hatırlatmaktadır. Fakat,
Söz işitecek kulak nerde, ibret gözü hani?

İşret bezm-i meclisinin murâd (galiye) si yoktur.
Ey hoş nefesli sabah vakti, yârin zülfünün güzel kokusu hani?

Ey kutsî güzel, senin örtünün bağını kim açtı?
Ve ey cenned kuşu, senin yem ve suyunu kim verdi?"

Aksak Semâî   Kadri Efendi
Sevdi bu gönül seni yamân eylemedi
Çekti sitemin bunca figaan eylemedi
Bî-çâre zâif-i imtihân etmek için
İzhârı muhabbet etti kan eylemedi
Bildi tamâm-ı âlem ben derd-i mend-i âşıkım...

NEV'ESER MAKAMI

Yürük Semâî

Dede Efendi
Güfte: Vâsıf

Diyemem sîne-i berrâk-ı semen-ten gibidir
Yâsemen belki o gül nahl-i semen-ten gibidir
Reng-i bûy-i güli târife ne zahmet çekeyim
Gül benim bildiğim ey gonca-dehen, sen gibidir.

Aksak

Lâtif Ağa

Gönlüm alıp ey kaaşı-yâ
Kaddim eden sensin dûda
Vâh ey tegafül âşinâ
Gittikçe oldun bî-vefâ

Hayli zaman ettim niyâz
Rahmet deyû bâri biraz
Olmak dilerken çâre-sâz
Gittikçe oldun bî-vefâ

Aksak

Sadettin Kaynak
Güfte: Vecdi Bingöl

Hicranla harâboldu da sevdâ eli gönlüm
Uslanmadı gitti deli gönlüm,deli gönlüm
Cânân diye, hicrân diye, can vermeli gönlüm
Uslanmadı gitti deli gönlüm, deli gönlüm.

Ağır Aksak Semâî

Hafız Mehmet Efendi
"Kömürcü-zâde"

Meclisde bu revnâk, bu şetâret sana mahsûs
Bu nâz-ü nezâket, bu letâfet sana mahsûs
Meclisde benimle meselâ sohbet ederken
Ebrû ile etrâfa işâret sana mahsûs
Sevdim seni, atma beni
Yâd-ellere vermem seni...

Berefşan

Hafız Mehmed Efendi
"Kömürcü-zâde"
Güfte: Vâsıf

Beste

O nihâl-i nâzın âya saran âşinâsı var mı
Hele pek güzeldir ama, acaba vefâsı var mı
Sana Vâsıf açtı râzın kerem eyle tut niyâzın
Bu kadar cefâ vü nâzın a cânım safâsı var mı

Curcuna

Cevdet Çağla

Seni rüyâlarımda gördüğüm gün çok oldu
İşte böyle bir ömür geçti renklerim soldu
Her ıztırâbın sonu kalbim aşkınla doldu
İşte böyle bir ömür geçti renklerim soldu

NİHAVEND MAKAMI

Fahte   Muallim İsmail Hakkı Bey
Beste
Acıyaydı bana bir kerrecik ol gonca-femim
Acımazdı yüreğimde acıyan zahm-ı dilim
Acı Allah için olsun ki harâb-ı aşkım
Rahâtım aldı visâlin heves-île elemim.

Semâî   Teoman Alpay
                                                 Güfte: Besteciye aittir.

Bahar geldi gül açıldı
Rûhuma neş'e saçıldı
Mâvi gözlü sarışın kız
Gel gidelim Ada'ya biz.

Çamlar altı bizi bekler
Bu kadar naz etme yeter
Mâvi gözlü sarışın kız
Gel gidelim Ada'ya biz.

Sevdim seni sandım melek
Biraz olsun bana lûtfet
Mâvi gözlü sarışın kız
Gel gidelim Ada'ya biz.

Bir gül gibi açıyorsun
Niye benden kaçıyorsun
Mâvi gözlü sarışın kız
Gel gidelim Ada'ya biz.

Semâî   Avni Anıl
                                                 Güfte: Ümit Yaşar Oğuzcan
Ağla Gitar
İçimde nice uzun yılların özlemi var
Bu gece efkârlıyım ağla gitar, çal gitar
Bitmesin bu sarhoşluk sürsün sabâha kadar
Bu gece efkârlıyım ağla gitar, çal gitar.

Aksak   Tatyos Efendi
Âh-ı cânâ firkatinle sînemi ben dağlarım
Yâdedip eyyâm-ı vaslı dem-bedem kan ağlarım
Şimdi mâtemgir-i hicrânım siyehler bağlarım
Yâdedip eyyâm-ı vaslı dem-bedem kan ağlarım.

Ağır Aksak   Nûman Ağa
Akıbet vîrân edip gönlüm felek
Aldı elden sevdiğim zâlim felek
Çün benim gûş etmedin zârım felek
Gayrı ben de terkedem cânım felek

Semâî   Selâhaddin Erköse
                                      Güfte: Fuad Edip Baksı

Ak saçlarıma değil gönlüme bak sevgilim
Bu sevdâ ocağını durmadan yak sevgilim
Başını kalbime koy nazı bırak sevgilim
Bu sevdâ ocağını durmadan yak sevgilim.

Yürük Semâî   Türkü
Aman avcı vurma beni
Ben bu dağın ay balam maralıyam
Maralıyam, hem yaralı
Avcu vurmuş ay balam yaralıyam.

Bir taş attım çaya düştü
Çaydan bir çift ay balam Suna uçtu
Benim gönlüm sene düştü
Senin gönlün ay balam kime düştü.

Bu dağlarda ceylân gezer
Tırnakların ay balam taşlar ezer
Ben o yâre neylemişem
O yar benden ay balam kenar gezer...

Düyek   Şekip Ayhan Özışık
Aşkımı bilmedin
Gözyaşım silmedin
Sevdi gönlüm seni
Merhâmet etmedin

Gel artık üzme beni
Sevdi gönlüm seni...

Hiç vefâ görmedim
Hiç safâ sürmedim
Sevdi gönlüm seni
Merhâmet etmedin.

Gel artık üzme beni
Sevdi gönlüm seni
Gel artık üzme beni...

Aksak   Cevdet Çağla
Güfte: Ömer Bedrettin Uşâklı

Âşıkım dağlara kurulu tahtım
Çobanlar bağrımı dağlar da geçer
Günümü yıl eden şu kara bahtım
Engin gurbetlerden çağlar da geçer.

Düyek   Bâki Çallıoğlu
Güfte: Besteciye aittir.

Aşka gönül vermem aşka inanmam
Yıllarca boş yere ağlayıp yanmam
Böyle bir arzuya meyledip kanmam
Unut sevme beni, bu aşkın sonu
Ne yazık ki hicran, göz yaşı dolu.

Nasıl olsa sonu gelmeyecek mi
Her güzel şey gibi bitmeyecek mi
Bırakıp da bizi gitmeyecek mi
Unut sevme beni, bu aşkın sonu
Ne yazık ki hicran, göz yaşı dolu...

Düyek   Arif Sami Toker
Güfte: Fuad Edip Baksı

Aşkımın ilk bahârı ilk heyecânım benim
Sevgilim, iki gözüm, biricik cânım benim
Eşi yok menendi yok, gönül sultânım benim
Sevgilim, iki gözüm, biricik cânım benim

Düyek   Avni Anıl
Güfte: İlham Behlül Pektaş

Aşk nedir, nasıldır, bilen var mı?
Sevip de her zaman gülen var mı?
Ben seviyorum demek çok kolay,
Hadi, öl denince, ölen var mı?

Yürük Semâî   Zeki Duygulu
Güfte: Besteciye aittir.

Ayrıldı gönül şimdi yine bir tek eşinden
Bulmakta tesellî batan akşam güneşinden
Alnımdaki hattı yaşımın mâtemi sanma
Her çizgi açıldı acı hicrân ateşinden

Curcuna   Ekrem Güyer

Ayrılmak ne kadar zor, unutulmak çok acı
Dün gülen bakışların, bugün bana yabancı
O kadar zâlim olma, bu mahzûn kalbe karşı
Dün gülen bakışların, bugün bana yabancı.

Curcuna   Sadettin Kaynak
                                         Güfte: Ramazan Arkın

Bahar bitti güz bitti, artık bülbül ötmüyor
Yâre tel çekem dedim, tel derdim iletmiyor

Yollar kapalı kardan, turna gelmez diyardan
Haber çıkmadı yardan, bu ayrılık bitmiyor.

Derdim çok, dermânım yok
Cânân çok, cânânım yok
Onsuz adım sanım yok
Tesellî kâr etmiyor...

Bahar yeşil gözüydü
Bülbül tatlı sözüydü
Gonca penbe yüzüydü
Hayâlimden gitmiyor.

Ayrılık deniz gibi, ölü bir beniz gibi
Uzayan bir iz gibi, bitmiyor âh, bitmiyor...

Aksak   Cevdet Çağla
                                         Güfte: Faruk Şükrü Yersel

Bana bir zâlimi, Leylâ diye sevdirdi felek
Çekmek isterdim onun derdini, tâ mahşere-dek
Tapmışım hüsnüne yıllarca onun bilmeyerek
Geçti bir tâze ömür, işte bakın, aldanarak.

Aksak   Refik Fersan

Beğendim biçimini, her yerin mini mini
Dudaklarım ismini anıyor Kadıköy'lü.
Saçın bir deste ipek, kendin güzel bir bebek
Seni gören bir melek sanıyor Kadıköy'lü.

Usandım bu huyundan, hoşlanırsın oyundan
Seni herkes boyundan tanıyor Kadıköy'lü.
Yapma bu kadar şaka, beni bastırma faka
Yüreğim her dakika yanıyor Kadıköy'lü.

Curcuna   Sadi Hoşses
                                         Güfte: Besteciye aittir.

Benden ayrılsan da yine gönlüm sendedir
Neye baksam, neyi görsem yine kalbim sendedir
Benim sensin bütün zevkim, bütün rûhum hayâtım
Neye baksam, neyi görsem yine kalbim sendedir.

Semâî   Nazmi Atlığ
                                   Güfte: Orhan Seyfi Orhon

Benim gönlüm bir kelebek
Dolaşıyor çiçek çiçek
Tükenecek ömür böyle
Çırpınarak titreyerek.

Ne şerefli bir adı var
Ne bir büyük maksadı var
Her gün biraz zedelenen
İki ipek kanadı var.

Her şey ona karşı durur
Güneş yakar, kış dondurur
Bazı tutar kanadından
Bir fırtına yere vurur.

Benim gönlüm bir kelebek
Dolaşıyor titreyerek
Zavallının bir baharlık
Ömrü böyle tükenecek...

Aksak   Münir Nureddin Selçuk
                                   Güfte: Necdet Atılgan

Bilmem bu gönülle ben nasıl yaşayacağım
O daha genç yaşında, benimse geçti çağım
Kurtulmak mümkün olsa, bırakıp kaçacağım
Fakat ne yazık artık elinde oyuncağım.

Onun zoru sürümek beni gittiği yola
Ben giderim sağıma, o çeker beni sola
Arkasından bakarım gözlerim dola dola
Ey gençlik arkadaşım sana uğurlar ola...

Düyek   Avni Anıl
Semâî   Güfte: Ümit Yaşar Oğuzcan
Biraz kül, biraz duman, o benim işte (*)
Kerem misâli yanan, o benim işte
İnanma gözlerine ben, ben değilim
Beni sevdiğin zaman, o benim işte.
   "Münir Nureddin Selçuk tarafından da Nihâvend makamında bestelenmiştir."

Semâî

Avni Anıl
Güfte: Hilmi Soykut

Bir alev bir ışık senin bakışın (*)
Gözlerin içimde yanar gibidir
Göğsüne bir tutam çiçek takışın
Bir bahar içinde bahar gibidir.

Başkadır sevdiim senin gözlerin
Bakışın o kadar esrarlı derin
Doğru da olmasa söylediklerin
Gönlüm o sözlere kanar gibidir.

"Emin Ongan tarafından da Nihâvend makamında bestelenmiştir."

Curcuna

Cevdet Çağla
Güfte: Selim Aru

Bir dert gibi akşam suların koynuna indi
Gönlümde siyah gözlerinin rengi gezindi
Gözlerde sönen yıldıza mâtem ne derindi
Gönlümde siyah gözlerinin rengi gezindi

Sengin Semâî

Mûsa Süreyya Bey

Bir gün o güzel şâd-edecek rûhumu sandım
Sâkin geceler pûsîş-i hicrânımı andım
Aşkın ezelî olduğuna sonra inandım
Sâkin geceler pûsîş-i hicranımı andım

Semâî

Ferit Sıdal
Güfte: Hüseyin Aydınkaya

Bir hâtıra zevkîyle yine andım gamları
Ağlıyor aşkımıza bu gurbet akşamları
Döndür de başını unuttuğun mâziye bak
Ağlıyor aşkımıza bu gurbet akşamları
Ağlıyor aşkımıza İstanbul akşamları.

Düyek

Faruk Kayacıklı
Güfte: Besteciye aittir.

Bir kaç damla göz yaşı aşkın yemîni midir
Yaralı gönlüm için bu bir tesellî midir
Cânân incitir kırar sonra yanar ağlarmış
Yaralı gönlüm için bu bir tesellî midir.

Düyek

Rıfat Bey

Bir kerre sorsalar dertli hâlinden
Şikâyetim çoktur çerh-i felekten
Çok şükürler olsun ganî hüdâdan
Şikâyetim çoktur çerh-i felekten

Düyek   Hacı Faik Bey
Bir güzel kız salıncakta sallanır
Kolan vurdukça göklere yollanır
Şiddetinden yanakları allanır

Salıncaktır genç kızların oyunu
Kolan vurdukça seyredin boyunu.

Gelin kızlar annemize soralım
Bahçemize salıncağı kuralım
Karşılıklı binip kolan vuralım

Salıncaktır genç kızların oyunu
Kolan vurdukça seyredin boyunu.

Semâî   Muzaffer İlkar
                                   Güfte: Munîs Fâik Ozansoy
Bir mevsim o yollardan, o yaz bahçelerinden
Günler vererek el-ele hülyâ gibi geçti
Yapraklar uçarken kuru dallar üzerinden
Ömrün daha bir mevsimi rüyâ gibi geçti.

Curcuna   Avni Anıl
                                   Güfte: Hüceste Aksavrın

Bu kadın herkesi Mecnûn edecek
Gözü gel gel, kaşı olmaz diyecek
Gülecek, eğlenecek, sevmeyecek
Gözü gel gel, kaşı olmaz diyecek

Semâî   Nuri Halil Poyraz
Bir neş'e umdu gönül serâpâ keder oldum
Göründü geçti bahâr hazanla heder oldum
Bülbülle hem-derdim ben her an âh eder oldum
Göründü geçti bahâr hazanla heder oldum.

Sengin Semâî   Hüseyin Mayadağ
Coşsun yine bülbüller o hicranlı sesinde
Bak gönlüme, her gün seni sevmek hevesinde
Aşk olmasa bu ömrün derin felsefesinde
Sevdâ yaratır kalbin ilâhî nefesinde.

Ağır Aksak   Fahri Kopuz
Çok zamandır sevdiğim mehcûr-i hüsnün olalı
Rahâtım yok niye bilmem meleğim sen gideli
Senin hasret-kederinle âh-ü feryâd-edeli
Bî-karâr ettin beni âhımı gûş etmeyeli.

Düyek　　　　　　　　　　　　　　　Zeki Duygulu
Desem ki aşk yalandır belki yâre dokunur
Çünki darb-ı meseldir sevenler unutulur
Gönül bir kuş gibidir sanma elde tutulur
Çünki darb-ı meseldir sevenler unutulur.
Bir güzele meyleder o gün seni unutur
Çünki darb-ı meseldir sevenler unutulur.

Semâî　　　　　　　　　　　　　　　Avni Anıl
　　　　　　　　　　　　　　　Güfte: Orhan Arıtan

Diz çöksem önünde niyâz etsem
Yâr koynun açıp gel der mi ki bilmem
Âguşuna düşsem göz yaşı döksem
Yâr rahmedip de gel der mi ki bilmem.

Desem ki bu kadar neden yakarsın
Gönlüm senindir sen neden kaçarsın
Güzelsin, meleksin lâkin susarsın
Gel artık gel bana gel der mi ki bilmem.

Aksak　　　　　　　　　　　　　　　Hacı Arif Bey
Dün gece rüyâda gördüm yârimi
Lûtf ile etti suâl ahyâlimi
Gözlerin yaktı dedim tâ cânımı
Gamzene bak yakmak ister cânımı.

Aksak　　　　　　　　　　　　　　　Teoman Alpay
Dün Göztepe'nin neş'eli bir âlemi vardı
Şen kahkahanız bahçelerin koynunu sardı
Hicran ne gezer Göztepe'de, gam ne ârardı
Şen kahkahanız bahçelerin koynunu sardı

Düyek　　　　　　　　　　　　　　　Şekip Ayhan Özışık
Ellerim böyle boş, boş mu kalacaktı
Gözümde hep böyle yaş, yaş mı olacaktı
Aramızda sıra dağlar, dağlar mı olacaktı
Üzülme sen meleğim, gün olur kavuşuruz
Ecel ayırsa bile mahşerde buluşuruz.

Biz de mi böyle, böyle olacaktık
Bu en güzel çağda, yas mı tutacaktık
Aramızda sıra dağlar, dağlar mı olacaktı
Üzülme sen meleğim, gün olur kavuşuruz
Ecel ayırsa bile mahşerde buluşuruz.

Semâî Muzaffer İlkar
Curcuna
Dünyâya değişmem seni en tatlı emelsin
Öldürse de aşkın beni bir ömre bedelsin
Sensin bu hayâtın eseri, mihveri sensin
Öldürse de aşkın beni bir ömre bedelsin.

Ağır Aksak Türkü
Devr-i Hindî
Evlerinin önü Mersin
Âh sular içmem gadınım, tersin tersin
Mevlâm seni bana versin.
Al hançeri kadınım, vur ben öleyim
Âh kapınızda bi dânem, kul ben olayım.

Evlerinin önü susam
Su bulsam da çevremi yusam
Açsam yüzünü baksam dursam

Al hançeri gadınım...

Ben kül oldum yâne yâne
Âlem sarhoş ben dîvâne.

Al hançeri gadınım...

Semâî Artaki Candan
Güfte: Mustafa Reşit Bey

Ey hayâli gözden gitmeyen dilber
Ağlayan gözlerim hep seni gözler
Yeşil gözlerini bir görmek için
Karardı yolunu bekleyen gözler.

Gece beklerim seni subhadek
Her saat yıl gibi geçiyor melek
Görmeden seni doğar gülerek
Bu gülüş gönlümü sim-siyâh eder.

Semâî Alaeddin Yavaşça
Güfte: Orhan Tokmakoğlu

Füsûn serpen sâzının dinlesem nağmesini
Ulaştırır ruhlara bir âlemin sesini
Lâl olur bütün diller vecd içinde dinlerler
Yâr dinler, ağyâr dinler, sermest olur gönüller
Ah susar bezm-i canda, can dinler, cânân dinler.

Aksak

İsmail Baha Sürelsan
Güfte: Vehbîzâde Rüştü Bey
ve Cevdet Aydınelli

Ey zülfüne dil bağladığım işveli cânân
Gel merhamet et, etme beni böyle perîşân
Gönlüm elemi hicrin ile olmada giryân
Gel merhamet et, etme beni böyle perîşân

Emreylemişsin sâde nasîbim keder olsun
Ümmid-i visâlinle mi ömrüm heder olsun
Gündüzleri hasret gece hicranla mı dolsun
Gel merhamet et, etme beni böyle perîşân.

Semâî
Düyek

Avni Anıl
Güfte: Bâki Sühâ Ediboğlu

Geceler içinden bir gece seçtik
Hep aynı kadehten berâber içtik
Yudumlar bir iksîr olup taşarken
Bir başka âleme beraber geçtik.

Şarkılar dallara konan bir kuştu
Irmaklar, dereler çağlayıp coştu
Gönüller o anda yandı tutuştu.

Geceler içinden bir gece seçtik
Hep aynı kadehten berâber içtik
Bir başka âleme berâber geçtik.

Düyek

Zeki Müren
Güfte: Besteciye aittir.

Geçti artık güzel günler, kalbimi sardı hüzünler
Bitti aşkım, söndü rûhum, hayat zindan oldu bana
Nice günler yalvardım, ağladım kana
Elvedâ elvedâ sevgili sana
Bitti aşkım, söndü rûhum, hayat zindan oldu bana.

Curcuna

Selâhaddin Pınar
Güfte: Vecdi Bingöl

Geçti ömrüm yine hâlâ ben o bin dert ileyim
Söyle dermânını ey sevgili aşkın bileyim
Böyle hicran eleminden nice bir inleyeyim
Söyle dermânını ey sevgili aşkın bileyim.

Düyek **Necmi Yar**

Gelmez mi bezme o mestâne
Dönse meclis gülistâne
Raks-edim gelse meydâne

Böyle dilber sevilmez mi
Bâde olsa içilmez mi...

Yüzü âhû, gözü ceylân
İşvesine gönül hayran
Öyle bir âfet ki cânâ

Böyle dilber sevilmez mi
Bâde olsa içilmez mi...

Düyek **Zeyneddin Maraş**
Güfte: Besteciye aittir.

Gizli aşk bu söyleyemem derdimi hiç kimseye
Zevke vedâ, neş'eye de, vedâ artık her şeye
Arzular bir bir hayâl oldu, bahârımın gülleri soldu
Gönlüm hicrân, hasret, gamla doldu.

Sevdim ammâ görmüyor gözlerim hiç kimseyi
Gizli aşk bir gizli dertmiş, fedâ ettim her şeyi
Arzular bir bir hayâl oldu, bahârımın gülleri soldu
Gönlüm hicrân, hasret, gamla doldu.

Semâî **Alaeddin Yavaşça**
Güfte: Besteciye aittir.

Gönlümün bülbülüsün, aşk bahçemin gülüsün
Sevdâ ufuklarında gül endâmın yürüsün
Aşkına yandı gönü, sözüne kandı gönül
Belki beni arasın dile aldandı gönül.
Sevgili aşka inan, onun ateşiyle yan
Âşık gönüllerdeki sevgiye aşka inan.

Sevgilim gül yüzüme, inan benim sözüme
Yalan söylesem bile, sakın vurma yüzüme
Aşka düştüm yeniden, sensin beni kül eden
Gönlümdeki bu aşka, inanmıyorsun neden.
Sevgili aşka inan, onun ateşiyle yan
Âşık gönüllerdeki sevgiye aşka inan.

Aksak

Şeyh Ethem Efendi
Güfte: Mehmed Sâdi Bey

Gönlüm yine bir âteş-i hicrâne dolaşdı
Sevdâ-yı muhabbet başıma gör neler açtı
Bu hâl-i perişânıma düşman bile şaştı
Sevdâ-yı muhabbet başıma gör neler açtı.

Curcuna

Erol Sayan
Güfte: Gültekin Sayan

Gördüğüm her çiçekte, menekşede sen varsın
Kimbilir şimdi nerde, hangi ellere yârsın
Gün geçer, devrân döner, bir gün beni ararsın
Kimbilir şimdi nerde, hangi ellere yârsın.

Curcuna

Osman Nihat Akın

Göze mi geldim, sen mi unuttun, gelmiyorsun âh
Öyle karanlık gece ki rûhum, olmuyor sabâh
Yüksel ufuktan sîneni göster bir gün göreyim
Öyle karanlık gece ki rûhum, olmuyor sabâh

Düyek

Avni Anıl
Güfte: Ülkü Aker

Gözlerin bir aşk bilmecesi sorar gibi
Bakışın eski günleri arar gibi
Ben sana her şeyini geri vermedim mi
Öyleyse neden kalbin hâlâ yanar gibi
Bakışın eski günleri arar gibi.

Semâî

Zeki Müren
Güfte: Vedat Şenyol

Gözlerinin içine başka hayâl girmesin
Bana ait çizgiler dikkat et silinmesin
İstersen yum gözlerini tıpkı düşünür gibi
Benden evvel başkası bakıp seni görmesin.

Kıskanırım seni ben kendi gözümden bile
Nasıl vereyim seni bir gün yabancı ele
Sana gelen yollarda dâima beni bekle
Benden evvel başkası seni görüp sevmesin.

Devr-i Hindî

Emin Ongan
Güfte: Rıza Savaşkan

Gül kokan, sünbül kokan, şeb-tâbı sensiz neyleyim
Nev-bahâr-ı gülşeni, mehtâbı sensiz neyleyim
Olsa da devreyleyen peymâneler âb-ı hayat
Sevdiğim ben ol şerâb-ı nâbı neyleyim.

Semâî   Alaeddin Yavaşça

Gönülden gönüle sesler
Bir sır olur aşkı besler
Birleşir sanki nefesler
Bir tek kalbde, bir âhenkte.
Gönülden gönüle akar
Aktıkça her kalbi yakar
Hatır yapan hatır yıkan
Gönülden gönüle sesler
Ne olur her yandan geçin
Yârimi nerdeyse seçin
Aşkı yudum yudum için
Gönülden gönüle sesler.

Aksak   Halûk Recâi
Türk Aksağı   Güfte: Nedîm

Gülzâre salin mevsimidir geşt-ü güzârın
Ver hükmünü ey serv-i revân köhne bahârın
Bülbüllerin ister seni ey gonce dehen gel
Gel gittiğini anmayalım gülşene sen gel
Ver hükmünü ey servi- rivân köhne bahârın.

Aksak   Şefik Gürmeriç

Haftalar aylar var ki hasretinle üzgünüm
Beni ne hâle koydun ey gözleri süzgünüm
Seni hatırlamakla geçiyor bütün günüm
Beni ne hâle koydun ey gözleri süzgünüm.

Düyek   Sadettin Kaynak
         Güfte: Vecdi Bingöl

Hatırla ey gönül hoş geçen demi
Sevdâ terânesi zâr-oldu şimdi
Bülbül değil artık gülün hem-demi
Goncenin yatağı hâr-oldu şimdi.

Uğruna çektin bunca sitemi
Kimbilir kimlere yâr-oldu şimdi.

Kaldın ümitsiz âvâre gönül
Yok derdine çâre,

Bir zaman sevildin sevdin, inandın
Aşkın rüyâsını gerçektir sandın
Meğer bir vefâsız yâre aldandın
Hicran çöllerinde serâba kandın

Yazık ey gönül, beyhûde yandın
Nûr iken umduğun, nâr-oldu şimdi...

Semâî   **Muhlis Sabahaddin Ezgi**

Hatırla sevgilim, o mes'ut geceyi
Çamların altında verdiğin bûseyi
Beni Mecnûn ettin sen de olasın
Aşkımı inkâr edersen Allahdan bulasın.

Bana sen öğrettin bu aşkı sevdâyı
Ne çabuk unuttun beni sen hercâi
Beni Mecnûn ettin, sen de olasın
Aşkımı inkâr edersen Allahdan bulasın.

Curcuna   **Melâhat Pars**

Hiç dinmeyen bir arzûdur sana olan hasretim
Geçti gecem yine sensiz, derde bin dert ekledim
Acı duydum, harâboldum, bir teselli bekledim
Geçti gecem yine sensiz, derde bin dert ekledim.

Düyek   **Yılmaz Yüksel**
                                     Güfte: Jale Fer

Hülya bahçesinin çiçeklerinde istersen bul beni istersen bulma
Bir damla yaş oldum kirpiklerinde istersen sil beni istersen silme
Ömürde dört mevsim çiçek açmalı sen bülbül olaydın ben bir gül dalı
Gönlüm bir saz gibi sedef kakmalı istersen çal beni, istersen çalma.

Curcuna   **Fahri Kopuz**
                                     Güfte: Zekâi Bey

Hülyâ gibi sessiz süzülüp kalbime aktın
Yaktın güzelim gönlümü, bir kül gibi yaktın
Ağyâre inandın, beni en sonra bıraktın
Yaktın güzelim gönlümü, bir kül gibi yaktın

Aksak   **Kaptan-zâde Ali Rıza Bey**

Issız gecede ben yine hicrânı düşündüm
Sensiz geçecek ömr-ü perîşânı düşündüm
Beytûde-i âlâma gark-i cânı düşündüm
Hep hâke düşen sîne-i cânânı düşündüm

Aksak   **Şeyh Ethem Efendi**
                                     Güfte: Mekkî Bey

İnfiâlim tâli-i nâ-sâzedir
İnkisârım çerh-i bîenbâzedir
Yâr elinden çektiğim hâmyâzedir
İhtiyâr olsam da gönlüm tâzedir.

Gitmiyor dilden hayâl-i zülf-i yâr
Gözlerimden kan akar leyl-ü nehâr
Kıldı ahvâlim perîşân rüzigâr
İhtiyâr olsam da gönlüm tâzedir.

Nîm Sofyan   **Erol Sayan**
                          Güfte: Muharrem Naci Sayan

Işıl, ışıl gözlerinde siyah saçın rengi var?
Yoksa gizli sevdâ mı ne, söyle bana cici kız.

Ben aşkımı sende buldum
Evet desen şâd-olurum
Nâz edişin hiç bitmez mi
Söyle bana cici kız.

Sevimlisin hem de tatlı
Güler yüzün ömre bedel
Sözlerinde gerçek yok mu
Söyle bana cici kız...

Curcuna   **Avni Anıl**
                                  Güfte: Fikri Akurgal

Kadir Mevlâm sen verirsin bu can
Ben senin dalında açan çiçeğim
Nice haller geldi buldu bu teni
Ben senin dalında açan çiçeğim.

Çiçek idim yaprak oldum, dal oldum
Sırma saça, elâ göze kul oldum
Bak sonunda geçenlere yol oldum
Ben senin dalında açan çiçeğim...

Curcuna   **Osman Nihat Akın**
                        Güfte: Ertuğrul Şevket Araroğlu

Kalbimdeki son aşka inerken kara perde
Bir ağlayacak göz aradım bendeki derde
Bahtın bütün insanları güldürdüğü yerde
Bir ağlayacak göz aradım bendeki derde.

Semâî   **Mes'ut Cemil**
                                  Güfte: Nazım Hikmet

Kanatları gümüş yavru bir kuş
Gemimizin direğine konmuş
Dağlara çıkma hey Karadeniz
Yavrudur yârim uçamaz bensiz.

Bir yârim var bu yavru kuş gibi
Yârim yüreğime konmuş gibi
Dağlara çıkma hey Karadeniz
Yavrudur yârim uçamaz bensiz...

Aydın   Tanburî Fâize Ergin
Kız sen geldin Çerkeş'den
Pek güzelsin herkesten
Farkın yoktur Billâhi
Lepiska saçlı Çerkes'den

Annen baban işte bunu bilmezler
Kız seni beylere vermezler.

Kız acırım hâline
Aldanma el âline
Satsalardı alırdım
Ben seni dünyâ mâline.

Annen baban işte bunu bilmezler
Kız seni beylere vermezler...

Düyek   Sadettin Kaynak
                        Güfte: Nureddin Rüştü Efe Bey
Kirpiklerinin gölgesi güllerle bezenmiş
Rabbim yaratırken onu bir hayli özenmiş
Bir noktası var gamzelerinde o da benmiş
Rabbin yaratırken onu bir hayli özenmiş.

Türk Aksağı   Osman Nihat Akın
                        Güfte: Yahya Kemal Beyatlı
Körfezdeki dalgın suya bir bak göreceksin
Geçmiş gecelerden biri durmakta derinde
Mehtâb, iri güler ve senin en güzel aksin
Velhâsıl o rüyâ duruyor yerli yerinde...

Düyek   Avni Anıl
                        Güfte: Veliye Yâkut
Mâziyi düşündüm de yoruldum hâlin elinde
Gönlüm hâlâ o geçen günlere dönmek emelinde
Mehtâb ömrüme doğsa da istemem artık
Gönlüm hâlâ o geçen günlere dönmek emelinde.

Aksak   Hacı Arif Bey
Meyler süzülsün meydâne gelsin
Meclis donansın peymâne gelsin
Mahmûr-u nâzım cevlâne gelsin
Âhû bakışlım seyrâne gelsin.

Sofyan

Sadettin Kaynak
Güfte: Vecdi Bingöl

Mehtâba bürünmüş gece
Bir gelindi ay duvaklı yıldızlar
Birer bilmece.
Kalbim gibi gizli, saklı...
Mehtâb dalgın, gece ıssız
O da benim gibi yalnız.
Susma, susma öyle, güzel gece söyle
Söyle bana, nedir bu aşk, bu sevda...

Aksak

Avni Anıl
Güfte: Lâmi Güray

Mudanya Güzeli
Marmara incisi ey şirîn diyâr
Yıllarca gönlümde yaşattığım yâr
Aşkınla harâbım duymasın ağyâr
Yıllarca gönlümde yaşattığım yâr...
Mudanya güzeli zeytin gözlü yâr...

Gel üzme yetişir, nazlar niyâzlar
İçilsin bâdeler çalınsın sazlar
Körfezde yankılar yapsın şarkılar
Yıllarca gönlümde yaşattığım yâr
Mudanya güzeli zeytin gözlü yâr...

Aksak
Semâî

Rakım Elkutlu
Güfte: Rıfat Ahmed Moralı

Mümkün mü unutmak güzelim, neydi o akşam
Rüyâ gibi, hülyâ gibi bir şeydi o akşam
İçtik kanarak bir ezelî meydi o akşam
Rüyâ gibi, hülyâ gibi bir şeydi o akşam.

Ağır Aksak

Hacı Faik Bey
Güfte: Murat V

Nâ-murâdım tâliim âvâredir
Derdime ancak visâlin çâredir
Zahm-ı hicrânınla dil sad-pâredir
Derdime ancak visâlin çâredir

Aksak

Gültekin Çeki
Güfte: Hayri Mumcu

Ne geçen günleri yâdet, ne de âtilere kan
Yine gurbet deli gönlüm, sana son çâre inan.
Unutursun onu bir gün, kaçalım gel sıladan
Yine gurbet deli gönlüm, sana son çâre inan.

Semâî

Alaeddin Yavaşça
Güfte: Münir Müeyyet Berkman

Ne bildim kıymetin, ne bildin kıymetim
Revâ mı şiddetin, revâ mı hiddetin
Zulmeden sen misin, bilmem ki ben miyim
Kader mi, tâli mi, ağyâr mı, acep kim...

Kıskançlık alevi, kalblere gireli
Sen deli, ben deli, aşk deli, rûh deli
Severken sen beni, severken ben seni
Bir gurûr mahvetti, hem seni hem beni.

Ne sessiz bir mekân, ne sensiz heyecân
Vermiyor teselli, ne ümid, ne de can...
Sararken gönlünü iştîyâk an-be-an
Değer mi bu hasret, bu firkat, bu hicrân...

Semâî

Yılmaz Yüksel
Güfte: Ahmet Ilgaz

O lâcivert gözlerin engin bir derya mıdır?
Sonsuzluğa uzanan başka bir dünya mıdır?
şiirime ilham veren binbir rengin kaynağı
Gözlerinde gördüğüm derin bir rüya mıdır?

Ya o siyah kirpikler söyle onlar da nesi
Çekilmiş kaşlarına sanki kudret sürmesi
Bakışından süzülüp mesteden aş kuzmesi
Çılgınca bir sevda mı başımda hülya mıdır?

Semâî

Zeki Müren

Ömrüm senin olsun
Gülüşün gülden güzel
Bakışın ömre bedel
Esîrindir bu gönül
Bekletme, gel artık gel...

Gel biricik meleğim
Senin olmak dileğim
Aşkını söyle bana
Sevdiğini bileyim
Ömrüm senin olsun
Senin olsun bu gönül...

Düyek

Yılmaz Yüksel
Güfte: Besteciye aittir.

Nereden gördüm seni
Nereden sevdim seni
Muradın üzmek mi söyle
Yoksa mahvetmek mi beni

Neden çıktın karşıma
Neden girdin kalbime
Acı biraz halime
Sensiz olamam artık

Kaşlarının karası
Gözlerinin elâsı
Yanağındaki gamze
Oldu gönül belâsı

Neden çıktın karşıma
Neden girdin kalbime
Acı biraz halime
Sensiz olamam artık

Böyle yaşamak ne zar
Sanki içimde bir kor
Yanıyor için için
Olmuyor sensiz olmuyor

Neden çıktın karşıma
Neden girdin kalbime
Acı biraz halime
Sensiz olamam artık

Yürük Semâî

Münir Nureddin Selçuk
Güfte: Fuzûlî

Ruhsârına aybetme nigâh ettiğimi
Göz yaşı döküp nâle vü âh ettiğimi
Ey Pâdişeh-i hüsün terahhüm çağıdır
Affeyle ki bilmişem günâh ettiğimi.

Curcuna

Ömer Altuğ

Rûhumda bu akşam yine bir gizli elem var
Sevdim seni düştüm bu melâle beni kurtar
Gönlümdeki hasret acısı gün-be-gün artar
Sevdim seni düştüm bu melâle beni kurtar

Sofyan   **Muhlis Sabahaddin Ezgi**
Pek özledim sesini
Çok var görmedim seni
Senden ayrı yaşamak
Pek harâb-etti beni.

Aşkının ben esîri
Geçmez asla te'sîri
Hatırla her-dem beni
Çok sevmiştim ben seni.

Curcuna   **Rahmi Bey**
                                 Güfte: Besteciye aittir.

Saçlarına bağlanalı ey perî
oldu dil envâ-i cünûn meşheri
Hasret-i çeşm-i siyehinle gözüm
Mâtem içinde görüyor her yeri.

Düyek   **Yesâri Âsım Arsoy**
Sahilde o hoş bûseleri aldığım akşam
Kalbim o dudaktan tutuşup yandığım akşam
Üç tel saçını hasta kırık sazıma takdım
Mızrab tutuşur aşkımı her çaldığım akşam.

Curcuna   **Avni Anıl**
                               Güfte: Mustafa Ege

Sâkî boşalan sâgara dök eski şaraptan
Dem geçmede gülzâre hazân inmede artık
Devrân bizi mahveylemeden kâm alalım biz
Dem geçmede gülzâre hazân inmede artık.

Düyek   **Emin Ongan**
Sen benim gönlümde açan son güldün
Hasretindir yanan içimde şimdi
Kırdığın kadeh son tesellimdi
İçindeki meyle sen de döküldün.

Ne yaptım sana ben, neden uzaklaştın
Yeter bu hasret yeter, gel dönelim sevgimize...

Sen benim güneşim, tatlı bahârım
Her şeyimdin benim, gülen bahtımdın
Son aşkım, son eşim, gönül tahtımdın
Sensizim şimdi nasıl harâbım.

Ne yaptım sana ben, neden uzaklaştın
Yeter bu hasret yeter, gel dönelim sevgimize...

Düyek   Mısırlı İbrahim Efendi
Güfte: Ahmet Refik Altınay

Semâlardan güneş halâ inmiyor
İçim mahzûn gözümden yaş dinmiyor
Ada sensiz yüreğime sinmiyor
Gel de biraz gözlerini göreyim
Mimozadan sana çelenk öreyim.

Düyek   Kâmuran Yarkın

Sen kimseyi sevemezsin, sevmeyeceksin
Rüzgârların önünde kuru bir yaprak gibi, sürükleneceksin.
Şevkat nedir, aşk nedir, ömrünce bunu bilmeyeceksin
Rüzgârların önünde kuru bir yaprak gibi, sürükleneceksin.

Düyek   Avni Anıl
Güfte: Hayri Şeneş

Seni gördükçe gönlüm gibi, ömrüm de bir başkalaşır
Sana rüyâ, sana hülyâ, sana sevdâ yaraşır.
Ömrüne zindân-olacak günlere girme sakın
Sana rüyâ, sana hülyâ, sana sevdâ yaraşır.

Aksak   İsmet Ağa

Seni tenhâda bir bulsam
Bu çâğın geçmeden sarsam
Kemâl-i zevk ile kansam
Yâr, yâr, meleğim...

Düyek   Bâkî Duyarlar

Sensiz geçen günleri saydım yılları bulmuş
O his dolu, mânâ dolu sevdâya ne olmuş
Nedir bu karanlık, yoksa güneş mi tutulmuş
O his dolu, mânâ dolu sevdâya ne olmuş.

Düyek   Muzaffer Ikar
Güfte: Besteciye aittir.

Sensiz her gecenin sabâhı olmayacak sanırım dertliyim,
Kararan gönlüme güneş de doğmayacak sanırım dertliyim,
Mehtâba yalvarır, semâdan geleceksin sanırım dertliyim;
Sana bin cân ile bağlıyım seni cânım sanırım dertliyim...

Ağır Aksak   Selânik'li Ahmed Bey

Sevdiğim lûtfeyleyip gelmez misin imdâdımà
Aşkın olmuştur sebep tedrîc ile berbâdıma
Nûr-i dîdem dikkat et bir kerre şu feryâdıma
Bir tesellî ver gelip bâri dil-i nâşâdıma
Aşkın olmuştur sebep tedrîc ile berbâdıma.

Semâî

Erdoğan Yıldızel
Güfte: Besteciye aittir.

Sevgilim, bir tânem, her şeyimdi o
Kimsesiz, neş'esiz, gönlüme yâr olan
En güzel bir eş'di o...

Karanlık dünyâma güneş gibi doğan
Sim-siyâh bulutları rüzgâr olup açan
Kimsesiz, neş'esiz, gönlüme yâr olan
En güzel bir eş'di o...

Yürük Semâî

Tanbûrî Cemil Bey

Sevdim seni ey işve-bâz
Çektiklerim tâkat-güdâz
Bunca zaman ettim niyâz
Bilmem neden bu ihtirâz.

Ey işve-bâz, ey serv-i nâz
Sen de beni sevsen biraz
Ey rûh-nüvâz, ey dil-nüvâz
Hicrâne ol sen çâre-sâz.

Değişmeli

Yesârî Âsım Arsoy
Güfte: Besteciye aittir.

Sonbahârı bir genç kızla Hisar'da geçirdim
Ona aşkın şarâbını yudum, yudum içirdim
Kollarında çırpınırdım, kucağında esirdim
Yine bu yaz Hisar'lardan hâtıralar getirdim
Hisar'lı kız, esrarlı kız, perî miydin ne idin
Hem güzeldin, hem şirindin, söyle bana ne idin...

Sofyan

Yıldırım Gürses
Güfte: Aydın Ünsal

Son Mektup
Anla artık anla beni, unut bütün geçenleri
Bitsin her şey bütün aşkım, bunu senden diliyorum
Son mektubu yazarken ben, saadetler diliyorum...

Biliyorum ayıracak, bu son mektup ikimizi
Bu son mektup koparacak, yıllar süren sevgimizi
Bitsin her şey, bütün aşkım, bunu senden diliyorum...
Bu mektubu yazarken ben, saadetler diliyorum.

Üzülsen de artık yeri, gelmez güzel günler geri
Bitsin her şey...

Curcuna   **Hacı Arif Bey**

Söyle nedir bâis-i zârın gönül
Yâre mi açtı sana yârin gönül
Görmedi mi hâlini zârın gönül
Yâre mi açtı sana yârin gönül.

Aksak   **Musa Süreyya Bey**

Sûziş-i aşkınla ben nâlân iken
Nevha-i hicrânı hiç duydun mu sen
Yâre açtın bir bakışla sînede
Hasretin kalbim perişan etmeden
Nevha-i hicrânı hiç duydun mu sen...

Curcuna   **Hacı Arif Bey**

Şarâb iç gül-feminde gül açılsın
Bırak zülfün zeren dûdun saçılsın
Utandır necm-i gisû dâr-ı gökte
Bırak zülfün zeren dûdun saçılsın

Düyek   **Muzaffer İlkar**
                                  Güfte: Fakîh Özlem

Şarkılar seni söyler, dillerde nağme adın
Aşk gibi, sevdâ gibi, huysuz ve tatlı kadın
En güzel günlerini demek bensiz yaşadın
Aşk gibi, sevdâ gibi, huysuz ve tatlı kadın.

Curcuna   **Osman Nihat Akın**

Şu seven kalbin feryâdını duy bir gece olsun
Ses ver ne olur tatlı sesinle, acılar dursun
Karşımda senin gül renkli yüzün, ay gibi doğsun
Güldür beni de güldüğüm akşam son olsun.

Semâî   **Vecdi Seyhun**

Tek yıldız parlamıyor bu gönül bahçesinde
Artık hicran taşıyor nazlı güzel sesinde
Sarı gülü bak soldu şimdi aşk bahçesinin
Son hâtıran vaşıyor kalbimin köşesinde.

Semâî   **Avni Anıl**
                                  Güfte: Gül Yuva

Ümidim sen, neş'em sen, hayâlim hülyâm sensin
Her güzellikde gülen biricik dünyâm sensin
Uyurken, uyanıkken gördüğüm rüyâm sensin.
Her güzellikde gülen biricik dünyâm sensin.

Semâî　　　　　　　　　　　　　　Erol Sayan
　　　　　　　　　　　　Güfte: Mehmed Gökkaya

Unutulmaz
Kalbe dolan o ilk bakış
Unutulmaz, unutulmaz
Sevdâ ile ilk uyanış
Unutulmaz, unutulmaz...

İlkbahar, yaz, mevsim mevsim
Bir kaç mektup, bir kaç resim
Yıllar geçse o bir isim
Unutulmaz, unutulmaz...

Sâhil boyu boş yamaçlar
İsim yazılan ağaçlar
Öpülen, koklanan saçlar
Unutulmaz, unutulmaz...

İlkbahar, yaz, mevsim mevsim
Bir kaç mektup, bir kaç resim
Yıllar geçse o bir isim
Unutulmaz, unutulmaz...

Kâh gülünür, kâh ağlanır
Yollar gurbete bağlanır
İnsan unuturum sanır
Unutulmaz, unutulmaz...

İlkbahar, yaz......

Düyek　　　　　　　　　　　　Şekip Ayhan Özışık
　　　　　　　　　　　Güfte: Besteciye aittir.

Ufacık tefeciktin yem-yeşil gözlerin vardı
Aşkı inkâr edişinde bile bir güzellik,
Bir zerâfet, bir incelik vardı,
Ufacık, tefeciktin sevgilim
Sende bir başkalık vardı...

Bir bahâr günüydü bıraktın ellerimi
Dedin ki artık elvedâ, sevgilim sana elvedâ
Sebep dedim gülümsedin, dedin ki aşkından
Daha güzel hasretin...

Ne zaman bahâr gelse sen gelirsin aklıma
Yeşil gözlerin gelir, aşkı inkârın gelir
Ufacık tefeciktin sevgilim sende bir başkalık vardı...

Aksak Kanûnî Hacı Arif Bey
Vakfeyleyen aşk idi dildâre gönlümü
Lâyık gören de yâr imiş âzâre gönlümü
Düçâr eden da ta'ne-i ağyâre gönlümü
şimdi kimlere eyleyim âvâre gönlümü
Yâre açınca yâr açar yâre gönlümü.

Yürük Semâî Hacı Arif Bey
Vücûd ikliminin sultânısın sen
Efendim derdimin dermânısın sen
Bu cism-ü nâtüvânın cânısın sen
Efendim derdimin dermânısın sen.

Semâî Sadettin Kaynak
Yalnız seni sevdim, seni yaşadım
Derdinle inledim, seninle şâdım
Sensin benim kalbimdeki son adım
Anılsın sevgilim adınla adım
Ömrümün doyulmaz demidir şimdi

Sevdâ bir ızdıraptır, çeken bu gönül oldu
Ümidimi süsleyen dikenli bir gül oldu
Nağmelerin rûhumda şakıyan bülbül oldu
Aşkımın en değerli mes'ud demidir şimdi.

Devr-i Hindî Münir Nureddin Selçuk
Güfte: Niyazi Damla

Hasret
Yâr senden kalınca ayrı
İstemem yaz baharı
Ömrümün kalmadı hayrı
Geçmiyor günler geçmiyor.

Ayrılık varmış arada
Göz yaşta gönül karada
Sen orada ben burada
Geçmiyor günler, geçmiyor.

Düyek Arif Sami Toker
Güfte: Fuad Edip Baksı
Yüzün penbe güllerden sesin bülbülden güzel
Ey benim servi boylum gözünden öpeyim gel
Özlenen vuslatındır bende en büyük emel
Ey benim servi boylum gözünden öpeyim gel.

Nîm Sofyan

Ali Ulvi Baradan
Güfte: Avni Ozan

Köylü Güzeli
Yemeni bağlamış telli başına
Zülüfleri düşmüş hilâl kaşına
Yeni girmiş on-dört, on-beş yaşına
Gözleri sürmeli köylü güzeli.

Sabah olur öter bahçede bülbül
Durmayıp devşirir demet demet gül
Takınmış göğsüne kokulu sünbül
Edâlı, işveli köylü güzeli

Gel seni köylü kız alıp kaçayım
Telli duvağına altın saçayım
Seni bu diyârdan alıp kaçayım
Sözleri cilveli köylü güzeli.

Lenk Fahte

Ali Rıfat Çağatay
Güfte: Nevres-i Cedîd

Beste
Zülfün görenlerin hep bahtı ziyâh olurmuş
Tek zülfünü göreydim bahtım siyâh olaydı
Güçmüş vefâ yolunda Nevres murâda ermek
Ey kaş-ı kûy-i yâre bir başka râh olaydı

NİKRİZ MAKAMI

Türk Aksağı   **Muallim İsmail Hakkı Bey**
Ey misli cihanda olmayan yâr
Ey işvesine doyulmayan yâr
Hicrin beni dâğ-ı-dâr etti
Ey derdime çâre olmayan yâr.

Aksak   **Mustafa Çavuş**
Elmas senin yüzün gören, ayrılır mı kadrin bilen
Elmasımdan mendil aldım, Mecnûn olur gönül veren
Elmasımın hoş sesini, herkes sever edâsını
Elmasımdan mendil aldım, Mecnûn olur gönül veren.
Elmas yüzük taksam sana, kuzum nişan gelse bana
Âşıkının gir koluna, Mecnûn olur gönül veren...

Aksak   **Cinuçen Tanrıkorur**
               Güfte: Necmeddin Okyay
Güllerin karşımda her an solmadan durmaktadır
Her temâşâsı ile gönlüm şâdumân olmaktadır
Eski bahçen hâtıra geldikçe dîdem hûn olur
Şimdi gül tasvirleriyle gönlüm avunmaktadır.

Sofyan   **Cevdet Çağla**
               Güfte: Hâlet Hanım

Karanlık rûhumu aydınlatacaksın sandım
İnleyen kırık kalbimi saracaksın sandım
Ebedî aşkımı sen anlayacaksın sandım
Siyah gözlerimden damlayan yaşlarla kaldım.
Ne yazık sen de beni anlamadın
Yine mahzûn, yine perîşan kaldım...

Aksak   **Sadi Hoşses**
               Güfte: Cevdet Baybora
Meyhânede kaldık bu gece mestiz efendim
Bir şeyle mukayyet değiliz, serbestiz efendim
Tâ'netme bizi sofî gibi, gel hoş gör efendim
Bir şeyle mukayyet değiliz, serbestiz efendim.

Düyek   **Avni Anıl**
               Güfte: Hilmi Soykut
Neden hiç dinmiyor gözyaşların bî-çâre gönlüm
Perîşân hâlinin te'siri yok mu yâre gönlüm
Şikâyet etme ağyâre, sitem-kâr olma yâre
Sevenler söylemez her hâlini âvâre gönlüm.

Aksak   **Rumeli Türküsü**
                                   Rüştü Eriç'den derlenmiştir.

Penceresi yola karşı
Gelen geçen atar taşı
Benim yârim kalem kaşlı
Var ara eşini, eşini vay vay
Saysana liraların beşini vay vay...
Arabası döşemeli
Yâr çevresi işlemeli
Annesinden istemeli
Var ara...
Arabası mâvi boya
Başındaki zarîf oya
Saramadım doya doya
Var ara...
Çay başında gördüm seni
Kaşlarından bildim seni
İnkâr etmem sevdim seni
Var ara...

Aksak   **Türkü**
                         Osman Pehlivan'dan derlenmiştir.

Yürük de yaylâsında aman yaylâyamadım imanım
Dîvâne gönlümü eyleyemedim.
Diyecek sözümü aman söyleyemedim imanım
Yaylâmam yaylânda kar olmayınca vay...
İçmem'de rakı, şarabı yâr olmayınca vay.
Eylemem gönlümü yâr olmayınca vay...
Yürükde yaylâsında süt bakır bakır imanım
Sevdiğim yosmanın gözleri çakır
Güle de bülbül konmuş aman, ne güzel şakır
Yaylâmam yaylânda...

NİŞÂBÛREK MAKAMI

Düyek   Fehmi Tokay
Açıldı bahçede güller
Eder âvâze bülbüller
Beni Mecnûn eden dilber
Eder âvâze bülbüller.

Düyek   Selahaddin Pınar
                                                  Güfte: Vecdi Bingöl

Ayrılık yarı ölmekmiş
O bir alevden gömlekmiş
O alevin bağrımda dili
Ben böyle sensiz olurum deli
Nerdesin ey sevgili.

Hâtıralarda unutmam seni
Seni unutmam, unutmam seni
Rûhumda ılık nefesin
Kulağımı okşar sesin
Benden uzak benimlesin
Artık hayâl mi nesin

Ey sevgili nerdesin
Nerdesin ey sevgili...

Hafif   Muallim İsmail Hakkı Bey
Beste
Bir kerre yüzün görmeyi dünyâya değişmem
Câm-ı lebini neşve-i sahbâya değişmem
Ermezken elim meyve-i vasla yine ammâ
Bu kâmet-i mevzununu tûbâya değişmem.

Müsemmen   Şerif İçli
Bir uzun yol sanki günler, sensiz akşam olmuyor
İsmini anmakla gönlüm bir teselli bulmuyor
Ben sarardım aşkıma dâir çiçekler solmuyor
İsmini anmakla gönlüm bir teselli bulmuyor.

Yürük Semâî   Yusuf Ziyâ Paşa
                                                  Güfte: Fuzûlî

Ey gül ne acep silsile-i müşk-i terin var
Ey şûh ne hoş can alıcı işvelerin var
Âzürde dili şerhâledi tünd-nigâhın
Ey gözleri âhû ne yaman gamzelerin var

Aksak   **Türkü**
Fincanı taştan oyarlar
İçine bâde koyarlar
Güzeli candan severler
Al bâde doldur şişeyi

Elmanın bir yanı yeşil
At kolun boynumdan aşır
Sarhoşum dilim dolaşır
Al bâde, doldur şişeyi

Ağır Evfer   **Nuri Halil Poyraz**
Gel gör ki nihân hâne-i dilde neler oldu
Her rûz-i şebim sâli diraz keder oldu
Enfâs-ı hayâtım dahi bir derd-i ser oldu
Artık çekemem derd-i firâk yeter oldu
Günden güne ahvâl-i dilim pek beter oldu

Sengin Semâî   **Garbis Efendi**
Görmek ister dâimâ her yerde çeşmânım seni
Söyle mümkün mü unutmak, söyle cânânım seni
Özlüyorum nûrum, hayâtım, sevdiğim, cânânım seni
Söyle mümkün mü unutmak söyle cânânım seni

Müsemmen   **Vecihe Daryal**
                          Güfte: Hikmet Münir Ebcioğlu
Gülyüzün soldukça ömrümden siler her neş'eyi
Yıldıran hırçın felâket istiyor bilmem neyi
Ey kader kıskanma aşkımı günâhımdır benim
Merhamet bekler gönül çoktan unutmuş her şeyi.

Müsemmen   **Cevdet Çağla**
                      Güfte: Sultan Ahmed I (Bahtî)
İftirâkınla efendim bende takat kalmadı
Pâre pâre oldu dil aşkta muhabbet kalmadı
Ol kadar ağlattı ben bî-çâreyi hükm-ü kazâ
Pâre pâre oldu dil aşkta muhabbet kalmadı

Zencir   **Enfî Hasan Ağa**
Küşâde sînesi bilmem ki bir sehası mı var
Aceptir ol şeh-i hüsnün bize atâsı mı var
Meşâm-ı nevha-i bâd-ı havâsına tevbe
Dedimse zülfüne misk zan hatâsı mı var

Yürük Semâî   Ali Rıfat Çağatay
Meyledip bir gül-i zâre
Döndüm aşkınla hezâre
Başladım feryâd-ı zâre
Âşıkım âşık ne çâre...

Sînenin ey şûh-i gülşen
Farkı yoktur yâsemenden
N'olsa senden vaz geçmem ben
Âşıkım âşık ne çâre...

Aksak   Hasan Fehmi Mutel
Niye bilmem ki bugün bende keder var
Ne o sevdâ, ne de cânândan eser var
Şimdi artık ne o günler, ne o yer var
Ne o sevdâ, ne de cânândan eser var

Türk Aksağı   Nuri Halil Poyraz
Yıllarca süren gamlarımın nâlesi dindi
Rûhum yeni bir nûr-i meserretle sevindi
Gülzâr-ı dile cennetinin hûrisi indi
Rûhum yeni bir nûr-i meserretle sevindi

PÛSELİK MAKAMI

Sengin Semâî   Fehmi Tokay
Aşkınla yanan kalbimi bilmez gibi durma
Göz yaşlarımı nâfile silmez gibi durma
Kalbin yolu ancak yine bir kalbe giderken
Göz yaşlarımı nâfile silmez gibi durma

Devr-i Hindî   Fehmi Tokay
                                          Güfte: Nezahat Kuntar

Benden ayrı düştün artık bir teselli bulamazsın
Sana sundum öyle bâde, içsen içsen kanamazsın
Ne bûseyle, ne vuslatla, sen bu aşka doyamazsın
Sana sundum öyle bâde, içsen içsen doyamazsın.

Aksak   Sultan Selim III
Bir pür cefâ hoş dilberdir
Müptelâyım hayli demdir
Elbet gönül arzu eyler
Gül yanağı her şeb terdir.

Görebilsem, sevebilsem, yâr aman
Aman, aman gül yanağı her şab terdir.

Yalvardıkça inad eder
İnsâf eyle gayrı yeter
Üzerine pek varamam
Korkarım ki kaçar gider.

Semâî   Vecdi Seyhun
                              Güfte: Recâizade Mahmud Ekrem Bey

Dil bestenim meshûrunum
Üftâdenim mecbûrunum
Bî-çârenim mehcûrunum
Üftâdenim mecbûrunum.

Olmaz gamın hiç bir zaman
Candan uzak dilden nihân
Ezcân-ü dil Vallâh inan
Üftâdenim mecbûrunum.

Cevrin harâb etti beni
Temkînin öldürdü beni
Billâhi pek sevdim seni
Üftâdenim mecbûrunum...

Aksak
Suphi Ziya Özbekkan
Güfte: Hikmet Münir Ebcioğlu

Boş kalbimi bir hâtıranın gölgesi bekler
Sevmekle dolan bir çiledir herkesi bekler
Son şarkıyı içli elem bestesi bekler
Sevmekle dolan bir çiledir herkesi bekler.

Ağır Aksak
Şerif İçli
Güfte: Ahmed Râsim Bey

Dün gece bir bezm-i meyde âh edip anmış beni
Varsın öğrensin nasılmış âh edip yâd-eylemek
Söz bu yâ bir başkasından çokca kıskanmış beni
Anlasın neymiş seven bir kalbi berbâd eylemek.

Düyek
Şekip Ayhan Özışık
Güfte: Ahmet Kutsî Tecer

Geceleyin bir ses böler uykumu
İçim ürpermeyle dolar, nerdesin?
Arıyorum yıllar var ki ben onu
Âşıkıyım beni çağıran bu sesin..

Gün olur sürüyüp beni der-beder
Bu ses rüzgârlara karışır gider
Gün olur peşimden yürür berâber
Ansızın haykırır bana: Nerdesin?

Bütün sevgileri atıp içimden
Varlığımı yalnız ona verdim ben
Elverir ki bir gün bana derinden
Tâ derinden bir gün bana gel desin...

Düyek
Şükrü Şenozan

Gönül harâreti sönmez şarâb-ı kevserle
Hayâtı gel içelim, bûseden kadehlerle
Değer bu âlem-i âbın safâsı bin ömre
Hayâtı gel içelim, bûseden badehlerle.

Curcuna
Fehmi Tokay

Gül yüzüne hasretim cânımın cânısın sen
Gözlerimin nûrusuṇ aşkımın tâbânısın sen
Hicrânımı dindiren derdimin dermânısın sen
Gözlerimin nûrusun aşkımın tâbânısın sen

Aksak   Emin Ongan
                        Güfte: Mecdi Nevin Tanrıkorur

Ömrümün güzel çağı içimdeki bin heves
Her güzelin ardından tükendi nefes nefes
Artık sevdâ yolunda ne dilimde bir duâ
Ne mızrabımda şevk var ne sazımda eski ses
Her güzelin ardından eridim nefes nefes.

Sofyan   Sadettin Kaynak
                        Güfte: Ramazan Gökalp Arkın

Saçlarıma ak düştü
Sana ad bulamadım
Gönüle uçmak düştü
Bir kanat bulamadım.

Sevgin taştı çağladı
Yüreğimi dağladı
Gönül coştu ağladı
Bir şefkat bulamadım.

Daldım sevgi seline
Düştüm gönül eline
Bu sevginin diline
Bir lûgat bulamadım.

Dil döktüm bülbül gibi
Soldum penbe gül gibi
Çağlayan gönül gibi
Bir feryâd bulamadım.

Daldım sevgi seline
Düştüm gönül eline
Bu sevginin diline
Bir lûgat bulamadım...

Aksak   Ahmet Hatiboğlu
                        Güfte: Bekir Sıtkı Erdoğan

Sustukça semâ kalbime hicrânı fısıldar
Gül ismini, bülbül o güzel ânı fısıldar
Derler ki gönül derdine tek çâre, unutmak
Heyhat; Unutmak bile cânânı fısıldar.

Aksak Semâî   Recep Ağa (Çömlekçi-zâde)

Niyâz-ı nağme-i dil yâre bî-zebân okunur
Okunsa ger o perî meclise nihân okunur
Sadâ-yı nâre değil garka geh-i aşktır bu
Sefîne-i dil-i gümkeştede ezân okunur.

Semâî

İclâl Ataç
Güfte: Besteciye aittir.

Harmana gel harmana
Yâr dolana dolana
Göğsündeki goncadan
Bir tânecik ver bana...

Kaşları kara güzel
Gözleri elâ güzel.

Harman yolu düz olur
Beyaz giyme toz olur
Gel nişanı takalım
Düğünümüz güz olur...

Harman yolunda saz var
Dallarında kiraz var
Güzel sende çok naz var
Bende ise niyâz var...

Hafif   İtrî Efendi
Beste
Her gördüğü periye gönül müptelâ olur
Ammâ demek ki sonra görünmez belâ olur
Düş sâye gibi pâyine ol nahl-i nevresin
Bir gün olur ki meyve-i mihr-i vefâ olur

RAST MAKAMI

Semâî   **Bestecisi belli değildir**

Açıldı ezhâr-ı bahâr çiçekleri pek severim
Her şükûfte goncalarım gördükçe kalmaz kederim
Lâtif lâtif râyihâlar neşreden dilber goncalar
Nazlı güzel benim gibi çiçeklerim, çiçeklerim
Üiçeklerim tâze tâze goncalarım demetlerim, hem güllerim.

Curcuna   **Gülbenkyan**

Ağlasam her lâhza hakkım yok mudur
Göklere çıksa figanım çok mudur
Derdimi müzdâd eder hep sevdiğim
Göklere çıksa figanım çok mudur.

Curcuna   **Tanbûrî Ali Efendi**
         Güfte: Mehmed Sâdi Bey

Anlatayım hâlimi dildâre ben
Derd-i firâka arayım çâre ben
Sabredeyim nice bir âzâre ben
Yas dökeyim yalvarayım yâre ben.

Müsemmen   **Ekrem Güyer**
         Güfte: Nef'î Ömer Efendi

Âşıka tân-etmek olmaz müptelâdır neylesin
Âdeme mihr-i muhabbet bir belâdır neylesin
Zülfüne kalsa perîşân eylemezdi dilleri
Ânı da tahrîk eden bâd-ı sabâdır neylesin

Devr-i Hindî   **Fehmi Tokay**
         Güfte: Sadık Açar

Aşka düşmek iptilâdır firkati hem çok belâ
Böyle bir derde düşenler hep çeker cevr-ü cefâ
Kurtar Allah aşkına sen mihnet-i aşktan bizi
Vuslatınla tâc-i-dâr et gönlümüz bulsun safâ

Düyek   **Dramalı Hasan Güler**
         Güfte: Besteciye aittir.

Baharın gülleri açtı
Yine mahzûndur bu gönlüm
Etrafa neş'eler saçtı
Beyhûde geçti bu ömrüm.
Âh gülemem hiç gülemem
Öyle sırdır âh bu derdim
Kimselere söyleyemem.
Kime cânım dedim, terk-edip kaçtı
Üstelik başıma bin-bir dert açtı
Âh gülemem, hiç gülemem...

Curcuna   Suphi Ziya Özbekkan

Aşkı muhabbet gibi sandı gönül
Seni sevdim diyene kandı gönül
Aşka düştü âteşe yandı gönül
Seni sevdim diyene kandı gönül.

Curcuna   Rüştü Şardağ
Güfte: Besteciye aittir.

Bahçende safâ hükmediyorken solayım
Gösterme yüzün, verme sözün, mahvolayım
Rûhumda âzâb olmayacaksan n'olayım
Gösterme yüzün, verme sözün, mahvolayım.

Düyek   Şekip Ayhan Özışık
Güfte: Besteciye aittir.

Belki bir sabah geleceksin, lâkin vakit geçmiş olacak
Gönül hicrân şarâbından, yudum yudum içmiş olacak
Güzel de olsan, inanmam artık senin sözlerine bahâr bitmiş olacak
Gönül hicrân şarâbından, yudum yudum içmiş olacak.

Yürük Semâî   Rakım Elkutlu
Güfte: Yahya Kemal Beyatlı

Bilmem kime yâhut neye uyduk gittik
Gâhı mey'e gâhı ney'e uyduk gittik
Erbâb-ı zekâ rübâbı mey bildik gittik
Bizler deli dîvâneye uyduk gittik.

Aksak   Ahmet Ârifî Bey

Bilse bir kerre o şûh hâl-i perîşânımızı
Rahmedip yakmazdı bu derece cânımızı
O ne hikmettir acep yâreme te'sîr etmez
Kâfir îmâna gelir dinlese efganımızı
Temelinden yıkılıp oldu hârab içre harâb...

Nice tâmir edelim bu dil-i vîrânımızı
Sabr-ü sâmânımızı dîdelerin etti harâb
Şimdi içmek mi diler gamzelerin kanımızı
Eder aşk ehli fedâ vârını artık sabrı
Varalım biz dahî takdîm edelim cânımızı...

Aksak   Melahat Pars
Güfte: Mahmut Nedim Güntel

Bin dertle yanan gönlüme bir zerre devâ yok
Gülsem bile ben sûz-i ciğergâhta devâ yok
Zevk kalmadı artık bu vîrân-hânede sensiz
Sevmek dert, aşk gibi dünyâda belâ yok.

Sofyan Civan Ağa
Bir acâib hâb-ı gaflete düştüm
Ne uyutur beni, ne uyandırır
Nihâyetsiz gam-ı hicrâne düştüm
Günden-güne bana dert kazandırır.

Aksak Melahat Pars
Güfte: Celâl Kadı-zâde

Bir an duramam yâre nigâh eylemedikçe
Cânân ile gülzâr-ı penâh eylemedikçe
Şevkîyle, hayâliyle de âh eylemedikçe
Ârâm edemem ömrü tebâh eylemedikçe.

Aksak Hacı Faik Bey
Bir dâme düşürdü ki beni baht-ı siyâhım
Billâhi bu sevdâda benim yoktu günâhım
Etmezsen inâyet bana ey çehres-i mâhım
Mutlak seni de mahvedecek âteşi âhım.

Sengin Semâî Tatyos Efendi
Güfte: Ahmet Râsim Bey

Bir gönlüme bir hâl-i perîşânıma baktım
Zâlim seni yâd-eyleye eyleye çaktım
Sen yoksun, o yok, ben yalnız çıldıracaktım
Zâlim seni yâd-eyleye eyleye çaktım.

Curcuna Mustafa Nuri Melekzet Efendi
Bir lâhza rehâ bulmadı âlâm-ı cihandan
Kurtulmadı bî-çâre gönül âh-ü figandan
Rencide olur dem-be-dem evzâ-yı zamandan
Kurtulmadı bî-çâre gönül âh-ü figandan

Düyek Necdet Erdemli
Güfte: Sâdık Kırımlı

Bir yaz sıcaklığını öptüm avuçlarından
Bahar kokuları yayıldı her tel saçından
En tatlı hayâller, en güzel günlerim oldu
Bahar kokuları yayıldı her tel saçından.

Düyek Alaeddin Yavaşça
Boş yere ömrü tükettim dem-be-dem âvâreyim
Kimse feryâdım işitmez bîkes-ü bî-çâreyim
Bir soran olmaz ki artık nâle-vü efganımı
Aşkı meşki her şeyi terkeyledim âzâdeyim.

Sengin Semâî
Lem'i Atlı

Bu zevk ü safâ sahn-ı çemen-zâre de kalmaz
Güller dökülür, bülbül ölür, hâr'e de kalmaz
Bu nâz-ü edâ şûh-i sitem-kâre de kalmaz
Sabreyle gönül vuslat-ı ağyâre de kalmaz
Güller dökülür, bülbül ölür, hâr'e de kalmaz.

Aksak
Giriftzen Âsım Bey

Cüdâ düştü gözümden gül'izârın
Hayâlin kaldı dilde yâdigârın
Kemale ermeden soldu bahharın
Gider mi pîş-i çeşmimden haȳâlin
Tehattür eyledikçe ben kemâlin
Ferâmuş etmek mümkün mü visâlin

Ağır Aksak
Tatyos Efendi

Çeşm-i cellâdın ne kanlar döktü Kâğıthânede
Çağlayan fevvâre-i hûn-i ciğer dil-hânede
Bakma kaç âhû hırâmın tutmasın bu kan seni
Çağlayan fevvâre-i hûn-i ciğer dil-hânede.

Döktüğüm kan elverir dünyâyı tûfân eyleme
Zevrak-ı nûh-ı dili al kane pûyân eyleme
Bir daha vur hançer-i fettânını öldür beni
Çağlayan fevvâre-i hûn-i ciğer dil-hânede.

Devr-i Hindî
Aleko Bacanos

Câna tercih eyleriken şivekârım ben seni
Üzdün, incittin, harâbettin, bitirdin sen beni
Yâre açtın sîneme, mahvettin cism-ü teni
Üzdün, incittin, harâbettin, bitirdin sen beni.

Aksak
İsmet Çetinsel
Güfte: Besteciye aittir.

Değil yüzünü görmek sesini duymak için
Çektiklerimi bir ben, bir de Allah'ım bilir
Benden kaçışın niye vefâsızlığın nîçin
Ettiklerini bir ben bir de Allah'ım bilir.

Curcuna
Burhaneddin Deran

Dertliyim dert üstüne nien bin mihnet gelir
Ben bu dertden ne çektim bunu Allah'ım bilir
İçimde bir yara var beni her an kemirir
Ben bu dertden ne çektim bunu Allahım bilir.

Devr-i Hindî

Hacı Arif Bey
Güfte: Ziya Paşa

Ehl-i dil isen kendine zevk eyle cefâyı
Mihnette bulur âşık olan zevk-ü safâyı
Sermest-i mey ol bir yana at fikr-i sivâyı
Sermâye-yi hâz-eyle hemen aşk-ı hevâyı
İç bâde güzel sev var ise akl-ı şuûrun
Dünyâ var imiş yâ ki yok olmuş ne umûrün.

Yürük Semâî

Münir Nureddin Selçuk

Erdi bahar sardı yine neş'e cihânı
Eğlenelim raksedelim lâle zamânı
Açtı bu dem nâz ile gül gonca dehânı
Dinleyelim bülbülü gel lâle zamanı.

Fasl-ı bahar seyrine çık sen bize gel de
Gönlümüzü şâdedelim bezm-i emelde
Bağda bahar sînede yâr bâdeler elde
Mey içelim raksedelim lâle zamanı
Eğlenelim raksedelim lâle zamanı...

Müsemmen

Refik Fersan
Güfte: Nâhit Özören

Ey gönül döndün nihâyet sen de bir vîrâneye
Ben nasıl âh eyleyip düşmem reh-i meyhâneye
Benzetir hâlin görenler şimdi bir dîvâneye
Ben nasıl âh eyleyip düşmem reh-i meyhâneye

Curcuna

Rıfat Bey

Gamdan âzâde hemen dünyâ da bir meyhânedir
Def-i gam etmek için âlet ise peymânedir
Neş'eyi zevk-i meyi tahkîr eden dîvânedir
Gam gelir şâdi gider çün dil misâfir-hânedir
Def-i gam etmek için âlet ise peymânedir.

Semâî

Erol Sayan
Güfte: Enis Behiç Koryürek

Geçsin günler, haftalar, aylar, mevsimler, yıllar
Zaman sanki bir rüzgâr ve bir su gibi aksın
Sen gözlerimde bir renk kulaklarımda bir ses
Ve içimde bir nefes olarak kalacaksın

Ömrüm sensiz geçse de aşkın gönlümde kalsın
Gülen gözlerin bin bir teselli ile baksın
Sen gözlerimde bir renk, kulaklarımda bir ses
Ve içimde bir nefes olarak kalacaksın.

Türk Aksağı   Tanbûrî Ali Efendi
Geldi eyyâm-ı bahâr oldu safâlar âşikâr
Bezme teşrîf eyle artık lûtfedip ey şîvekâr
Açtı güller eyliyor feryâd-ı bülbüller hezâr
Bezme teşrîf eyle artık lûtfedip ey şîvkâr.

Yürük Semâî   Hafız Post
Gelse o şûh meclise, nâz-ü tegâfül eylese
Reng-i hicâb-ı gülşeni meclisi gül-gül eylese
Tân-geri riyâz-ı huld olur idi vücûh ile
Âşık-ı zâr-ı gülşeni vuslat-ı bülbül eylese.

Devr-i Hindî   Fehmi Tokay
Gönlümün ezhâr içinde gül gibi dil-dârı var
Neyleyim her sevgisinde bir yığın ağyârı var
Gül sevenler katlanır hârın dil-âzâr cevrine
Her gülün bir goncası her goncanın bir hârı var

Aksak   Kanunî Garbis Efendi
Gönül kurtulmuyor derd-ü elemden
Rehâ-yâb olmadı bir lâhza gamdan
Berî oldum safâdan câm-u cemden
Usandım bu cefâ-yı dem-be-demden.

Düyek   Dede Efendi
Görsem seni doyunca
Doyunca seni görsem
Sevdim seni ben cânân
Cânan ben seni sevdim

Gel gül yüzlü cânân
Gel etme çeşmim giryân
Seninle bir gece olalım nihân
Kaçma ey perî söyle kiminsin
Sen kiminsin söyle aman, aman...

Devr-i Hindî   Münir Nureddin Selçuk
                                     Güfte: Ahmet Paşa

Gül yüzünde göreli zülf-i semen sây gönül
Kara sevdâya yeler bî serü bî pây gönül
Demedim mi sana dolanma âna vay gönül
Kara sevdâya yeler bî serü bî pây gönül

Bizi hâk etti hevâ yoluna sevdâ nidelim
Pây-mâl eyledi ol zülf-i semen-sâ nidelim
Kul edinmez ki güzeller bizi illâ nidelim
Pây-mâl eyledi ol zülf-i semen-sâ nidelim

Semâî
Türk Aksağı

Rıfat Bey
Griftzen Âsım Bey
Güfte: Sâkıt

Hâb-gâh-ı yâre girdim arz için ahvâlimi
Bir perişân hâlini gördüm unuttum hâlimi
Sâkiten icrâ ederken dîde eşk-i âlimi
Leblerinde sînesinde gizlenen âmâlimi
Leblerimle topladım tebrik edin ikbâlimi.

İftırâk-i yâr ile olmuş dilim pek dâğ-dâr
Âh çekerdim hic ile bülbül gibi leyl-ü nehâr
Çok şükürler şimdi oldum her cihetle bahtiyâr
Leblerinde sînesinde gizlenen âmâlimi
Leblerimle topladım tebrik edin ikbâlimi.

Yürük Semâî

Muallim İsmail Hakkı Bey

Gülşende yine âh-ü enîn eyledi bülbül
Bir nakş okuyup savt-ı hezâr eyledi bülbül
Olmaz dehen-i yâre müsâbih deyû gonce
Gül mushâfını açtı yemîn eyledi bülbül.

Semâî

Nev'eser Kökdeş
Güfte: Besteciye aittir.

Hayâl ufkunda açan bin-bir renkler
Enginlerde efsâne güzellikler
Mehtâb hazîn, denizde sis, meltemler
Bana aşk, şiir şarkısı söyler.

Rûhum coşar hülyâlara dalar
Unutulmaz o tatlı hâtıralar
Mehtâb hazîn, denizde sis, meltemler
Bana aşk, şiir şarkısı söyler.

Aksak

Şâkir Ağa

Hiç bulunmaz böyle dil-baz
Neler etti bana bu yaz
Âşıkına gayet kurnaz
Neler etti bana bu yaz.

Pek küçüktür girmez ele
Bezme gelir güle güle
Gönlümü pek üzdü hele
Neler etti bana bu yaz.

Devr-i Hindî   Rıfat Bey
İltifâtın eyledi ihyâ beni
Kem nazardan saklasın Mevlâ seni
Zîb-i bâğ-ı nâz-edip sen gülteni
Kem nazardan saklasın Mevlâ seni.

İntizâm-ı câmeden vârestesin
Nûra teşbih eylesem şâyestesin
Verd-i nâzım nâzik-i gül-destesin
Kem nazardan saklasın Mevlâ seni.

Aksak   Hacı Faik Bey
Jaleler saçsın nesîm gülzâre dönsün cûy-i-bâr
Feyz-i nisan ile pür-olsun çemen gelsin bahar
Gülşen-i renc-i hazân etti yeter çün târ-ü-mâr
Feyz-i nisan pür olsun çemen gelsin bahar
Gonce açsın gülbün artık ber-mûrad olsun hezâr.

Sofyan   Fıfat Bey
Karlı dağı aştım geldim
Aşk yoluna düştüm geldim
Ben yâre ulaştım geldim
Ben gönlümü aldırdım

Gül benzimi soldurdum
Nazlıca yardan ayrıldım
Dağlara düştüm geldim.

Bakın şu kaşları yaya
Cemâli benziyor aya
Aşkındır bana sermâye
Ben gönlümü aldırdım...

Türk Aksağı   Tatyos Efendi
Mâi atlaslar giyersin
Nazar değmez firûzesin
Ne nâzik reftâr edersin
Nazar değmez firuzesin

Devr-i Hindî   Hacı Faik Bey
Levmeder tâ haşredek gönlüm bana
Ben bu hâli sana etmezdim fedâ
Bilmiş olsun cümle yâr-ü âşinâ
Âşıkım kayd-ı hayat ile sana.

Evfer

Erol Sayan
Güfte: Besteciye aittir.

Kordonboyu seyrine düştü
Titret efem vur dizin üste
Boncuk gibi alnına düştü
Parlar tenin ter gözün üste

Efem, efem çakır efem
Kılıncı şakır efem
Seni gören kızlarda
Mecâl mi kalır efem.

Kordon sana yar sana düştü
Mızrabını vur sazın üste
Ayşe senin gönlüne düştü
Bekler durur bir sözün üste

Çekil çekil çıkma yola
Sevenler mes'ud ola
Efem Ayşe'yi aldı,
Köyünde şenlik ola...

Yürük Semâî **Artin Ağa**

Kûyinde figanımla acep güle gül yok mu
Ey turra-i tarrâr.
Hep mürg-i dile mi bu cefâ, bülbüle yok mu
Feryâda ne hâcet..
Senden dil-i Mecnûnuma silsile yok mu
Leylâya ne hâcet.
Pâ beste-i zencir-i be ref ref şânın olaydım
Ey gonce-i şefkat.

Semâî **Cevdet Çağla**
Güfte: Hüseyin Mayadağ

Mecnûn koşar Leylâ diye efsâneden efsâneye
Bir ses gelir; sevdâ diye dîvâneden dîvâneye
Eser durur feryâdımız meyhâneden meyhâneye
Bir ses gelir; sevdâ diye dîvâneden dîvâneye.

Yürük Semâî **Muhlis Sabahaddin Ezgi**

Muhabbet nazlı bir kuştur, onunla imtizâc olmaz
Recâ, eşkâbe boştur, böyle gaddar bir mîzâc olmaz
Sevilmek sevmek olmasa bu derde hiç ilâc olmaz
Beşer muhtâc-ı aşktır böyle tatlı ihtiyâç olmaz.

Aksak   **Hacı Arif Bey**
Güfte: Mehmet Sadi Bey

Mükadder derd-i peyder-peyle şimdi
Gönül eğlenmiyor bir şeyle şimdi
Ne meyle ne nevâ-yı neyle şimdi
Gönül eğlenmiyor bir şeyle şimdi.

Semâî   **Fahri Kopuz**
Güfte: Bedrî Ziya Aktuna

Neden bir çift gözün derdiyle çeşmim girye-bâr oldu
Zamanlar geti va'dinden uzun bir intizâr oldu
Yanan rûhum pamuk eller içinde bî-kârar oldu
Havâ-yı vuslat-ı cânân ne esmez rüzigâr oldu
Hedermiş ömr-i fersûdem nihâyet âşikâr oldu.

Curcuna   **Hacı Faik Bey**

Nihansın dîdeden ey mest-i nâzım
Bana sensiz cihanda can ne lâzım
Benim sensin felekte çâre-sâzım
Bana sensiz cihanda can ne lâzım.

Sezâdır mâtemin tutsa felekler
Bana insan değil ağlar melekler
Hevâya gitti hep bunca emekler
Bana sensiz cihanda can ne lâzım.

Sengin Semâî   **Yekta Akıncı**
Güfte: Nahit Hilmi Özeren

Ömrün bu hazân mevsimi hep âh ile geçti
Âlemde felek zulmedecek bir beni seçti
Rûhum bu hayâtın yalnız zehrini içti
Âlemde felek zulmedecek bir beni seçti.

Semâî   **Yesârî Âsım Arsoy**

Perîşân saçların aşkımın ağıdır
İncecik telleri kalbimin bağıdır
Gel gülüm kaçma gel, sevişmek çağıdır
Zülfünün telleri gönlümün bağıdır
Gel... Bahârım, hezârım, nigârım gitme gel.
Bu mevsim geçmeden bu âlem bitmeden
Eğlenip zevke bak şebâbet gitmeden
En güzel demlere sen vedâ etmeden
Eğlenip zevke bak şebâbet gitmeden
Gel... Bahârım, hezârım, nigârım gitme gel...

Sofyan

Yılmaz Yüksel
Güfte: Cemal Bora

Öyle güzel ki gözlerin
Bakmasını bir bilsen
Öldürür mahvedersin
Yakmasını bir bilsen
Aşkın irem bağını
Bu gençliğin çağını
Sevda basamağını
Çıkmasını bir bilsen

Bilsen ki her günümün
Şensiz geçen ömrümün
Sana karşı gönlümün
Çarpmasını bir bilsen

Curcuna

Fehmi Tokay

Sâgarda değil sâki-zîbâda gözüm yok
Gülşen ne demek kubbe-i mânâda gözüm yok
Bir hâlet-i diğerle gönül hastadır ammâ
Mecnûn bile olsam yine Leylâ'da gözüm yok.

Düyek

Alaeddin Yavaşça
Güfte: Besteciye aittir.

Senden uzak günlerim zindân oluyor
Hasretin elemi kalbime doluyor
Gönül bahçemde yazık hayâl gülü soluyor
Hasretin elemi kalbime doluyor.

Düyek

Basmacı Abdi Efendi

Senin aşkınla çâk oldum
Yeter gayrı helâk oldum
Gamınla çâk-i çâk oldum
Yeter gayrı helâk oldum.

Sengin Semâî

Münir Nureddin Selçuk
Güfte: Mustafa Nâfiz Irmak

Sevdâ ile dillendi bu son şarkı sesinle
İsyânı bırak gel de bu son besteyi dinle
Rûhumdaki dert bir gece ağlaşsa sesinle
Hicrânı unuttur bana çılgın hevesinle.

Düyek

Avni Anıl
Güfte: Hilmi Soykut

Son akşam döküver örgüleri de
Dökülsün saçların fidan boyunca
Bir arzum kalmasın diye geride
Kapansın gözlerim sana doyunca.

Semâî   **Basmacı Abdi Efendi**
Sevdim yine bir nev-civân
Aşkı derûnumda nihân
Hüsn-ile mümtâzı cihân
Çeşm-i siyah kaşı keman
Dil müptelâdır el-aman.

Düştü gönül bir mehveşe
Ol mehlikayı serkeşe
Yandı vücudum âteşe
Çeşm-i siyâh kaşı keman
Dil müptelâdır el-aman.

Curcuna   **Avni Anıl**
Sordular Mecnûn'a Leylâ'nın saadet hânesin
Sîneden bir âh çekip gösterdi dil-vîrânesin
Bir bakışla âşkını meftûn eder çeşmânesi
Neyleyim dildâre müştâk kılmadı dil-hânesin.

Aksak   **Selahaddin Pınar**
                                    Güfte: Vecdi Bingöl

Söylemek istesem gönüldekini
Dilime dolanan ıztırâb olur
Yazsaydım derdimin ben bir tekini
Ciltlere sığmayan bir kitâb olur

Ne yaman çileli bir insanmışım
Sunulan her zehri şifâ sanmışım
Âh ne aldanmışım, ne aldanmışım
Aldanan gönülde aşk serâb olur.

Curcuna   **İsmail Hakkı Nebiloğlu**
Sürsün mü tahassür a cânım bunca zamandır
Hey, hey diyerek ettiğimiz âh-ü figandır
Lâlem ve gülüm beklediğim nazlı civandır
Hey, hey diyerek ettiğimiz âh-ü figandır.

Curcuna   **İsmet Çetinsel**
                                Güfte: Besteciye aittir.

Unut sen beni unut, hâtırandan sil artık
Karşıma çıkma sakın, yolumdan çekil artık
Perişân ettiğine nâdim olsan da yine
Karşıma çıkma sakın, yolumdan çekil artık.

Düyek   **Dede Efendi**
Üftâdenem ey bî-vefâ
Lâyık mıdır bunca cefâ
Cürmüm nedir bildir bana
Lâyık mıdır bunca cefâ

Düyek   **Selahaddin İnal**
                                        Güfte: Yusuf Nalkesen
Yaklaşıyor gün be gün ömrümüz son mevsime
Kimi şen bu âlemde kimi çekmede çile
Elvedâ diyeceğim sonunda bile bile
Kimi şen bu âlemde kimi çekmede çile.

Düyek   **Sadettin Kaynak**
Yasemen
Benim olsan seni bir gül gibi koklar sararım
Yâsemen saçlarını her gece okşar tararım
Geleceksin diye her gün seni gözler ararım
Yasemen saçlarını her gece okşar tararım

Semâî   **Kasım İnaltekin**
                                        Güfte: Orhan Seyfi Orhon
Yıllar var ben onu hiç unutmadım
O beni sorar mı, hatırlar mı ki
Büsbütün silinip gitti mi adım
Yoksa eskisinden bahtiyar mı ki.

Bilsem uzaklarda kimler ağlıyor
Kimlerin kalbini aşkı dağlıyor
Acep kederli mi yas mı bağlıyor
Yoksa eskisinden bahtiyar mı ki.

Düyek   **Lem'i Atlı**
Yok mu cânâ âşıka hiç şefkâtin
Va'di vuslattı Hisar'da sohbetin
Şimdi bilmem kim harîm-i ülfetin
Yâdigârındır gönülde hasretin.

Müsemmen   **Emin Ongan**
Zülfünün zincîrine bendeyledi şâhım beni
Kulluğundan etmesin âzâd Allahım beni
Cevr-i dilber ta'n-ı düşmen zaaf-ı dil
Türlü türlü dert için hâlk etmiş Allahım beni.

Semâî

Yusuf Nalkesen
Güfte: Besteciye aittir.

Yoruldu gözler artık sevdiğini demekten
Anlamıyormuş gibi davranıyorsun neden
Söyle maksadın beni çıkarmak mı çileden
Anlamıyormuş gibi davranıyorsun neden.

İnan, inan ben seni sevmedeyim derinden
Anlamaz olur musun gözlerimin dilinden
Söyle maksadın beni çıkarmak mı çileden
Anlamaz olur musun gözlerimin dilinden.

SABÂ MAKAMI

Düyek   İstanbul Türküsü
Aman doktor, canım, derdime bir çâre
Çâresiz dertlere düştüm, doktor beyim bir çâre.
Anne dersen annem yok, baba dersen babam yok
Gurbet elde hasta düştüm, bir yudum su veren yok.
Vefa'ya giden olsa, doktoru gören olsa
Çifte mektuplar yazmışım, doktora veren olsa...

Aksak   Hristo Efendi
Bir dânesin şu âlemde ey güzel
Âşık oldum sana candan ey güzel
Sakın etme beni mahzûn ey güzel
Âşık oldum sana candan ey güzel.

Aksak   Zeki Arif Ataergin
                            Güfte: Fatine Talay

Bir nigâh et kahrile sen bakma Allah aşkına
Sarı giyme, bir daha gül takma Allah aşkına
Kimseyi gönlün misâli yakma Allah aşkına
Sarı giyme, bir daha gül takma Allah aşkına.

Düyek   Klarnet İbrahim Efendi
Çâre-sâzım sensin ancak, rahmet Allah aşkına
Kalbimin feryâdını gel dinle, Allah aşkına
Çünkü ben senden kazandım, derd-i aşkı ey melek
Sende yok mu kalb-i vicdân, söyle Allah aşkına.

Aksak   Nûman Ağa
Değilsem de sana lâyık efendim
Ne çâre âşıkım, âşık efendim
Beni kıl vaslına lâyık efendim
Ne çâre âşıkım, âşık efendim.

Düyek   Avni Anıl
                      Güfte: İlham Behlül Pektaş
Dönmem kucağına aşkın, daha dün geldim
Giderken neş'eli, dönerken üzgün geldim
Her gece burdayım, şimdi büsbütün geldim
Giderken neş'eli, dönerken üzgün geldim.

Yürük Semâî   Suphi Ziya Özbekkan
                     Güfte: Kayserili Pesendî

Ey bâd-ı sabâ yâr ile vuslat ne zamandır
Bir kerre suâl eyle ki ruhsat ne zamandır
Dağ olsa bile eyleyemez hicre tahammül
Taş olsa erir âteş-i hasret ne zamandır.

Ağır Aksak Yorgaki Efendi (Şivelioğlu)

Fasl-ı güldür nev-bahâr eyyâmıdır
Goncasın ey nev-civânım gül açıl
Bağa çık seyr-i kenâr eyyâmıdır
Goncasın ey nev-civânım gül açıl.

Aksak Zeki Arif Ataergin
Güfte: Mustafa Nafiz Irmak

Gizli derdimden haber ver sen o yâre ey sabâ
Hasta kalbim aşk elinden pâre pâre ey sabâ
Pek harâbım ayrılıktan, yok mu çâre ey sabâ
Hasta kalbim aşk elinden pâre pâre ey sabâ.

Düyek Erol Sayan
Güfte: Besteciye aittir.

Güle sorma o bilmez aşkı, sevdâyı, neş'eyi
Lâleye sor, çiğdeme sor, mor menekşeye sor
Neş'eli ol kara gözlüm, şirin sözlüm gel bana
Dâima gül, şarkı söyle, oyna...

Ne güzel de oynarsın
Fıkır fıkır kaynarsın
Şen şakrak hem güzelsin
Ateşinle yakarsın...

Gülüşünle sen aşkım oldun ey dilber sevgilim
Oyna artık, dön güzelim tüller omzunda
Gül dudaklım, kara gözlüm, şirin sözlüm gel bana
Dâima gül, şarkı söyle, oyna...
Ne güzel de oynarsın...

Aksak Rakım Elkutlu

İnce kirpiklerinin sînede bir yâresi var
Yalnız bir deli olmak gibi son çâresi var
Çünkü gençlikte ölüm zor geliyor, geliyor
Yalnız bir deli olmak gibi son çâresi var.

Ağır Aksak Şevkî Bey

Mey içerken düştü aksin câmıma
Şimdi girdin bir avuç hem-kanıma
Can dahî olsun fedâ cânânıma
Şimdi girdin bir avuç hem-kanıma.

Sengin Semâî   Şerif İçli
Güfte: Semih Mümtaz Bey

Neydin güzelim, sen güzelim, dün gece neydin
Âteş gibi, âfet gibi, pek korkulu şeydin
Tâkat komadın sen beni, bir yay gibi eğdin
Neydin güzelim, sen güzelim, dün gece neydin.

Curcuna   Bülbülî Salih Efendi

Nihâyet gelmiyor feryâd-ı âha
Felek yâr olmuyor baht-ı siyâha
Şikâyet eylemem artık o mâha
Felek yâr olmuyor baht-ı siyâha.

Lenk-Fahte   Suphi Ziya Özbekkan

Sabâ serîrin ol meh söyle gönülde kursun
Cânım yerine kaim dilde vediâ dursun
Cânân yolunda bizler terk-i hüviyyet ettik
Mâdem esîri olduk zencîr-i zülfe vursun.

Sengin Semâî   Mustafa Nafiz Irmak
Güfte: Besteciye aittir.

Sâhilde sabâ rüzgârı ağlarken uyan sen
Kalbinde derin bir sızı duy, aşkımı an sen
Hicrinle nasıl söndüğümü gör de inan sen
Kalbinde derin bir sızı duy, aşkımı an sen.

Dûyek   Yesârî Âsım Arsoy
Güfte: Besteciye aittir.

Seni herkesten kıskanıyorum
Kalbimi yaktın âh yanıyorum
Yüz bin âşıkın var sanıyorum
Kalbimi yaktın âh yanıyorum.

SEGÂH MAKAMI

Curcuna   Bahaeddîn Bey (Ser-müezzin)
Akmada göz yaşlarım bârân gibi
Susmaz oldum bülbül-i nâlân gibi
Dert olur mu firkât-ı cânân gibi
Susmaz oldum bülbül-i nâlân gibi.

Aksak   Ümit Gürelman
           Güfte: Ufuk Gürelman

Artık o hayâl bahçemizin gülleri soldu
Rûhum keder akşamlarının körfezi oldu
Aylar seneler hepsi de bir gün gibi geçti
İlk aşkını gönlüm yine son sevgili seçti.

Devr-i Hindî   Aleko Bacanos
Aşk-ı mes'ûdumuzu Hâlik-i sevdâ korusun
Bir dakika seni benden ayıran el kurusun
Kalsın ağzımda lebin hep o güzel elde elim
Bir dakika seni benden ayıran el kurusun.

Düyek   Sadettin Kaynak
Ayrılık yaman kelime
Benzetmek azdır ölüme
Kim uğrarsa bu zulüme
Gündüzü olurmuş gece...
Tatmadan aşkın tadının
Duydum acı feryâdını
Dilimin zevkî, adını
Sayıklarım hece, hece..
Soldu mu neş'en hevesin
Seslenirim gelmez sesin
Dudaklarımda nefesin
Özlerim seni delice...

Devr-i Hindî   Hacı Arif Bey
           (Selânikli Ahmet Bey olarak da
           gösterilmektedir.)
Bakıp ahvâl-i perîşânına âr-eyle gönül
Terk-i yâr eyle ve yâhut terk-i diyâr eyle gönül
Beni dinlersen eğer durma firâr eyle gönül
Terk-i yâr eyle ve yâhut terk-i diyâr eyle gönül.

Curcuna   **Türkü**
                             "Nuri Halil Potraz derlemiştir."

Bala kekliğinem avla beni
Bala sahrâlara salma beni
Bala geceleri al yanına
Bala gündüz bukala beni.
Âh, yâr kölem olam
Bala gündüz bukala beni...
Bala kekliğim bir bağ içinde
Bala kavruldum ben gam içinde
Bala eller hep seyrâne çıkmış
Bala benim yârim yoğ içinde...
Âh, yâr kölen olam
Bala benim yârim yoğ içinde...

Aksak   **Ahmet Rasim Bey**
Benim sen nemsin ey dilber
Deli gönlüm seni ister.
Zannederler etmiş ezber
Seni söyler, seni ister.

Bir çiçeksin gül dehensin
El sürülmez gonce femsin
Varsa sensin yoksa sensin
Deli gönlüm seni ister...

Curcuna   **Nev'eser Kökdeş**
Bir emele bin âh çeksem
Zevk duyardım her-dem dâd etsem
Sevmek teselli şu boş âlemde
Neş'e vardır aşkın emelinde

Gönlümde açsın bahâr şu kış gününde
Şiir dolu penbe akşam güneşinde
Sevmek teselli şu boş âlemde
Neş'e vardır aşkın emelinde...

Ağır Aksak Kazasker   **Mustafa İzzed Efendi**
Çektiğim bilmem nedendir dehr-i gerdûndan bennim
Ağla çeşmim ağla ki baht-ı şebâbım karedir
Saha-i deryâ-yı aşkda kaldı yurdum, meskenim
Ağla çeşmim ağla ki baht-ı şebânım karedir.

Düyek   Ali Rıfat Çağatay
"Dâ'us-sıla"   Güfte: Süleyman Nazif

Bu şeb de cüşiş-i yâdınla ağladım durdum
Gel ey kerime-i tarih olan güzel yurdum

Ufukların nazarımdan nihân olup gideli
Bu hâkidân-ı fenânın karardı her şekli

Gözüm kalmadı yer gök batar, çıkar giderim.
Zemîne münkesîrim, âsümâne muğberim

Gelir bu cev-vi kebûdun seraîrinde güler
Çocukluğumdaki rüyâya benzeyen gözler

Zevâhirin beni ta'zib eden güzelliğine
Teaccüp etme melâlim durursa bîgâne

Dumanlı dağların ağlar gözümde tüttükçe
Olur mehâsin-i gurbette başka işkence

Bizim diyâr-ı tehassürden etmemiş mi güzer?
Acep neden yine lâkayd eser nesîm-i seher

Verirdi belki tesellî bu ömr-ü me'yusa
Çiçeklerinden uçan ıtr'a âşinâ olsa

Demek bu mehbes-i âmâl içinde ben ebedî
Yabancıyım bana her şey yabancıdır şimdi.

Ne rüzgârından şemîm-i cibâlimizdir esen
Ne dalgalarda haber var bizim sevahilden

Garîbiyim bu yerin, şevkî yok, harâreti yok
Doğan, batan güneşin günlerimle nisbeti yok

Olunca yâdıma hasret-figen feyyâz-ı vatan
Semâ-yi şark'ı suâl eylerim bulutlardan...

Aksak   Bîmen Şen
Dilde sevdâ, sînede dâğ-ı firâk
Başıma dert oldu derdin, derde bak
Canımı yaktı benim bu iştiyâk
Başıma dert oldu derdin, derde bak.

Sofyan Sadettin Kaynak

Bir rüzgârdır gelir geçer sanmıştım
Meğer başımda esen kasırgaymış sevgilim
Gönül oyunudur bunun izi kalmaz demiştim
Meğer içimde yanan bir volkanmış sevgilim.

Bir gün gelir unutursun demiştin sevgilim
Hicrânını uyutursun demiştin sevgilim
Unutmadım, unutmadım,
Aşka hasret, sana hasret, bekliyorum sevgilim.

Gönül oyunudur bunun izi kalmaz demiştim
Meğer içimde yanan bir volkanmış sevgilim...

Ağır Aksak Selânik'li Ahmet Bey

Diyemem ben elem-i dehrile dil-gîr olsun
Beni pîr etti civânım, dilerim pîr olsun
O da bir dilbere dildâde-i teshir olsun
Beni pîr etti civânım, dilerim pîr olsun.

Düyek Münir Nureddin Selçuk
Güfte: Yahyâ Kemal Beyatlı

Dönülmez akşamın ufkundayız vakît çok geç
Bu son fasıldır ey ömrüm nasıl geçersen geç
Cihâna bir daha gelmek hayâl edilse bile
Avunmak istemeyiz böyle bir teselliyle

Geniş anatları boşlukta simsiyah açılan
Ve arkasında güneş doğmayan büyük kapıdan
Geçince başlayacak bitmeyen sükûnlu gece
Gûruba karşı bu son bahçelerde keyfince

Ya şevk içinde harâbol, ya aşk içinde gönül
Ya lâle açmalıdır göğsümüzde yâhut gül...

Yürük Semâî Eyyûbî Ebû-Bekir Ağa

Etti o güzel ahde vefâ müjdeler olsun
Ey âşık-ı şûride sana müjdeler olsun
Vâdeyledi bir gece nihânî gelecekti
Ben kuluna ey mehlika müjdeler olsun.

Aksak Gültekin Çeki
Güfte: Hayri Mumcu

Gece sessiz ve karanlık yine her şey uyumuş
Bilirim susmayacak kalb-i vîrânımdaki kuş
O yeşil bahçelerin gülleri solmuş kurumuş
Bilirim susmayacak kalb-i vîrânımdaki kuş.

Aksak   **Ahmet Rasim Bey**

Gelmiyorsun mâniin var sevdiğim çoktan beri
Bir nasılsın yok mu, ammâ âşık-ı bî-çâreye
Şunda, bunda kal yine, eğlen geçir bu demleri
Bir nasılsın yok mu, ammâ âşık-ı bî-çâreye.

Nîm Sofyan   **Nuri Halil Poyraz**
Gönül Hırsızı
Ah o gönül hırsızı
Verir içime sızı
Yaktı beni kül etti
Ah o gönül hırsızı.

Gel balam, gel balam,
Bu cânım sana kurban..

Gül dalına bak balam
Ateşli gözlerinle
Gönlüme gel ak balam
Sen beni yaktın balam.

Gel balam...
Gönlümü aldın balam
Fikrimi çaldın balam
Bir bakışla başımı
Dertlere saldın balam.
Gel balam...

Müsemmen   **Dede Efendi**
Güldü dilber âşık-ı gam-hârına
Pek yaraştı hande gül ruhsârına
Görse gül eyler hasret dîdârına
Pek yaraştı hande gül ruhsârına.

Ağır Aksak   **Zeki Arif Ataergin**
                                    Güfte: Sâdık Açar

Hâk-sâr ettin beni çok, firkatinle nâzenîn
Hasretin çok cânâ yetti, bitmiyor âh-ü enîn
Târ-ü-mâr oldukça gönlüm, titriyor sandım zemîn
Hasretin çok câna yetti, bitmiyor âh-ü enîn.

Curcuna   **Kaptanzâde Ali Rıza Bey**
                          Güfte: Mustafa Nâfiz Irmak

Hasta kalbimde yanan derdi nîçin anlamadın
Seni Leylâ diye sevdimdi siyah gözlü kadın
Hıçkıran gönlüme hüsrânıma hiç ağlamadın
Seni Leylâ diye sevdimdi siyah gözlü kadın.

Nîm Sofyan Türkü
Karam
Köprüler yaptırdım gelip geçmeye
Çeşmeler yaptırdım suyun içmeye Karam.

Kavl-i karâr ettim alıp kaçmaya
Boşa kostaklanma kostak değilsin Karam.

Armudu dalında pazar eyledim
Kaşına gözüne nazar eyledim Karam.

Seksen şeftâliye pazar eyledim
Yanılmış da yüz almışım bilemem Karam...

Çıkma pencereye zülfün tellenir
Beyaz giyme eteklerin kirlenir Karam.

Gitme meyhâneye adın dillenir
Boşa kostaklanma kostak değilsin Karam...

Aksak Fehmi Tokay
Güfte: Halit Bekir Sabarkan
Kaç kere dolaştıkdı kuş uçmaz gecelerde
Sesler duyulur gerçi konuşmaz gecelerde
Kalsak ne olur subh'a kavuşmaz gecelerde
Mehtâb, ikimiz, hâtıralar yan-yana Leylâ.

Semâî Nev'eser Kökdeş
Kuş olup uçsam sevgilimin diyârına
Saçından bir tel alsam taksam başıma
Söylesem sevgimi kalbimi açsam ona
Aşkının çiçeğini taksam başıma
Sözleri sitemkâr kıskanır beni yakar
Nazlanır yalvarır âh o güzel yâr.
Söylesem...

Devr-i Hindî Fahri Kopuz
Güfte: Ferit Kam

Nâz-ile meclûb kıldın kendine dünyâyı sen
Doğru söyle kimden öğrendin bu istiğnâyı sen
Saklanıp durma bugün incâz-ı vuslat vaktidir
Yârine sakla civânım vâde-i ferdâyı sen.

Semâî

Avni Anıl
Güfte: Şâdi Kurtuluş

Ne varsa gözlerimde senden kalan bir yalan
Her güzel şey o aşkdan yalnız unutulmayan
Bu şarkı böyle bitsin söylenip duyulmadan
Her güzel şey o aşkdan yalnız unutulmayan

Semâî

Rüştü Şardağ
Güfte: Besteciye aittir.

Sana nasıl susamışım
Anlatamam hasretimi
Meğer ben ne yalnızmışım
Unutturdun bana beni.

Bil geceden korkmuyorum
Gölgen ateşim oldukça
İnan sana doymuyorum
Seni canımda buldukça.

Gözlerinin sığınmışım
Yeşil renkli körfezine
Meğer ben ne muhtâçmışım
Yıllar yılı ellerine.

Bil geceden korkmuyorum
Gölgen ateşim oldukça
İnan sana doymuyorum
Seni canımda buldukça...

Sengin Semâî   Ekrem Güyer
Ol gözleri âhû ile sohbet ne güzel şey
Birlikte bir akşam muhabbet ne güzel şey
Bezminde bile ben ona hasret ne güzel şey
Birlikte bir akşam muhabbet ne güzel şey.

Aksak

Hacı Faik Bey
Güfte: Besteciye aittir.

Zencîr-i akın dil bestesiyim
Divânen oldum bilmez misin sen
Şem'i cemâlin âşüftesiyim
Pervânen oldum bilmez misin sen.
Gitmez gözümden bir dem hayâlin
Vechi bu mudur bu kîl-ü kâlin
Nakş-oldu dilde tasvîr-i hâlin
Tıbhânen oldum bilmez misin sen...

Curcuna

Muzaffer İlkar
Güfte: Ersan Merhacı

Seher vakti esen rüzgâr
Söyle bana hazan nerde
İnce zarif beyaz telden
Güzel şarkı yazan nerde...
Ara, ara bul o yâri
Güzel şarkı yazıp gelsin..
Dolunayla Küçüksuyun
Öpüştüğü bizim koyda
Şarap yoksa yine gamsız
Gülüp sarhoş olan nerde...
Ara, ara bul o yâri
Gülüp sarhoş olup gelsin...

Ağır Aksak

Bîmen Şen
Güfte: Ahmet Refik Altınay

Sun da içsin yâr elinden âşıkın peymâneyi
Bir kadehle mest-i bîtâb et dil-i vîrâneyi
Sîneyi gül rengini aç da utandır lâleyi
Bir kadehle mest-i bîtâb et dil-i vîrâneyi.

Yürük Semâî

Tanbûrî Ali Efendi

Sûziş-i aşk eyledi bağrım kebâb
Şehr-i derûnu yıkıp etti harâb
Çektiğim artık yetişir ızdırâb
Rahmet âyâ dilber-i âlicenâb
Etme kulundan bu kadar ictinâb.

SULTÂN-î YEGÂH MAKAMI

Sengin Semâî   **Nasibin Mehmed Yürü**
Al ud'u güzel nağme-i dil-sûzunu dinlet
Çal söyle garîbâne ciğergâhımı inlet
Mest etti bütün âlemi destindeki kudret
Çal söyle garîbâne ciğergâhımı inlet.

Aksak   **Mustafa Sunar**
Aşkın karanlık yolunda kaç yıldır yalnız kaldım
Bir ışık yok, bir yolcu yok, yalnızlıktan bunaldım
Gurbet yolu pek uzunmuş varamadım yoruldum
Ömrün sabahsız şebinde yıldızlardan sorardım
Issız karanlık gönlümde sevdâlımı arardım.

Aksak   **Yesârî Âsım Arsoy**
Biz Heybeli'de her gece mehtâba çıkardık
Sandallarımız neş'e dolar zevke dalardık
Saz seslerinin sâhile aksettiği demler
Etrâfı bütün şarkı gazellerle yakardık
Zevke kanardık...

Curcuna   **Santûrî Edhem Efendi**
Bu gülzârın yine bir nev-bahârı
Rehin-i intizâr etti hezârı
Dem-i teşrîf-i yâr-ı gül-izârı
Rehin-i intizâr etti hezârı.

Tedârik üzre gördüm gülistânı
Tekarrüp eylemiş vakt-ü zamânı
Haberdâr eyledim ben de nihânı
Bu müjdem pür mesâr etti hezârı...

Hafif   **Dede Efendi**
Şehenşah
Cân-ü dilimiz lûtf-u kerem-kâr ile mâmur
Güftâr-ı şeger handi eder âlemi mecbûr
Emsâlini göz görmedi gûş etmedi âlem
Dâim ede hâk zât-ı sühendânını mesrûr.

Sengin Semâî   **Muallim Kâzım Uz**
Dök zülfünü ruhsârına mehtâb tutulsun
Aç gerdanını subh-i safâ gönlüme dolsun
Leblerde uçuşsun bütün ezvâk-ı muhabbet
Bir böyle günün böyle şeb'in nâmı duyulsun.

Ağır Aksak   Niyâzi Şengül
Durmaz işler tâ ciğerden hançerinin yâresi
Böyle zâlim olmasın hiç kimsenin mehpâresi
Bulsalar Ferhâd ile Mecnûn bulurdu çâresi
Ehl-i aşkın ölmeden gayrı bulunmaz çâresi.

Ağır Aksak   Bîmen Şen
Gel şu tayyâre ile hâk-i kederden kaçalım
Uçalım kuşlara, yıldızlara güller saçalım
Gezelim her tarafı kutb-u safâyı bulalım
Yeni bir zevk-ü tarâb âlemine yol açalım.

Semâî   Nigâr Galip Ulusoy
Gonce güllerle gelirsin haclegâh-ı aşkıma
Ay gibi parlak cemâlin rûhuma bir lânedir
Leyl-i hüznümde kalırken sensiz olmam şâd ben
Bil ki senden ayrı düşmekle gönül dîvânedir.

Curcuna   Sadettin Kaynak
Gönül harâreti sönmez ne mey, ne kevserler
Hâyatı gel içelim bûseden kadehlerle
Güzelleşir iki kat, bir beyaz bir esmerle
Hayâtı gel içelim bûseden kadehlerle.

Düyek   Güner Erman
                                            Güfte: Sadık Kırımlı

Gün batar akşam olur yine sensiz
Gözlerim yolda beklerim çâresiz
Heyhât ne gelenim var, ne gidenim
Gözlerim yolda beklerim çâresiz

Aksak   Ûdî Sâmi Bey
Hâbide olan tâli-i nâ-sâzım uyandı
Ettiklerine şûh-i sitemkârım utandı
Attı kolunu boynuma mestâne uzandı
Dil vuslatına, dîde temâşâsına kandı.

Sengin Semâî   Hasan Güler (Dramalı)
Hicrinle gözüm görmede âfâk-ı diğer-gûn
Göster yüzünü âleme doğsun yeni bir gün
Temdid-i firâk eyleme ey gözleri süzgün
Göster yüzünü âleme doğsun yeni bir gün.

Düyek   Cevdet Çağla

Kaçıncı fasl-ı bahâr bu solar gider emelim
Tadılmadan nice yıllar geçer budur hâlim
Çiçeklerin bana dal, dal uzansa değmez elim
Ben işte böyle bir aşkın esîriyim güzelim.

Aksak   Fahri Kopuz
                                    Güfte: Nedim Servet Tör

Mavi gözlü sarışın bir gül-i rânâ tanırım
Nerde görsem o güzel gözleri ben aldanırım
Yedi hilkatle takılmış o semâvî hüsn'e
Mavi boncukla müzeyyen bir nazarlık sanırım.

Yürük Semâî   Selânik'li Ahmet Bey

Müjgân-ı çeşmin cânâna sâkî
Yandım elinden yandım a zâlim
Ahvâlin oldu her ferde zâhir
Yandım elinden yandım a zâlim.

Aksak Semâî   Dede Efendi

Nihân ettim seni sînemde ey mehpâre cânımsın
Benim râz-ı derûnum sevdiğim dilber nihânımsın
Gönül sende gözüm hâk-i derinde ey meh-i devrân
Benim cân-ü cihânım rûz-ü şeb vird-i zebânımsın.

Nîm Sofyan   Münir Nureddin Selçuk
                                       Güfte: İsmet Bozdağ

Sen şarkı söylediğin zaman
Mevsimler değişir gibi kımıldardı içim
Dudaklarında doğardı şafaklar ve güneşler
Geçerdi gözlerimden öyle kızlar ki

Fecirden kadehlerle nağme içmişler.
Sen şarkı söylediğin zaman
Ne kadar da gençti dünyâ ve ne güzeldi
Bahar sabahlarının rahatlığı içimizde
Bir ses ki sükûn ve sonsuzluk

Bir ses ki hayât olmuştu bizde.
Sen şarkı söylediğin zaman
Bahar içinde âlem bahtiyardı can
Bir hilkat sabahı ki her şey beyazdı
Bir vaz geçiş senden gayrı her şeyden
Öyle bir an ki, hayâta doyulmazdı.

Türk Aksağı   Ûdî Sâmi Bey
Seni sevdim seveli güzelim Mecnûn gibiyim,
Bilmem gökde mi, ya yerde miyim, ben nerdeyim
İster isen geleyim pâyini bûs eyleyeyim
Vech-i hüsnünde çöküp eşk-i çeşmimi dökeyim.

Zincîr   Dede Efendi
Yâr misâlini ne zemin-ü zamân görmüştür
Nazîrini ne mekinü-mekân görmüştür
O mihr-i burcu adâletsin ki ey meh-i devrân
Ne bir âdilliği çeşm-i cihân görmüştür.

SUZ-ÎDİL MAKAMI

Ağır Aksak   Leylâ Saz

Âsûman ağlar, hem inler, girye-bâr oldukça ben
Yağdırır bârân-ı mihnet derd-nisâr oldukça ben
Ufka âmâlim karanlık burc-u tâli sim-siyah
Yağdırır bârân-ı mihnet derd-nisâr oldukça ben.

Aksak Semâî   Hacı Sadullah Ağa
Ağır Semâî

Beni ey gonce-fem bülbül sıfat nâlân eden sensin
Hamişe hem-dem sâd nâle vü figan eden sensin
N'ola senden edersem hûn nâ-hâk keştem-i dâvâ
Dem-a-dem bağrımı hasretle zîrâ kan eden sensin

Hafif   Tanbûrî Ali Efendi
Beste

Bilmedik yâri ki bizden bu kadar gâfil imiş
Can hayâl eylediğim bûse bî-kabil imiş
Çektiğim cevr-ü cefâlar yoluna bîhûde
Ettiğim sây-ü emekler ona bî-hâsıl imiş.

Ağır Aksak   Nikogos Ağa
                              Güfte: Mehmed Kâmil Çelebi

Bir nigâh ile beni ey dil-rübâ
Zülfûne ettin esîr-i müptelâ
Yok imiş sende meğer bûy-i vefâ
Goncasın ammâ açılmazsın bana
Neyledim ey gül beden n'ittim sana.

Ağır Aksak   Leylâ Saz
                              Güfte: Avukat Avram Naum

"Bu gönül sevmeyecek gayrı" dedim de kandım
Delilik vaktini elbette geçirmiş sandım
Yetişip bir nazarın aşkımı ikaad etti
Acep endişe-i vuslat neler icâd etti.

Sengin Semâî   Tanbûrî Ali Efendi

Ceyhûn arayan dîde-i giryânımı görsün
Seylâb arayan hüzn ile tûfânımı görsün
Sevdâ-zedelik bilmeye meyyâl ise her kim
Ya zülfünü, ya hâl-i perîşânımı görsün.

Sengin Semâî   Bîmen Şen
                              Güfte: Rıf'at Ahmet Moralı

Çamlarda dolaşsak yine hülyâlara dalsak
Her şeyden uzak gâilesiz biz bize kalsak
Mehtâbda uzak enginlere bin kahkaha salsak
Hep yap yana, hep baş başa, diz dize kalsak.

Düyek   Rıfat Bey
Ey nihâl-i gonce-i bâğ-ı zekâ
Akl-ü irfânın senin hayret fezâ
Görmeye cismin senin bâri hâlâ
İzz-ü nâz ile dâim sen sür safâ.

Düyek   Dellâlzâde
Gücenmiş ol gül-i gülzâr
Dil oldu muzdârip nâçâr
Bu rütbe var iken efkâr
Küçüksu'da ne işin var.

Aksak   Bimen Şen
                                        Güfte: Aka Gündüz

Gül olsam sızsam imbiklerinden
Yaş olsam aksak kirpiklerinden
Kıvransam aşkın ettiklerinden
Âteşin ruhlerin haz verir bana
Yanında ölmek vız gelir bana...

Aksak   Tanbûrî Ali Efendi
Her bir bakışında neş'e buldum
Ben gözlerinin esîri oldum
Tîr-i nigehinle âh vuruldum
Ben gözlerinin esîri oldum.

Sengin Semâî   Ali Salâhi Bey
Kalbimde güzel günleri andım da derinden
Geçtim yine dün eski hazan bahçelerinden
Aşkın daha bak geçmedi bir yaz üzerinden
Geçtim yine dün eski hazan bahçelerinden...

Aksak   Haşim Bey
Mesken oldu bize dağlar
Gül için bülbüller ağlar
Çeşmim yaşı su gibi çağlar
Gül için bülbüller ağlar.

Sengin Semâî   Ali Selâhi Bey
Pek hâhişi var gönlümün ey serv-i bülendim
Yarın gidelim Çamlıca'ya cânım efendim
Red-etme sakın sözümü şûh-i levendim
Yarın gidelim Çamlıca'ya cânım efendim.

Türk Aksağı   Nuri Halil Poyraz
Sevdâ elinin bülbülü susmuş, gülü solgun
Her bir kızı hasret dolu bir kalb gibi yorgun
Şeydâları yok neş'esi ırmakları durgun
Her bir kızı hasret dolu bir kalb gibi yorgun.

Aksak   Leylâ Saz
                             Güfte: İsmail Yaşar Sâdi

Sevdim seni sevmek ne demek anlamadın sen
Öğrense de kalbin ne olur sen bizi sevsen
Sevmek ebedî neşvedir neyyîr-i ahsen
Öğrense de kalbin ne olur sen bizi sevsen.

Bilsen ki nedir girye-i firkat dem-i hicrân
Gülbûse-i firkat, şeb-i gam hande-i cânân
Bir ömre değer bezm-i muhabbetteki her ân
Öğrense de kalbin ne olur sen bizi sevsen...

Türk Aksağı   Hasan Fehmi Mutel
Sevmişti gönlüm bir nev-nihânı
Gitmez gözümden bir dem hayâli
Bir mâh-peyker bir şûh-i âfet
Gitmez gözümden bir dem hayâli.

Semâî   Lem'i Atlı
                             Güfte: Dr. Taşlızâde Edhem
Târ-ı kalbim inliyor mızrabı vurdukça nigâr
Saç perîşân, sîne sûzân, elde ûd-ı nâlekâr
Kim bu hâli seyrederken aklı olmaz târ-ü-mâr
Saç perîşân, sîne sûzân, elde ûd-ı nâlekâr.

Ağır Aksak   İsmet Ağa
Ülfetin geçti efendim arası
Bir gün olur gelir elbet sırası
Söylenilmez şimdi artık orası
Bir gün olur gelir elbet sırası.

Çenber   Ali Rıf'at Çağatay
                             Güfte: Muallim Nâci Bey
Beste
Verdim âteş dillere sûz-i dil-i âvâreden
Eyledim îcâd bin yangın âteş-pâreden
Çâre-sâzım gitme kim rûz-i firâkın derdime
Kat-ı ümmîd ettiğim gündür husûs-u çâreden
Ömrüm, canım, a cânım sûz-i dil-i âvâreden.

Zincîr   Tanbûrî Ali Efendi
Yıkıldı darb-ı sitemden harâb-olan gönlüm
Tutuştu şûle-i gamdan kebâb olan gönlüm
Cünûn belâsına düştüm hevâ-yı perçemle
Esîr-i keşmekeş pîç-ü tâb olan gönlüm.

SUZ-ÎDİLARA MAKAMI

Ağır Semâî   Sultan Selim III
Katre Miyiz?
A gönül cür'amıyız kâr-ı penâh eyleyelim
Yüze çıksın da hıyâbâne şinâh eyleyelim
Kurs-i âyinemizi hâle-i mâh eyleyelim
Sîneye bâri hayâlin çekelim dildârın

Ağır Aksak   Semâî Sultan Selim III
Gülşende yine meclis rindâne donansın
Gül devridir elde mey-i gülgûne dolansın
Bir zevk edelim câm-ı cem'in ağzı sulansın
Ol gonce-i sermest-i sabâh oldu uyansın.

Âyine-i mül gül yüzünü görsün utansın.
Olduk bu gece biz bize ney mey ile dem-sâz
Mey derdime mahrem idi mey âhıma hem-sâz
Pertev edelim bülbül ile nağmeye âğâz
O gonce-i sermest-i sabâh oldu uyansın
Âyine-i mül gül yüzünü görsün utansın...

Aksak   Sultan Mahmud II
Nihâl-i kametin bir gül-fidandır
Senin üftâdegânın bülbülândır
Nigâhın âfet-i cân-ü cihandır
Yamandır şöhret-i hüsnün yamandır.

SÛZ-ÎNAK MAKAMI

Aksak Bestecisi belli değildir.
Âlem-i mehtâba çıksak bir şeb ey âli cenâb
Bir gümüş âyineye dönmüş efendim rûy-i âb
Sabr-ı sâmânım gibi zülfün dağıt etme hicâb
Âfitâb-ı hüsnünü görsün utansın mâhitâb.

Ağır Ağır Tanbûrî Ali Efendi
Güfte: Mehmet Sadi Bey

Âşık oldum sana ey gonca dehen
Sönmez âteşlere yaktın beni sen
Görmeyeydin ne olaydı beni sen
Sönmez âteşlere yaktın beni sen.

Değilim gerçi sana ben lâyık
İhtiyarsız sevip oldum âşık
Merhamet kıl bana oldu yazık
Görmeyeydin ne olaydı beni sen...

Düyek Erol Sayan
Aylardır gül yüzünü göremez oldum senin
Aşkıma inan, söyleme yalan, bekliyorum ben her an.
Bu kadar kalbsiz misin, terkedip gider misin
Ayrılık ölüm, hasretin acı, yok mu aşkın ilâcı.
Kalbimi verdim sana, bırakıp gittin ona
Âşıkım sana, gitme dön bana, yalvarıyorum sana...

Sengin Semâî Neyzen Şevkî Sevgin
Bak şimdi de gönlüm seni andı sana yandı
Kalbimde ölen aşkının hicrânı uyandı
Feryâda gelen bülbül gör, inledi sustu
Kalbimde ölen aşkının hicrânı uyandı.

Curcuna Lâtif Ağa
Benim yârem gibi yâre bulunmaz
Bulunmaz derdime çâre bulunmaz
Ne merhem kâr-eder, ne de tesellî
Bulunmaz derdime çâre bulunmaz.

Aksak Selânik'li Ahmed Bey
Bir günâh ettimse cânâ sûznâk oldum yeter
Sağ iken öldüm, harâboldum, helâk oldum yeter
Pây-i ağyâre serildim, işte hâk-oldum yeter
Sağ iken öldüm, harâboldum, helâk oldum yeter.

Curcuna   Bogos Efendi
Bir nigâhınla kapıldım gönlümü verdim sana
Eyledi tesîr-i aşkın rabt-ı kalbettim sana
Ben nasıl etmem perestîş söyle ey mâhım sana
Eyledi tesîr-i aşkın rabt-ı kalbettim sana.

Yürük Semâî   Sadi Işılay
                                                Güfte: Baha Bey

Bir zamanlar bu gönül aşkına inanmıştı
Seni çılgın gibi sevmiş sözüne kanmıştı
Kalbim senin için benimsin diye yanmıştı
Kalbini ellere verip beni baştan attın.

Aksak   Kanunî Hâlid Bey
                                      (Hünkâr Müezzini Yüzbaşı)

Boş değildir sevdiğim nâz ettiğim
Bir zamanlar vardı gûyâ sevdiğim
Neyleyim şimdi sana meyl etti dil
Geç geçenden varsa aklın sevdiğim.

Aksak   Leylâ Saz
Cânânımı tasdî edemem her elemimle
Hep söyleşirim dertleşirim ben kalemimle
Gâh inleyerek böylece his-si nâgâmimle
Gûyâ ki teselli bulurum yâd-ı gamımla.

Türk Aksağı   Şerif İçli
                              Güfte: Behçet Kemal Çağlar

Cevrin yetişir sanma sakın ol ki sitemkâr
Bir ben kalayım katlanacak şevk alacak yâr
Arttır ki heman cevrini sen, pes desin ağyâr
Bin ben kalayım katlanacak şevk alacak yâr.

Curcuna   Suphi Ziya Özbekkan
Dağıtıp âleme peymâneyi sun zehri bana
Yaraşır tâzelemek derdimi elbet de sana
Acıma hâlime aslâ acı sevdiklerime
Edemem çünki tahammül senin ettiklerine.

Sengin Semâî   Manyâsîzâde Refik Bey
Derdin ne ise söyle hicâb-eyleme benden
Zannım seni ya bâde, ya mutrîbtir eden şen
Çoktanberi mûtâdın iken sohbet-i gülşen
Hiç de bu kadar arz-ı neşât eylemedin sen
Gel bir daha gül handene kurbân olayım ben.

Aksak
Hacı Arif Bey
Güfte: Mehmet Sadi Bey

Çekme elem-i derdini bu dehr-i fenânın
Var destini bûs eyle hemân pîr-i muganın
Sunsun sana bir bâde ki rahat bula cânın
Anlarsın o demde nicedir zevk-î cihânın

Zevk ister isen mey ile meyhânede vardır
Her ne var ise hâlet-i mestânede vardır

Düyek
Gavsi Baykara

Dokunma kalbime zîrâ çok incedir kırılır
O tıpkı mâbede benzer ki orda hıçkırılır
Gülersen aşkıma gönlüm harâb-olur yıkılır
O tıpkı mâbede benzer ki orda hıçkırılır.

Aksak
Hacı Arif Bey
Güfte: Mehmet Sâdi Bey

Edemem kimseye hâlim hikâyet
Gönül senden kime etsem şikâyet
Neler çektim elinden bî-nihâyet
Gönül senden kime etsem şikâyet.

Düyek
Fahri Kopuz
Güfte: Muhiddin Bey

Elem geçer dedik ammâ, hakikat öyle değil
Zevâli yok gam-ı aşkın bu mihnet öyle değil

Hudutsuz güzel olmaz fakat senin hüsnün
Hudûda sığmıyor aslâ bu devlet öyle değil

Olur mu giryân ey ser piyâle nûş-i cemâl
Humârı olmaz o cânım o işret öyle değil

Kopunca bir teli bağlansa da düğümlü kalır
Dokunma gönlüne şart-ı muhabbet öyle değil
Zaman gelir bıkılır mahlardan ey muhi
Fakat o mihre doyulmaz o âfet öyle değil.

Ağır Aksak
Selânik'li Ahmet Bey

Etmiyor hiç merhamet cânâ benim efganıma
Arz eden yok mu acep ahvâlimi cânânıma
Kalmadı bende tahammül tâ dayandı cânıma
Arz eden yok mu acep ahvâlimi cânânıma.

Aksak   Lavtacı Hristaki Efendi
Ey nice dağlar başında böyle efgan edeyim
Yok ki bir yâr-ı şefikim hâl-i zârım söyleyim
Olsa da şimden gerû gönlüm yıkıldı neyleyim
Bu harâb-abâd-ı gamda ne var ki peyleyim
Nâle ney eşkim şarab dildârım olsun câm-ı mey
İstemem bezmimde artık suznâktan başka şey.

Aksak   Şerif İçli
Feryâd ile coştukça şu çamlardaki bülbül
Etrâfa saçarken kokular neş'eli sünbül
Koynunda geçen tatlı zamânı düşünüp de
Ben ağlayayım haşre kadar sen güzelim gül.

Müsemmen   Tatyos Efendi
Gel elâ gözlüm efendim yânıma
Hasretin kâr etti artık cânıma
Tesliyyet-sâz ol dil-i nâşâdıma
Hasretin kâr etti artık cânıma.

Düyek   Hafız Şeydâ Efendi
Gel ey tavr-ı melek-âde
Mükemmel meclis âmâde
Niyâz-eyler bu üftâde
Bana bir bâde var sâde.

Semâî   Necmi Pişkin
                                              Güfte: Karacaoğlan

Gök yüzünde tüten olsam
Yer yüzünde biten olsam
Al benekli keten olsam
Yâr boynuna sarsa beni.

Yâr kolunda burma olsam
Yedikleri hurma olsam
Alçım alçım sürme olsam
Yâr kaşına sürse beni

Ağır Aksak   Selânik'li Ahmed Bey
Gördüğüm yerde seni bûht ile ey gonce dehen
Allah Allah diye ruhsârını seyreyler-iken
Bu gazûbâne nigâhın aceb esbâbı neden
Allah Allah diye ruhsârını seyreyler-iken.

Curcuna   **Hacı Arif Bey**
Gözümden gitmiyor bir dem hayâlin
Meleksin ey güzel yoktur misâlin
Beni ağlattırır derd-i visâlin
Meleksin ey güzel yoktur misâlin.

Sengin Semâî   **Hâfız Mehmet Eşref Efendi**
Günden güne efsûn oluyor kahr-ı azâbım
Ey ömr-ü mükedder yürü azdır bu şitâbın
Mihnet çekecek hâli mi var kalb-i harâbın
Ey ömr-ü mükedder yürü azdır bu şitâbın.

Nîm Sofyan   **İlhami Güreşin**
                   Güfte: Ahmet Hamdi Tanpınar

Güzel gözerinle gözlerime bak
Uzaklaş bir parça kederlerinden
Saçların rüzgârda uçan bir yaprak
Ne kadar güzelsin yaz günlerinden
Varsın bahçelerde rüzgâr gezinsin
Yağmur ince ince toprağa sinsin
Bir başka diyârdan gelmiş gibisin
Dalmış gözlerinle pencerelerde...

Aksak   **Bâkî Duyarlar**
                     Güfte: Şâdi Kurtuluş

Hâlâ eski bir aşkın sevgisi var içimde
Öyle bir aşk yarası sızlıyor yüreğimde
Her damla göz yaşımdan teselli bekliyorum
Öyle bir aşk yarası sızlıyor yüreğimde.

Aksak   **Emin Ongan**
                     Güfte: Hilmi Soykut

Hasretle yanan kalbime yetmez gibi derdim
Bir ömrü senin uğruna rüyâ gibi verdim
Aşk olmasa gönlümde tahammül mü ederdim
Bir ömrü senin uğruna rüyâ gibi verdim.

Ağır Aksak   **Giriftzen Âsım Bey**
Hayli demdir görmedim cânânımı
Âteş-i hicrâne yaktım cânımı
Ben dilerken vuslat-ı cânânımı
Âteş-i hicrâne yaktım cânımı.

Türk Aksağı   **Necip Mirkelâmoğlu**
                         Güfte: Besteciye aittir.

Her şey seni sevdiğim o akşamla başladı
Ufkumda aşk bahârı ihtişamla başladı
Dünyanın mutluluğu gözüme doluşunca
Sanki bir yaz yağmuru damla damla başladı.

Devr-i Hindî   **Emin Ongan**
Hicrân olsa da yoldaş her seferinde
Sevdâ eline yine revân bu gönül
Zâhir-i hâle bakıp köhnedir sanma
Eller diline yine düştü bu gönül.

Sengin Semâî   **Ali Rıfat Çağatay**
                 Güfte: Mehmet Sâdi Bey

Kâr etmedi zâlim sana bu âh-ı enînim
Allah diye feryâd ediyor kalb-i hazînim
Cevrinle senin şâm-ü seher nâle güzînim
Allah diye feryâd ediyor kalb-i hazînim.

Düyek   **Hacı Fâik Bey**
Kuzucağım ne kaçarsın benden
Ayrılır mı bu gönül hiç senden
Ne çıkar böyle tegafüllerden
Ayrılır mı bu gönül hiç senden

Devr-i Hindî   **Rıfat Bey**
Mavi gözlüm ne kadar dilber imiş
Gerden-ü lâl-i lebi sükker imiş
Kıyamam öpmeğe nâzik ter imiş
Sarı saçlım ne perî-peyker imiş.

Meclise neş'e verir irfânı
Toplayıp başına hep erkânı
Lutf-île bendeleri yâd-eyler
Mekkî-i zârı da dilşâd-eyler.

Ağır Aksak   **Selânik'li Ahmet Bey**
          (Perukâr Hakkı Bey olarak da geçer.)
Gülmedim hiç bir taraftan ağlamaz da neylerim
Mehd içinde eşk-i mihnetle açılmış gözerim
Hâlet-i nez'e gelirsen belki hande eylerim
Gülmedim hiç bir taraftan ağlamaz da neylerim

Devr-i Hindî Şükrü Şenozan
Müptelâ-yı derd olan diller devâdan geçtiler
Neşveden âteşlenen neyler neva'dan geçtiler
Yâsemenler, lâleler, güller, çimenler, jâleler
Handeler, demler, terennümler, sabâ'dan geçtiler.

Aksak Mustafa Sunar
Ne kadar kandı gönül o güzel sözlerine
O yeşil gözlerinin can alan kirpiklerine
Dalıyordum bakarak gözlerinin engînine
O yeşil gözlerinin can alan kirpiklerine

Aksak Semâî Dede Efendi
Ağır Semâî

Nesin sen a güzel nesin
Hûri ya melek misin
İki gözümün nûrusun
Hem gönlümün sürûrusun

Saçın sünbül yüzün güldür
Lebin uşşâkına müldür
Gönül şevkînle bülbüldür
Beni ağlatma gel güldür...

Yürük Semâî Emin Ongan
Nihâl-i gülşen-i hüsn-ü ezelsin
Açılmış gonca-i bâğ-ı emelsin
Güzelsin sevdiğim sen pek güzelsin

Ümid-i rahm-ı lûtfundur lûtfundur penâhım
Seni incitmesin hâr-ı nigâhım
Güzelsin sevdiğim sen pek güzelsin.

Aksak Refik Fersan
O siyah gözlerinin sihrine dil bağlayalı
Kanayan kalbimin üstünde adın bir yaradır
Öksüz aşkımdaki son hâtırâna ağlayalı
Gözünün rengini almış gibi bahtım karalıdır.

Curcuna Hacı Arif Bey
Güfte: Muallim Feyzi Bey

Pâbusuna ermek üzre ey yâr
Hâk-oldu reh'inde âşık-ı zâr
Ey âşıka hasm-olan cefâkâr
Maksûduna nâil olmadın mı...

Curcuna   **Ahmet Rasim Bey**

Pek revâdır sevdiğim ettiklerin
Âşıkı günlerce beklettiklerin
Gelmeyip ağyâr ile gittiklerin
Gez, görüş, eğlen, sıkılma zevke bak
Bir gelir insan cihâna, durma çâk...

Gül gibi ruhsâr-ı hüsnün solmadan
Nevcivân kalbinde gam yer bulmadan
Ben gibi mey'ûs devrân olmadan
Gez, görüş, eğlen, sıkılma zevke bak
Bir gelir insan cihâna, durma çâk...

Aksak   **Ûdî İzzed Bey**
          Güfte: Recâî-zâde Mahmud Ekrem Bey

Saklayıp kalb-i mükedderde seni
Anarım âh ile her yerde seni
Bulurum neş'eyi sâgarda seni
Anarım âh ile her yerde seni.

Her fidanda görürüm hey'etini
Her çiçekde duyarım nükhetini
Söyleyip cûlara keyfiyetini
Anarım âh ile her yerde seni...

Aksak   **Cevdet Çağla**
          Güfte: Mustafa Nafiz Irmak

Sâzın gibi al sînene vur, kalbimi inlet
Mehtâb'da bu akşam bana son şarkını dinlet
Her nağmede mâzideki hicrânları yâdet
Mehtâb'da bu akşam bana son şarkını dinlet

Türk Aksağı   **Mustafa Nafiz Irmak**
          Güfte: Besteciye aittir.

Sensiz bu sabâh bir acı rüyayla uyandım
Duydum bütün âlâmımı hicrânıma yandım
Kalbimden akan yaşların ezvâkına kandım
Duydum bütün âlâmımı hicrânıma yandım.

Curcuna   **Zeki Arif Ataergin**
          Güfte: Kerâmettin Efendi
          (Nasûhî Şeyhi)

Sevdim seveli sen güzeli gitti şuûrum
Bir mehveş idim yandı tenim bitti gurûrum
Firkat-zedeyim nerde benim eski sürûrum
Bir mehves idim vandı tenim bitti gurûrum.

Devr-i Kebîr

Dellâlzâde
Güfte: Nedîm

Sînede bir lâhza ârâm eyle gel cânım gibi
Geçme ey rûh-i revân ömr-ü şitâbânım gibi
Cüstücû ettin yine cânâ (Nedîmâ) bendeni
Bir efendi bulmadım devletli sultânım gibi

Ağır Aksak   **Nikogos Ağa**

Sûznâk-i âteş-i aşkım yetiş feryâde gel
El'aman iftâ-yı nâr-ı kalb gam-ı mütâda gel
Zahmet olmazsa sana semt-i harâb-âbâde gel
Merhamet kıl dâd'a gel, insâfa gel, imdâda gel.

Curcuna   **Leon Hancıyan**

Şem'a-i dîdâre yaktın gönlümü sâd âh ile
Hasbıhâl ettim bu şeb ben nâle-i can-gâh ile
Âşıkın vakti geçermiş her zaman eyvâh ile
Hasbıhâl ettim bu şeb ben nâle-i can-gâh ile.

Curcuna   **Selânik'li Ahmet Bey**

Takıldı kaldı gönlüm zülf-ü yâre
Aman doktor bu derde yok mu çâre
İlâç ölmek midir bu dil-fikâre
Aman doktor bu derde yok mu çâre.

Curcuna

Mustafa Nafiz Irmak
Güfte: İbrâhim Sâdi Bey

Ümitsiz bir sevişle zülfüne dil bağlayanlar var
Senin-çün çehrelerde göz yaşından çağlayanlar var
Bir âfet oldu ismin söylenince ağlayanlar var
Senin-çün çehrelerde göz yaşından çağlayanlar var.

Ağır Aksak

Zekâî Dede Efendi
Güfte: Yenişehirli Hüseyin Avni Bey

Vakf-ı râh-ı aşkın etmişken bütün cân-ü teni
Bir nigâh-ı lûtfa lâyık görmedin ey meh beni
Âh a zâlim kimlere şekvâ edem bilmem seni
Bir taraftan olmasa bâri gam-ı çerh-i denî.

Türk Aksağı   **Hacı Arif Bey**

Yandım o güzel gözlere ey şûh-i sitemkâr
Aşkındır eden cânımı bu âteşe dûçâr
Gönlüm yanıyor âteş-i hicrân ile her bâr
Canım alacak sanki benim gamze-i hunhâr

Taş mı yüreğin merhametin yok mu gönül âh
Yandıkça yanar âteş-i hicrân ile ey mâh.

Curcuna   **Ahmet Rasim Bey**
Yâre te'sîr eylemişti olmuş hâlim girye-nâk
İstemişti bir güfte benden, beste benden sûznâk
Emri vâr-olsun fedâdır uğruna cân-ü tenim
İşte yaptım güfte benden, beste benden sûznâk.

Aksak   **Lem'i Atlı**
Yeter hicranlı sözler geçtim ümmid-i visâlinden
Yeter nûr alsın ancak gözlerin mihr-i cemâlinden
Lebimden aldılar sen verdiğin gül bûse-yi lâli
Bugün ben râzıyım bir handeye ruhsâr-ı âlinden.

Curcuna Ali   **Rıfat Çağatay**
Zâr-oldu gönül nazra-i sûziş eserinden
Yandım o senin can yakıcı dîdelerinden
Kurtarmasın Allah yine birden kederinden
Yandım o senin can yakıcı dîdelerinden.

Türk Aksağı   **Ahmet Mükerrem Akıncı**
Zülf-i siyehe bağladığın kalbimi dinle
Gel sînemin âteşlerini yokla elinle
Bir lâhzada sevdim seni gönlümde hayâlin
Hiç saklama fikrin ne, gizlice söyle.

ŞEDD-İARABAN MAKAMI

Sengin Semâî

Lem'i Atlı
Güfte: Hafız Râif Bey

Âmâde iken bâde ile dop dolu bir câm
Berrak sesini mey yerine içtimdi o akşam
İçtikçe hayâlen alarak bûse-i gülfâm
Bir kış gecesi zevkini sürdüktü baharın
Canlanmış idi sanki o dem şevk-i hezârın.

Aksak

Denizoğlu Ali Bey

Bahçelerde aşlama
Aşlamayı taşlama
El sîneye varmadan
Ağlamaya başlama.
Haydindi yâr haydindi
Durma şuradan gidindi...
Elmanın alına bak
Dön de bir haline bak
Yaktın beni kül ettin
İnsafsız haline bak
Haydindi yâr haydindi
Durma şuradan gidindi...
Bahçelerde mor meni
Verem ettin sen beni
Nasıl verem olmayım
Eller sarıyor seni.
Haydindi yâr haydindi
Durma şuradan gidindi...

Düyek

Yesârî Âsım Arsoy

Bu yaz Hünkâr sularında yâr dizine yaslandım
Aşk yolunda yorgun düştüm genç yaşımda uslandım
Zâlim sevdâ bulutundan kaçamadım ıslandım.

Yeşil çınar yaprakları düşer yere saçılır
Akar sular çoğaldıkça gözüm gönlüm açılır

Mor çiçekli tepelerde yârim tanbûr çalarken
Sular çağlar ben gönlümü sevdâlara salarken.
Sol elinin parmağında yüzük varmış görmedim
Ben o yârin safâsını gördüm ammâ sürmedim...

Sengin Semâî

Selânik'li Ahmet Bey

Bülbül ne için dâmen-i yâre el uzattın
Geh hâre, gehi gonce-i gülzâre söz attın
Feryâdın ile gülşeni birbirine kattın
Kes nâle-i dil-sûzunu, pek uzattın.

Aksak   **Şemseddin Ziyâ Bey**
Düşünür hep seni rûhum düşünür bî-pâyân
Buna hâil olamaz başka düşünce bir an
Dâima aks-i cemâlin doğuyor dîdemden
Buna hâil olamaz başka düşünce bir an.

Aksak   **Sadettin Kaynak**
Gecemiz kap-kara sâkî sun elin nûr olsun
Çîleler dolmayacak bâri kadehler dolsun
Avunur belki hayâl ile sabâhın geceler
Çîleler dolmayacak bâri kadehler dolsun.

Müsemmen   **Cevdet Çağla**
Gönlümü mest-eyledin ettin beni Mecnûn-u zâr
Ben seni sevdikçe benden dâima ettin firâr
Anladım ki aşkına yokmuş senin hiç bir karâr
Ben seni sevdikçe benden dâima ettin firâr.

Sengin Semâî   **Bîmen Şen**
Gönlüm yine bir gonca-i nevrûza tutuşlu
Bülbüller ile nâle-i dil-sûza tutuştu
Pür nûr-u emel hüsn-ü dil efrûza tutuştu
Bülbüller ile nâle-i dil-sûza tutuştu.

Düyek   **Dede Efendi**
Gözümden gönlümden hayâlin gitmez
Aylar geçer haber gelir yâr gelmez
Çok zaman sabrettim hicrân tükenmez
Aylar geçer haber gelir yâr gelmez.

Aksak   **Ahmet Mükerrem Akıncı**
Hicran yine gurbette benim kalbime doldu
Artık o siyah örtülü kız beklemez oldu
Gün battı ufuklarda bütün manzara soldu
Artık o siyah örtülü kız beklemez oldu.

Ağır Aksak   **Lem'i Atlı**
                                 Güfte: Avukat Avram Naum

İyd'ini tebrik için ey gül'izâr
Pâyine yüz sürdü cânân-ı bahr
Ağzını öpsün hezâr nağmekâr
Nahl-i ömrüm böyle olsun pâyidâr.

Aksak   Zeki Arif Ataergin

Kız vücûdun gül kokan bir yâsemen olmuş senin
Her yanın bir nağmedir ürpermesinden bûsenin
Kalmasın bir gizli gonca öpmedik koklamadık
Her yanın bir nağmedir ürpermesinden bûsenin.

Devr-i Hindî   Mehmet Kasabalı
Güfte: Ali Bezmî Bey (Foça'lı)

Meclis-i mey sohbetim şen etti nûrun bu gece
Âşıkının yarasına merhem oldun bu gece
Sen tabîb-i çâre-sazsın kim ne derse dinlemem
Bezmî söyler derdini hep sevdiğine bu gece.

Zencîr   Hacı Sâdullah Ağa
Beste   Güfte: Dâniş

Nedem ki sînesi o gül rûhun küşâde olur
Gönülde şevk ve muhabbet daha ziyâde olur
O mâh-ı rûye dedim mihre gösterip danış
Mûrâdım üzere güzel işte bu edâda olur.

Yürük   Semâî Rahmi Bey
Güfte: Besteciye aittir.

Nev-bahârı hüsnüne ermez hazân
Tâzedir terdir civânım her zaman
Dâima parlar yüzünde hüsn-ü ân
Tâzedir terdir civânım her zaman.

Curcuna   Şemseddin Ziya Bey

Oldu şeb mahmûr-u zevkin neşr-i feyz eyler seher
Bezm-i âlem tâbına arz-ı vedâ eyler kamer
Âfitâb-ı nağmelerle karşılar hânendeler
İntihâ-yı vuslatındır sevdiğim bir bâde ver.

Yürük Semâî   Tanbûrî Isak

Pîr olmada gerçi gönül ammâ civân ister
Nevreste nihâl tıfl-ı begüm nev-civân ister
Dem-be-dem çün aşkı derûn olmada efzûn
Câme hâba azm eylemeyi ol nihân ister.

Aksak   Astik Ağa

Seni kim görse derûnunda muhabbet uyanır
Piş-i çeşminde melâhat güneşi doğdu sanır
Bu ne behçet, ne sabahat, buna can mı dayanır
Bir meleksin sana insan deseler kim inanır.

Aksak   Zeki Duygulu
Seni ufkumda doğan bir gece mehtâb sanırım
Seni aydan, seni nûrdan, daha çok kıskanırım
Göremezsem seni bir gün ölürüm, kıvranırım

Hasretin beni kaç yıldanberi
Çıldırttı beni, oldum bir deli
Günlerce senin ismini söyler
Hıçkıran sazımın gamlı telleri.

Semâî   Yesârî Âsım Arsoy
Sofyan   Güfte: Besteciye aittir.
Su çiçeği, su çiçeği, suların nazlı çiçeği
Gel bu akşam sen bize, oturalım diz dize
Bakışalım yüz yüze, öpüşelim göz göze.
Piyano, keman, santurum var,
Def, ud, kanun, tanbûrum var
Hem çalar hem eğleniriz, aşkı sezer kalblerimiz
Sevmez misin eğlenceyi...

ŞEHNÂZ MAKAMI

Sofyan   **Nikolaki**
Bahâr oldu a cânânım
Salın ey kadd-i fettânım
Senindir bu dil-ü cânım
Akıtma çeşm-i giryânım.

Açıldı gül ile sünbül
Figana başladı bülbül
Seni arzu eder hem mül
Buyur mâh-ı kerem-kânım
Sevindir bu dil-ü cânım

Çenber   **Seyyid Nuh**
Beste
Bezm-i meyde sâkîyâ devreylesin mül gül gibi
Bülbül etsin sad hezâran nağmesin gül gül gibi
Bertâraf kıl ruhlerinden turrâ-i müşkînini
Gülistanda olmaya rağbette sünbül mül gibi

Aksak   **Zeki Arif Ataergin**
Güfte: Mesud Kaçaralp
Can mısın, cânân mısın sen, söyle Allah aşkına
Dilde son îman mısın sen, söyle Allah aşkına
Fikr-ü kalbetmez ihâta vüs'ati aşkın senin
Katrede ummân mısın, söyle Allah aşkına.

Aksak   **Şemseddin Ziya Bey**
Denizin dalgasını bekliyorum, dinliyorum
Bir haber almıyorum ağlıyorum, inliyorum
Seni rûhum soruyor kuşlara yıldızlara
Bir haber almıyorum ağlıyorum, inliyorum.

Düyek   **Fâize Ergin**
Dün gece gördüm o yâri dáldım hayâle
Baktım, baktı, bakıştık, çektik piyâle
Güldüm, güldü, gülüştük geldi miyâne
Baktım, baktı, bakıştık, çektik piyâle

Devr-i Hindî   **Dellâlzâde**
Etmedin bir lâhza ihyâ hâtır-ı vîrânımı
Ömrümün vârı sana kurbân ederken cânımı
Meş'al etmişken rikabında dil-i sûzânımı
Sîne-i pür dâğıtımı yaktın kuruttun kaanımı.

Aksak   Rahmi Bey
                                    Güfte: Besteciye aittir.

Ey dilber-i işvebâz
Nedir bu sendeki naz
Yeter ettiğim niyâz
İşte hazır ince saz
Oynasana dil-nüvâz
Gönül eğlensin biraz.

Gamı baştan atalım
Zevkimize bakalım
Sohbeti kaynatalım
Kaymağa bal katalım
Engeli atlatalım
Güzeli oynatalım...

Aksak   Şemseddin Ziya Bey
                                    Güfte: Besteciye aittir.

Ey hâb-ı nâza kanmayan nergis uyan kat câna can
Ruhsârını örten saçı kaldır o mihr-olsun âyân
Aşk arz'a şebnem saçmada nazlı çiçekler açmada
Leyl-i saâdet kaçmadan artık uyan artık uyan.

Aksak   Tanbûrî Mustafa Çavuş
                                    Güfte: Besteciye aittir.

Fırsat bulsam yâre de varsam
Biraz derdimi ona yansam
Yâr elinden halk dilinden
Kurtulamam her ne yapsam.

Yâr yanıma gel sensin benim gönlüm alan
Kimden kime şevkâ edem.

Esrarımı söyleyemem
Aslâ gönül eyleyemem
Hob meşrebli şîvekârsın
Benim diye peyleyemem.

Ağır Aksak Semâî   Hâfız Mehmet Efendi
Hiç yok mu meylin ey perî
Var ise lûtfet gel beri
İş mi fedâ etmek ser'i
Üzdün beni dünden beri
Kılsam şikâyet var yeri.

Evfer

Kemânî Rıza Efendi
Güfte: Sermed Efendi

Merâm-ı andelibin vasl-ı güldür
Gönüldür bu gönüldür bu gönüldür
N'olur sen beni bir kerre güldür
Gönüldür bu gönüldür bu gönüldür.

Aksak

Hacı Arif Bey

Rûbude oldu sim tene gönlüm
Koyuldu nâle vü efgane gönlüm
Eğer mahz olsa yâne gönlüm
Koyuldu nâle vü efgane gönlüm.

Sofyan

Kemânî Nevres Paşa
Güfte: Bayburt'lu Zihni

Vardım ki yurdundan ayağ göçürmüş
Yavru gitmiş ıssız kalmış otağı
Câmlar şikest olmuş, meyler dökülmüş
Sâkîler meclisten çekmiş ayağı.

Lâleyi, sünbülü, gülü hâr almış
Zevk-ü şevk ehlini âhü-zâr almış
Süleyman tahtını sanki mor almış
Gam'a tebdil olmuş ülfetin bağı.

Zihni dert elinden her zaman ağlar
Vardım ki bağ ağlar, bâğ-ı-bân ağlar
Sünbüller perîşân, güller kan ağlar
Şeydâ bülbül terkedeli bu bağı...

Aksak

Lâtif Ağa

Yine hasret-keş-i dildâr oldum
Acınır hâle giriftâr oldum
Bâis-i hande-i ağyâr oldum
Acınır hâle giriftâr oldum.

Ağır Aksak

Rıfat Bey

Zülfüne baktıkça ey şûh-i cihan
Eylerim baht-ı siyâhımdan figan
Nâle-i feryâddır kârım hemân
Eylerim baht-ı siyâhımdan figan...

ŞEHNAZ PÛSELİK MAKAMI

Aksak Sedat Öztoprak
Cûş edip göz yaşı ister çağlamak
Dûş olup aşka ne hoştur ağlamak
Çâre sazdır sülfûne dil bağlamak
Dûş olup aşka ne hoştur ağlamak.

Darbeyn Zekâi Dede Efendi
Nîm Sakil- Berefşân (Beste)
Feryâd kim feryâdımı gûş etmez ol sîmin beden
Dilden mi, aşkımdan mı, bahtımdan mıdır bilmem neden
Ben bir gârîb âşıkam andan kulak asmaz bana
Bir müddea'ya bir delil gûşumdaki dürr-i eden.

Aksak Hâfız Mehmet Efendi
Gelmez oldun sevdiğim hiç yânıma
Varsa girmektir mûrâdın cânıma
Bir niyâzım var benim sultânıma
Gel teselli ver dil-i nâşâdıma.

Yürük Semâî Zekâî Dede Efendi
Kul oldum bir cefâkâre cihan bağında gülfemdir
Mecâlim yoktur inkâre firâkı bana mâtemdir
Gönül sevdi o şehnâzı tükenmez şîve vü nâzı
Güzellerin seref-râzı gören vaslına hurremdir.

ŞEVK-EFZÂ MAKAMI

Aksak

Nuri Şeydâ Bey

Arz-ı dîdâr eyle ey bedr-i garâm
Sensin ancak sensin aksâ-yı merâm.
Tal'atın göster gönül olsun bekâm
Sensin ancak sensin aksâ-yı merâm.

Devr-i Hindî

Tanbûrî Hikmet Bey
Güfte: İhsan Râif Hanım

Ben esîr-i handenim, üftâdenim, ey gül-tenim
Gözlerin kur'ân-ı aşkımdır, kucağın cennetim
Olsa da hattâ cehennem, orda yanmak isterim
Gözlerin kur'an-ı aşkımdır, kucağın cennetim.

Müsemmen

Hasan Fehmi Mutel

Bûseler vâdeylemiştin âşık-ı hayrânına
Leblerin hattâ kefil olmuştu bu ihsânına
Sanma aşk matlabından vazgeçer de borç kalır
Sen inâd et sevdiğim, âşık kefilinden alır.

Aksak

Medenî Aziz Efendi

Dem-â-dem dîde giryân oldu sensiz
Cihân başıma zindân oldu sensiz
Hem işim kârım fegân oldu sensiz
Cihân başıma zindân oldu sensiz.

Ağır Semâî

Hâfız Mehmed Efendi
(Kömürcü-zâde)

Dil besteye lûtf-u keremin mahzâr eyle
Üftâdelere şevkat ile bir nazar eyle
Ümid ile dil oldu esîr-i ser-i giysû
Baştan çıkarırsın ânı âhır hazar eyle
Gel cânım nev-edâsın pür vefâsın
Sen şeh-i lûtf-u atâsın gel kerem eyle...

Çenber
Beste

Dede Efendi

Ermesin el o şehin şevket-i vâlâlarına
Esmesin bâd-ı keder serv-i dilâlarına
Zât-i mahsûs ola dâim nâzar-ı pür-şerden
Bakmasın aynı âd-u rûy-i dilâlarına.

Aksak

Rıfat Bey

Ey güzellik burcunun mâh-i gönül pirâyesi
Rûh-u cismimsin benim ömrümün sermâyesi
Sende ancak aransa hüsn-ü ânın gayesi
Rûh-u cismimsin benim ömrümün sermâyesi.

Aksak — Sultan Selim III

Ey serv-i gülzâr-ı vefâ
Niçin ettin bize cefâ
Unutuldu hayâl oldu
Ettiğimiz zevk-u safâ
Gel güzelim zevk edelim
Etme bana cevr-ü cefâ...

Elâ gözün mestânedir
Âşık sana bigânedir
Bilmez misin benim hâlim
Bu tegafül cânânedir.
Gel güzelim zevk edelim
Etme bana cevr-ü cefâ...

Curcuna — Sâdun Aksüt
Güfte: Mustafa Nâfiz Irmak

Gözlerim gözlerinin üstüne düşsün yansın
Bir kadehten içelim rûhumuz aydınlansın
Sen ateşten yaradılmış gibi bir ceylânsın
Bir kadehten içelim rûhumuz aydınlansın.

Türk Aksağı — Şerif İçli

Günlerce onun lûtfuna, ihsânına düştüm
Bir bûse için destine, dâmânına düştüm
Lûtfetti güzel sîne-i üryânına düştüm
Aşkın ezelî servet-i sâmânına düştüm.

Sengin Semâî — Cevdet Çağla

Hicran gibi âlemde elîm derd-i ser olmaz
Sen bezmimize geldiğin akşam neler olmaz
Dîdârına benzer şafak olmaz seher olmaz
Sen bezmimize geldiğin akşam seher olmaz.

Hafîf — Hâfız Mehmed Efendi
Beste (Kömürcü-zâde)

Hüsn-ü zâtın gibi bir dilber-i sîmin endâm
Görmemiş devredeli âlem-i çeşmim eyyâm
Hâl-i müşkîn şîkenin şîvezen-i şehr-i huten
Çîn-i zülf-ü siyehin arbede-i hutta-i Şam.

Yürük Semâî — Dede Efendi

Ser-i zülf-ü anberini yüzüne nikab edersin
Beni böyle hasretinle ciğerim kebâb edersin
Ne senin gibi güzel var, ne benim gibi cefâ-keş
Ele rağbet-ü nevâziş kuluna i'tâb edersin.

Sofyan Medenî Aziz Efendi
Pâdişâhım olsun efzûn ömr-ü şân-ı şevketin
Kıldı tenvîr âlemi nûr-i ziyâ adâletin
Derd-i mihnetten gönül kurtulmadı
Pâyidâr olsun cihan durdukça devletin
Gülistânın şevkefzâ etti şevketin.

Aksak Hayri Yenigün
Güfte: Faruk Nâfiz Çamlıbel

Şimdi ay bir serv-i simîndir suda
Sustu bülbüller hıyâbân uykuda
Âh eden kimdir bu saat kuytuda
Esme ey bâd esme cânân uykuda.

Aksak İsmail Baha Sürelsan
Güfte: Mahmud Nedim Güntel
Yine bir bâd-ı hazan esti, güzel, bahçemize
Yine bir başka bahar hasreti düştü bize
Bir ümid vermeden hülyâmıza bir damla çiçek
Yine bir başka bahar hasreti düştü bize.

TÂHİR MAKAMI

Hafif   **Küçük Müezzin Mehmed·Efendi**
Beste

Bâğ-ı-bân sünbül okur biz dahi giysû diyelim
Nâfe-i âhuya gerekse bize de bu diyelim
Çünki hercâilik etti bize de mehrûler
Geliniz biz de vefâsızlara yâhu diyelim...

Ağır Aksak Semâî   **Şâkir Ağa**

Bir şûhun oldun mâili
Eltâfının yok nâili
Var mı acep bir kabili

Çeşm-i ânın mestânedir
Dil rûyine pervânedir
Gayrı bana bigânedir

Yahşî yamandır sözleri
Âhû misâli gözleri
Çoktur o şûhun sözleri...

Aksak   **Lavtacı Hristaki Efendi**

Efem şimdi eller sözüne kandı
Vefâsızdan benim cânım, aman efe pek yandı
Geçti muhabbetin o bir zamandı
Vefâsızdan benim cânım, aman efe pek yandı.

Düyek   **Fehmi Tokay**

Gönül vermişken el çektim güzelder.
Yıkıldım cevrile çöktüm tezelden
Esen bâd-ı hazandır şimdi rûha
O sevdâlar ezeldenmiş ezelden.

Severdim canla kendimden geçerdim
Libâs-ı aşkı dillerden biçerdim
İçersem yârin aşkıyle içerdim
O Leylâlar ezeldenmiş ezelden.

Gül endâma gönül bağlar yaşardım
Gecem gündüzdü sahrâlar aşardım
Beni Mecnûn sanırlardı şaşardım
O hülyâlar ezeldenmiş ezelden...

Aksak   Tanbûrî Mustafa Çavuş

Hiç unutmaz beni derdim
Sana ben gönlümü verdim
Yine bugün yâri gördüm.

O güzeldir gönlümü alan benim
Âh cânım, âh seni sevdim beğendim...

Başına gelmeyen bilmez
Derûnum âteşi sönmez
Her âşık bu cevri çekmez

O güzeldir...

Gör bu âşık bana neyler
Elimde tanbûrum inler
Kemân-kaşım nağme gönder

O güzeldir...

Yürük Semâî Seyyid Nûh

Ne hevâ-yı bâğ-ı ruhsâr, men esîr-i zülf-i yârem
Nice olmayım hevâ-dâr, men esîr-i zülf-i yârem
Ne çemen, ne sâye-i gül, ne sabâ, ne bûy-i sünbül
Neler etti bana bülbül, men esîr-i zülf-i yârem.

TÂHİR PÛSELİK MAKAMI

Sengin Semâî Hafız Mehmet Eşref Efendi
Âteş yakıyor dilde hayâlin gece gündüz
İşgal ediyor sonra visâlin gece gündüz
İhya-yı vücûd etmek için şiveler eyler
İşgal ediyor sonra visâlin gece gündüz.

Düyek Nuri Halil Poyraz
Behey zâlim nidersin sen?
Ben ağlarken gülersin sen
Niçin zulmü seversin sen
Ben ağlarken gülersin sen.

Beni candan usandırdın
Yalan sözlerle kandırdın
Nihâyet aşka yandırdın
Ben ağlarken gülersin sen.

Bilmem kimi seversin sen
Bulunmaz bir gühersin sen
Ölümsüz bir kamersin sen
Ben ağlarken gülersin sen...

Düyek Zeki Arif Ataergin
Birdenbire kayımdan girdi o sarhoş güzel
Al şarabtan içerek yaklaştı adım adım
Bütüm yüzüm göz oldu, gözlerim bir el
Dalgalanan saçların büklümünü okşadım.

Curcuna İbrahim Tuğberk
Ceylân bakışın bezmimizi kırdı geçirdi
Hülyâlı güzel her gece rüyâmıza girdi
Binlerce gönül aşkının uğrunda delirdi
Hülyâlı güzel her gece rüyâmıza girdi.

Devr-i Kebîr **Mehmet Ağa**
Beste Güfte: Enderûni Osman Vâsıf Bey
Dest-i sâkîden çekip câm-ı neşat-ı cem gibi
Başladım ol şevkile cûş-u hurûşa yem gibi
Vâsıfâ mecrûh-u hicrânımı unulmaz yâresi
Sarmadıkça yâri zahm-ı sîneye merhem gibi.

Ağır Aksak   Aral Cemal Calân Bey
Güfte: Şeyh Galip

Fâriğ olmam eylesen yüz bin cefâ sevdim seni
Böyle yazmış alnıma kilk-i kazâ sevdim seni
Hastayım ümmid-i vuslat çeşm-i bîmârındadır
Bir devâsız derde oldum müptelâ sevdim seni.

"Sadettin Kaynak tarafından Isfahan makamında da bestelenmiştir."

Aksak   Bîmen Şen
Geliyor benim edâlı yârim
Bak ne şirindir bak şivekârım
Bütün hayâtım şâd-ü mesârım
Bak ne şirindir bak şivekârım

Ağır Aksak   Muallim Kâzım Uz
Görmesem gül yüzünü gece ey mâh-ı cenân
Her dakikam geliyor kalbime bir sâl-i hazân
Şeb-i muzlim gibidir çeşmime her yan
Her dakikam geliyor kalbime bir sâl-i hazân.

Sengin Semâî   Lem'i Atlı
Her subh-u mesâinle sînemde kemânım
Ey mülh-i meîşür-ü garâmın yine kanmam
Tâ haşre kadar gönlümü yaksa nagamâtın
Ey mülh-i meîşür-ü garâmın yine kanmam.

Aksak   Selâhaddin Pınar
Güfte: Mithat Ömer Karakoyun

Kız göğsüne taktığın o kan kırmızı güller
Ne de yakışmış sana sende bütün gönüller
Gülden daha tazesin gülmek süslemek çağın
Senin de dört yanını kuşatıyor bülbüller.

Müsemmen   Ziyâ Bey (Üsküdar'lı)
Nîm nigâha kail oldum yok mudur bir harf atış
Sâde çeşm-i mestine mahsûs mudur bu yan bakış
Yoksa isyânım mı var söyle nedir bu kaş çatış
Sâde çeşm-i mestine mahsûs mudur bu yan bakış.

Yürük Semâî   Hacı Sadullah Ağa
Güfte: Enderûnî Osman Vâsıf Bey

O gül endâm bir al şâla bürünsün yürüsün
Ucu gönlüm gibi ardında sürünsün yürüsün
Alıp âğuşâ bu çağında meyân-ı nâzın
Saran ol serv-i kadd-i (Vâsıf) öğünsün yürüsün.

Aksak

Zekâî Dede-zâde
Hafız Ahmet İrsoy Bey
Güfte: Mehmed Hafîd Bey

Seni candan severim aşkına kurbân olurum
Ölürüm feyz-i garâmınla yine can bulurum
Sanma ölmekle bu sevdâ tükenir kurtulurum
Ölürüm feyz-i garâmınla yine can bulurum

"Nasibin Mehmet Yürü tarafından Hicazkâr makamında da bestelenmiştir."

Aydın

Hakkı Bey

Yandım sana ey gonce-ter
Üzdün beni gayrı yeter
Dâim gönlüm seni ister
Üzdün beni gayrı yeter.

Yaktın beni ey gül-i ter
Çektiklerim artık yeter
Firâkınla oldum beter
Üzdün beni gayrı yeter...

UŞŞÂK MAKAMI

Curcuna   **Necdet Varol**
Ağaran saçların rengine dalıp gezindik şu ömür bahçelerinde
Nice bin hâz ile geçen demleri yeniden yaşadık hayâl içinde
Kızaran gurûbun sihriyle yanıp uyandık yine aşk bahçelerinde
Yudum yudum, renk renk yok oldu zaman nice bin hâz ile
Bir ân içinde....

Aksak   **Rahmi Bey**
                                             Güfte: Nef'î

Ağyâre nigâh etmediğin naz sanırdım
Çok lûtf imiş ol âşıka ben az sanırdım
Gamzen dil-i rüsvâ-yı cihân etti nihâyet
Çok lûtf imiş ol âşıka ben az sanırdım.

Aksak   **Ahmet Râsim Bey**
                                       Güfte: Besteciye aittir.

Aman sâkî, canım sâkî
Doldur doldur da ver
Neş'emde var bir terakkî, yaşa
Doldur doldur da ver.

Bir bûsecik bâşın için
Koklat koklat da ver
Bugün bize bayram düğün, yaşa
Doldur doldur da ver...

Müsemmen   **Rüştü Eriç**
                              Güfte: Mustafa Nâfiz Irmak
Anladın da derdime bir lâhza dermân olmadın
Kalbimi yıktın harâb ettin de giryân olmadın
Bir kadeh sundun bana sevdâ-yı zehrinle dolu
Kalbimi yıktın, harâb ettin de giryân olmadın.

Aksak   **Şevki Bey**
Arzu ediyor vuslat-ı can bahşını cânım
Kurbân olayım gözlerine rûh-i revânım
Gel etme diriğ hasret ile bitti tüvânım
Kurbân olayım gözlerine rûh-i revânım.

Curcuna   **Enderûnî Ali Bey**
Aşkın ile bülbül gibi artmaktadır âhım
Kaydet beni de defter-i uşşâka a mâhım
Affeyle eğer şûh-i cihân varsa günâhım
Kaydet beni de defter-i uşşâka a mâhım.

Düyek

Yılmaz Yüksel
Güfte: Cemal Bora

Alemde safa
Bizde hep cefa
Kalmadı vefa
Sen ol da içme

Gönülde perde
Düştük bir derde
Gariplik serde
Sen ol da içme

Çileli başım
Ağardı saçım
Geçiyor yaşım
Sen ol da içme.

Sengin Semâî

Marko Çolakoğlu
Güfte: Besim Bey

Âvâre gönül lûtfunu bir gün görecek mi
Bir an gelecek âşık-ı giryân gülecek mi
Bilmem ki sevenler sevilenler ölecek mi
Bir an gelecek âşık-ı giryan gülecek mi.

Nîm Sofyan

Türkü

Ayva çiçek açmış yaz mı gelecek
Gönül bu sevdâdan vaz mı geçecek
Bana ettiklerin az mı gelecek
Yandım Allah yandım yandırma beni
Derin uykulardan kaldırma beni,
Seviyorum diye kandırma beni...

Ayaş yollarından aştım da geldim
Boyunu bosunu ölçtüm de geldim
Güzeller içinden seçtim de geldim
Yandım Allah yandım yandırma beni
Derin uykulardan kaldırma beni,
Seviyorum diye kandırma beni...

Ayaş yollarında kervanın mı var
Beni öldürmeye fermânın mı var
Ağlamaya sızlamaya dermânın mı var
Yandım Allah yandım yandırma beni
Derin uykulardan kaldırma beni,
Seviyorum diye kandırma beni...

Aksak   Refik Fersan
Bahar rüzgârında bir fidan gibi
Salınıp giderken çıktım yoluna
Aman meleğim, aman bebeğim, aman hey
Salınıp giderken çıktım yoluna.
Güldü; ne olacak, sonumuz dedi
Belli ki acıdı bükük boynuma
Aman meleğim, aman bebeğim, aman hey
Salınıp giderken çıktım yoluna.

Aksak   Yusuf Nalkesen
                              Güfte: Fuad Edip Baksı

Bahtım gibi bak gözlerinin rengi de esmer
Gel üzme beni söyle neyin var yine dilber
Ayrılmayacak bir daha mâdem ki gönüller
Gel üzme beni söyle neyin var yine dilber.

Ağır Aksak   Selânik'li Ahmet Bey
Baktı bir goncaya bir hâre gönül
Açmadı derdini dildâre gönül
Çâre yok derdini izhâre gönül
Minnet etmem dedi ağyâre gönül
Düştü sahrâlara âvâre gönül
Çâresiz kaldı bu bî-çâre gönül.

Sofyan   Zeki Duygulu
Başımda siyâhım var
Güzellerde âhım var
Kimse bana yâr olmaz
Benim ne günâhım var.

Gel, üzme artık beni
Seviyorum ben seni...

Aynam düştü çayıra
Şavkı vurdu bayıra
Ben yârimden ayrılmam
Meğer ölüm ayıra.

Gel...

Aynam düştü yerlere
Karıştı gazellere
Tabiatım kurusun
Bakarım güzellere.

Gel...

Aksak   Rakım Elkutlu
                             Güfte: Orhan Rahmi Gökçe

Bana hiç yakışmıyor böyle intizâr şimdi
Mâtem-zede gönlümde hayat bir mezar şimdi
Ne ses var ne kahkaha her şey âh-ü-zâr şimdi
Nerde kaldı o âhû nerde lâlezâr şimdi

O benim mehtâbımdı, o benim güneşimdi
O benim her yeşimdi, o benim mehveşimdi
O benim tesellîmdi, o benim son eşimdi.

Aksak   Tanbûrî Ali Efendi

Benim yârim güzeller serveridir
Melâhat burcunun bir ahteridir
Yoluna cânımı versem yeridir
Ben-i âdem değildir bir peridir
Nâzenîndir dil-rübâdır
Sevmesi cânâ sefâdır

Âşık-ı üftâdegâna
Ettiği lûtf-u atâdır
Ben-i âdem değildir bir peridir.

Curcuna   Selânik'li Ahmed Bey

Bezm-i cemde göremem dil-bâzımı
Arşa çıksın isterim âvâzımı
Böyle kurdum ben de şimdi sâzımı
Arşa çıksın isterim âvâzımı.

Aksak   Erol Sayan
                             Güfte: Mehmet Gökkaya

Bıktım taşımaktan şu yanan kalbi usandım
Yok zevki bu ömrün güzelim sensiz inandım
Yıllar yılı sevdim seni yıllar yılı andım
Yok zevki bu ömrün güzelim sensiz inandım.

Sengin Semâî   Enderûnî Ali Bey

Bî-rahm-ü vefâ sen gibi mehpâre bulunmaz
Pür renc-ü âna ben gibi âvâre bulunmaz
Gamzen gibi hunrîz-i hayâl etme ne mümkün
Dâğ-ı dil-i sevdâ-zedeye çâre bulunmaz.

Sengin Semâî   Lem'i Atlı
                             Güfte: Hamid Refik Bey

Bir çift göz olup gönlüme bir hamlede aktın
Aşkın beni Mecnûn'a çevirdi de bıraktın
Ezdin beni, üzdün beni, yaktın beni yaktın
Aşkın beni Mecnûn'a çevirdi de bıraktın.

Curcuna   **Zeki Duygulu**

Bir gün geleceksin diye bekler deli gönlüm
Mecnûn gibi çılgınca sever deli gönlüm
Yoksun diye ağlar yine sızlar deli gönlüm
Mecnûn gibi çılgınca sever deli gönlüm.

Düyek   **Yesârî Âsım Arsoy**
               Güfte: Besteciye aittir.

Bir hâtıra-yı aşksın unutmam seni
Mehtâblı gecelerde hatırla beni
Hayâlimden silemem yakan bûseni
Mehtâblı gecelerde hatırla beni.

Aksak   **Şevki Bey**

Bir melek-sîma peri gördüm der-i meyhânede
Kalmadı gamdan eser aslâ dil-i dîvânede
Var imiş bir başka hâlet sohbet-i mestânede
Gözlerim sâkide kaldı ellerim peymânede.

Curcuna   **Şevki Bey**
              Güfte: Sâbih Şevket

Bîzâr ediyor âlemi bu hâl-i tebâhım
Bilsen neler etmekte bana benim baht-ı siyâhım
Olmazsan eğer sende benim cây-i penâhım
Dinler mi acep başkası nâle vü âhım

Aksak   **Tatyos Efendi**
            Güfte: Ahmet Rasim Bey

Bu akşam gün batarken gel
Sakın geç kalma erken gel
Tahammül kalmadı artık
Sakın geç kalma erken gel.

Cefâ etme bana mâhım
Sonra tutar seni âhım
Üzme beni şive-kârım
Sakın geç kalma erken gel...

Aksak   **Şevki Bey**
Bu dehrin germ-ü serdinden
Gönül bıktım usandım ben
Değil hattâ ki kendimden
Gönül bıktım usandım ben.

Ağır Aksak
Muallim Kâzım Uz

Bunca yıllar geçti hayfa, gelmiyor hâlâ sesin
Doğrusu lâyık mı kalbim, hasretinle inlesin
Merhametsiz ben miyim gel söyle, yoksa sen misin
Doğrusu lâyık mı kalbim, hasretinle inlesin.

Curcuna
Giriftzen Âsım Bey

Cânâ rakîbi handan edersin
Ben bî-nevâyı giryân edersin
Bigânelerle ünsiyyet etme
Bana cihânı zindân edersin.

Aksak
Giriftzen Âsım Bey
Güfte: İsmâil Safâ Bey

Çaldırıp çalgıyı rakkaseleri oynatalım
Okuyup şarkı gazeller sözü saza katalım
Dehre cennet diyelim kendimizi aldatalım
Çekelim şîşeyi endişeyi baştan atalım
Gülelim eğlenelim bezmimizi parlatalım.

Aksak
Suphi Ezgi

Güfte: Tanbûrî Mustafa Çavuş
Çok takılmam utanma gel
Gir hâneme görmesin el
Dile gelmiş söyleniyor
Gülüşü hem hüsnü güzel.
Dilâ nûr âşıklar gezer
Geliyor perçemi güzel...

Yaklaşarak güzel çattın
Beni perendenden attın
Doğru söyle tanbûrîye
O hüneri kimden kaptın.

Devr-i Hindî
Şerif İçli
Güfte: Kemal Tözem

Değirmene un yolladım
Nişanlımı dün yolladım
Ben yâdele ün yolladım
Mehmet gitti askere
Alır gelir teskere.

Açık sana yol Mehmed'im
Aman çavuş ol Mehmed'im
Gel gönlüme dol Mehmed'im
Mehmet gitti askere
Alır gelir teskere...

Aksak   Hacı Arif Bey
Derdinle senin ey gül-i nevreste nihâlim
Gör ki ne yaman oldu benim sûret-i hâlim
Taş mı yüreğin merhametin yok mu a zâlim
Sabrım tükenir kalmadı âzâre mecâlim
Zâlimleri rahme getirir hüzn-ü melâlim.

Düyek   Arif Sami Toker
Dalında solarken akşamın gülü
Ufuktan çözülmüş güneşin tülü
Dinlerken kırlarda yanık bülbülü
İçmesem bir türlü, içsem bir türlü...

Akşam üstü çatmış muhabbet demi
Kurmuştur erenler meclis-i cem'i
Başımdan eserken hicran meltemi
İçmesem bir türlü, içsem bir türlü...

Devr-i Hindî   Mahmud Celâleddin Paşa
Döküp kâküllerin ruhsâre karşı
Gel-endâmın açıl gülzâre karşı
Gül oyna zevke bak ezhâre karşı
Gül-endâmın açıl gülzâre karşı.

Düyek   Rüştü Şardağ
Dünyâmı unuttur bana hicrânı harâm et
Gül, gül de o gül leblerini bir dolu câm et
Sen gelmediğin anda kopar sanki kıyâmet
Gül, gül de o gül leblerini bir dolu câm et.

Düyek   Tanbûrî Fâize Ergin
Elimde sâgar isterim
Yanımda dilber isterim
Terâne-perver isterim
Yerimde gülşen olmalı.
Humârı var mı istemem
Uzun gider ney istemem
Hülâsa bir şey istemem
Fakat gönül şen olmalı.
Demetle topla gül getir
Piyâlelerle mül getir
Pek istiyor gönül, getir
Ne olsa senden olmalı...

Curcuna   Şevki Bey
Esîr-i zülfünüm ey yüzü mâhım
Gece doğmuş benim baht-ı siyâhım
Güzel gün görmeye var iştibâhım
Gece doğmuş benim baht-ı siyâhım...

Devr-i Hindî   Şevki Bey
Etmesin avdet melâl-i intizâr
Geçme ömrüm geçmeden ay nev-bahâr
Eyleriz birlikte âlemde güzâr
Geçme ömrüm geçmeden ey nev-bahâr

Varsa üç beş gün bekâsı ömrümün
Olmasın muktel mânâsı ömrümün
Sende olsun intihâsı ömrümün
Geçme ömrüm geçmeden ey nev-bahâr.

Düyek   Bîmen Şen
Ey kuş neden mahzûn durursun böyle
Garîb garîb niçin ötersin böyle
Eşinden mi ayrı düştün, gel söyle
Garîb garîb niçin ötersin böyle.

Şu elmastan çaylar, zümrüt çemenler
Şimdi neden sana veriyor keder
Zavallı kuş hâlin bana pek benzer
Garîb garîb niçin ötersin böyle.

Aksak   Sami Serimer
                           Güfte: Cahit Öney

Feleğin cevrini çektim yine feryâd edemem
Beni yaksan da vefâsızlığı isnâd edemem
Senin aşkınla harâb oldu hayâtım fakat
Öleceksem bile aslâ seni nâ-şâd edemem.

Sofyan   Kemânî Tatyos Efendi
Kesik Kerem Naziresî
Gamzedeyim devâ bulmam
Garîbim bir yuva bulmam
Kaderimdir hep çektiren
İnlerim hiç rehâ bulmam.

Elem beni terketmiyor
Hiç de fâsıla vermiyor
Nihâyetsiz bu tâkibe
Doğrusu tâkat yetmiyor...

Aksak   İstanbul Türküsü
Fındıklı bizim yolumuz
Eşim aman aman
Hovarda çıktı soyumuz
O bizim eski de huyumuz
Eşim aman aman...

Fındıklı'dan geçersin
Eşim aman aman
Salına salına, sigara da içersin
Ne alır ne vaz geçersin
Eşim aman aman...

Sen hancı, ben yolcu çatma da kaşların
Sar dola boynuma saçların...

Ağır Aksak   Şevki Bey
                Güfte: Mehmed Sâdi Bey

Gâh ümmid-i vuslat eylersin gönül
Gâh devâm-ı firkat istersin gönül
Gâh ikisin birden istersin gönül
Sen de bilmezsin ki neylersin gönül.

Müsemmen   Fehmi Tokay
Gelmedin bir kerreden mâdâ neden
Başka hiç bir şeyle gönlüm dolmuyor
Râzıyım rüyâda görsem gelmesen
Aşk yanan gözlerde gün hiç solmuyor
Uykusuz gözlerde rüyâ olmuyor.

Curcuna   Şükrü Tunar
Gezer dolaşırsın her an gönülde
Bana kokarsın sen lâlede gül'de
Girdin gönlüme gizlendin derinde
Beni yaşatmak da senin elinde
Beni öldürmek de senin elinde...

Aksak   Dede Efendi
Gitti de gelmeyiverdi
Gözlerim yollarda kaldı
Hele nazlım nerde kaldı
Ne zaman, ne zaman gelir.
Gel a nazlım lâhûri şallım
Sağı solu dolaşalım
Ne zaman, ne zaman gelir...

Sofyan Ahmet Çağan
Gel Kalender'de sefâyâb olalım mey çekelim
Gül açıldıkça su aktıkça peyâpey çekelim
Hay huyunda koyup âlemi hey hey çekelim
Gül açıldıkça su aktıkça peyâpey çekelim.

Curcuna İsmail Hakkı Nebiloğlu
Gizli derdim kalbimdedir onu ancak bilen bilir
Gece gündüz ben ağlarım göz yaşımı silen bilir
Sevdâ bir ateşten gömlek onu yalnız giyen bilir
Sevdiğimi bir ben bir de şu kalbime giren bilir.

Semâî Yılmaz Yüksel
Güfte: Ahmet Aymutlu

Gönlüme gir doğ güneşim
Kalbimi yak aşk ateşim
Kimsesizim yoktur eşim
Yandı hayat, söndü emel.

Koyda yanan bir ışığım
Bir kuruyan sarmaşığım
Kalbe akan hıçkırığım
Yandı hayat, söndü emel.

İçtim elem ırmağını
Gezdim o sevdâ bağını
Koklamadım zanbağını
Yandı hayat, söndü emel...

Müsemmen Emin Ongan
Güfte: Ahmed Rasim Bey
Gönlünün bir hâli var ki gam değil, kasvet değil
Neş'e dersen hiç değil mahzûnî- firkat değil
Anlatır belki bu sözler derdimi erbâbına
Gönlüm üzdün nâz ü istiğnâ ile ey şîvekâr
Mey o mey, cânân o cânân, sohbet ol sohbet değil.

Aksak Semahat Özdenses
Gönül hasretle giryândır
Senin aşkınla nâlândır
İşim hep âh-ü efgandır
Benim hâlim perîşândır.

Curcuna Fehmi Tokay
Gördümse seni rûhuma gir oy demedim ya
Sevdimse seni kalbe ateş koy demedim ya
Yoktur bu kadar yanmaya gönlümde tahammül
Sevdimse seni kalbe ateş koy demedim ya...

Devr-i Hindî Şerif İçli
Güfte: Hikmet Münir Ebcioğlu
Gözlerin hayrân bakarmış görmeyip ısrârımı
Bilmiyor âvâre gönlüm öldüren kalb ağrımı
İstemem bir aşk yeter ben şimdi buldum yârimi
Her sevişmek bir sefer yakmak demektir bağrımı.

Sofyan Sadettin Kaynak
Gül derler bana gül derler
Ben yâr için ağlarım, niçin bana gül derler.
Meler gelir, meler gelir, kuzular meler gelir
Yiğit aşka düşünce, başına neler gelir.
Yâri ellerle gördüm, aklıma neler gelir.
Hicrân oku sevdiğim, sînemi deler gelir.
Dağıtır anam dağıtır, yel eser duman dağıtır
Nefsin kör dağıtır...
Çıktım dağın başına, sordum bu ne dağdır
Çirkinler otağ kurar, güzel gelir dağıtır.
Bir kez yüzüme gülmez, ettiği göz dağıdır
Onsuz şeker de olsa, yesem bana ağıdır...

Aksak Şevki Bey
Güfte: Mehmed Sâdi Bey

Gülzâra nazar kıldım, vîrâne misâl olmuş
Seyrân-ü sefâlar hep bir hâb-ü hayâl olmuş
Güller sararıp solmuş, bülbülleri lâl olmuş
Gam âlemidir şimdi zevk emr-i mühâl olmuş
Sabret gelir ol demler kim ehl-i dilânındır
Dert üstüne zevk olmaz dem şimdi hazânındır.

Türk Aksağı Şerif İçli
Güfte: Mustafa Nafiz Irmak

Hâlâ acıyor gözlerinin yaktığı yerler
İncitme garîbim beni bir sözle sevindir
Aşkın bana rüyâsını gösterdi o gözler
Ağlatma yazık gözlerimin hüznünü dindir.

Türk Aksağı
Şerif İçli
Güfte: Mesut Kacaralp

Hasret dolu âhım sana hüsrânımı söyler
Dîdemdeki yaşlar ise hicrânımı söyler
Bir an bile olsun seni mümkün mü unutmak
Her şey dile gelmiş bana cânânımı söyler.

Curcuna
Şevki Bey

Hastasın zannım vefâ mahzûnusun
Söyle gönlüm sen kimin meftûnusun
Deşt-i aşkın şüphesiz Mecnûnusun
Söyle gönlüm sen kimin meftûnusun.

Aksak
Suphi Ziya Özbekkan
Güfte: Cemâl Ekrem Yeşil

Her şey bu zaman evinde nâ-çâr geçer
En geçmeyecek gönül geçer, yâr geçer
Yalnız günü birlik çağırır bir kapıdan
Akşam kimi bitkin, kimi bîzâr geçer.
Harman yeri er-geç dağılır bağ bozulur
Bülbülde nefes kalsa da gülzâr geçer.

Düyek
Semahat Özdenses
Güfte: Hüseyin Çolak

Her mevsim içimden gelir geçersin
Sen vefâsız yolcu kalbim vîrân edersin
Merhâba demeden elvedâ dersin
Sen vefâsız yolcu kalbim vîrân edersin.

Curcuna
Şerif İçli
Güfte: Necdet Atılgan

İçimden şu zâlim şüpheyi kaldır
Ya sen gel, ya beni oraya aldır
Gözünü gözümün içine daldır
Ya sen gel, ya beni oraya aldır.

Ağır Aksak
Şekerci Cemil Bey

Kaçma dîdemden aman ey gül-tenim
Hâtırım şâd olmuyor sensiz benim
Sen misin ömrüm bahârı gülşenim
Hâtırım şâd olmuyor sensiz benim.

Düyek
Şükrü Tunar

Kalbimi bezmederim minnet-ü zevkle dilesen
Bir muhabbet kuşu da ben olurum sev diye sen
Sevginin meltemidir şimdi bu rûhumda esen
Bir muhabbet kuşu da ben olurum sev diye sen.

Düyek   Rıfat Ayaydın
                     Güfte: Besteciye aittir.

Karardı söndü hep hayâl oldu neş'eler zevkler
Çünki sen yoksun kime bağlansın eski emeller
Mahvoldu her şey yaşamak bence ölümden beter
Çünki sen yoksun kime bağlansın eski emeller.

Devr-i Hindî   Bîmen Şen

Leblerin gördüm usandım goncadan
Geçtim ilhâmınla gülden de sünbülden de ben
Ben değil meftûnun oldu her gören
Nev-civânım gül de sen, sünbül de sen, bülbül de sen.

Aksak   Şevki Bey

Mecnûn gibi ben dağlar gezerken
Kühsâr-ı aşkda Leylâ idin sen
Sahbâ-yı aşkın dil şişesinden
Kendi elinle doldurmadın mı?

Aksak   Hacı Arif Bey
                     Güfte: Mehmed Sâdi Bey

Meyhâne mi bu bezm-i terâbhâne-i cem mi
Peymâne mi bu efser-i dârât-ü haşem mi
Sâkî mi bu nevbâve-i bûstân-ı cemâlin
Reşk-i çemenistân-ı hıyâbân-ı irem mi

Mir'ât-ı musaffâ mı değil câm-ı şerâbın
İç gör ki safâsı ne imiş âlem-i âbın
Çekmez elem-ü mihnetini dehr-i fenânın
Pekçe sarılan dâmenine pîr-i mugânın.

Sengin Semâî   Mahmud Celâleddin Paşa

Mir'atı ele al da bak Allâhı seversen
Sînen ne kadar olmuş o benlerle müzeyyen
Pâlûze mi ten ya gümüş âyine mi gerden
Bu hayret ile farkına kaadir olamam ben.

Aksak   Selânik'li Ahmed Bey

Nasıl çıksam başa zahm-ı kederle
Doğar her gün elem bahta seherle
Acep kaabil mi cenkleşmek kaderle
Doğar her gün elem bahta seherle.

Müsemmen   Ömer Altuğ
Nedendir rûhumda bu hicrân neden
Nedir bu gönlümü perişân eden
Nemli gözlerimi silmeden giden
Bağrımı hasretle çok yakmadan gel
Gözümü yollarda bırakmadan gel...

Curcuna   Suphi Ziya Özbekkan
                                Güfte: Fâzıl Ahmed Aykaç
Neden hiç durmadan sevmiş bu gönlüm durmadan yanmış
Cihân mâdem ki fânimiş ve hep giryeyle hicrânmış
Demek sevmek de boş şeymiş demek vuslat da bir anmış
Ve en katil hakikat anladım ben sâde nisyanmış
Cihân mâdem ki fânimiş ve hep giryeyle hicranmış.

Sofyan   Sadettin Kaynak
                                  Güfte: Vecdi Bingöl

Niçin baktın bana öyle
Derdin nedir durma söyle
Durgunsun sular gibi
İçli duygular gibi
Gözlerinde sevdâ var
Derin uykular gibi

Gül dalında gonca güller
Bülbül sevdâsında çiler
Söyle dermânın olayım
Dertli olan devâ diler

Niçin baktın bana öyle
Dertli misin yoksa söyle...

Mahzûnsun, hayransın
O güzel gözlerle
Sürmeli ceylânsın
Ey hilâl kaşlı
Ağlıyor musun
Kirpiği yaşlı...

Ben senin nen olayım
Kulun kölen olayım
Niçin baktın bana öyle
Derdin nedir durma söyle...

Curcuna   Haydar Tatlıyay
Ömrümün gülüsün gül ki güleyim
Sevmek günahsa söyle de bileyim
Sensiz yaşamaktansa ben öleyim
Sevmek günahsa söyle de bileyim.

Ağır Aksak Semâî   Halîfe-zâde Tahir Efendi
Ağır Semâî
Pâdişâh-ı işvesin iklim-i hüsn-ü ân senin
Her ne kim emr-eyler isen bendene fermân senin
Ey gözleri âhû bakışın anı letâfet
Vay cünbüş-ü etvâr-ı nezâketten ibâret

Bilmem o şeker leb ne kelâmında bu lezzed
Ettim seni ben ey perî mevlâya emânet
Zerreden çok dilber dil hastegân-ı vuslatın
Âfitâb-ı âlem arasında bu gün devrân sensin.

Sofyan   Türkü
Pencereden kar geliyor
Arkama baktım yâr geliyor
Terzi kolların kırılsın
Beyime de yelek dar geliyor.

Penceresi siyah perde
Nasıl düştüm ben bu derde
Ben bu dertten iflâh olmam
Nasıl yatam kara yerde.

Penceresi içli dışlı
Benim yârim yan kılıçlı
Dediler yârim geliyor
Fidan boylu inci dişli...

Ağır Aksak   Semâî Dede Efendi
                           Güfte: Moralı-zâde Leyla Hanım
Pür âteşim açtırma sakın ağzımı zinhâr
Zâlim beni söyletme derûnumda neler var
Bilmez miyim ettiklerini eyleme inkâr
Zâlim beni söyletme derûnumda neler var.

Türk Aksağı   Tatyos Efendi
Rûhum musun ey rûh-u safâ bahş-i cihânın
Sensiz bulamam neşvesini ömr-ü revânın
Muzlim görünür dîdeme gülzâr-ı cihânın
Sensiz bulamam neşvesini ömr-ü revânın

Aksak Türkü
Sarı gülüm var benim
Garîb gönlüm var benim
Ölüm var ayrılık yok
Sarı elâ gözlüm
Böylece kavlim var benim...

Göz göze bakışırken
Eli değdi elime
Bin âşık fedâ olsun
Sarı elâ gözlüm
Saçının bir teline...

Aksak   **Lem'i Atlı**
                          Güfte: Hüseyin Avni Bey (Yenişehirli)
Seni arzu eder bu dîdelerim
Görebilmek dem-â-dem işvegerim
Yok tahammül devâm-ı firkatine
Görebilmek dem-â-dem işvegerim.

Ağır Aksak   **Astik Ağa**
Seni görmek ile rûşen oluyor dîdelerim
Seni mümkün ise her gün görebilmek dilerim
Bilirim mâniin oldukça kaçarsın güzelim
Uzak olsam yine ben sevdiğimi çok severim.

Aksak   **Rakım Elkutlu**
Sevdâ benim gözümde en mukaddes bir kindi
Gönül seni sevmeden sular gibi sâkindi
Kim derdi ki içimi yılmak hakkı senindi
Gönül seni sevmeden sular gibi sâkindi.

Türk Aksağı   **Şerif İçli**
Sevdâ ona yaklaşma, yanarsın tutuşursun
Zannetme ümidinle hayatta buluşursun
Düştün mü o girdaba, o ümide gönül sen
Hicrân ile, hüsrân ile her gün boğuşursun.

Ağır Aksak   **Rakım Elkutlu**
                                   Güfte: Nâhit Hilmi Özeren
Silemem bir gün hayâlimden o dilber kadını
Bana tattırdı bin işve ile bu aşkın tadını
Duyarım bir sızı kalbimde anarken adını
Bana tattırdı bin işve ile bu aşkın tadını...

Nîm Sofyan Türkü
Söyleyin güneşe bugün doğmasın
Nazlı yar geliyor benzi solmasın
Aman, aman, sürmeliye ben yandım aman.

Irmak taştı kenarını sel aldı
Küçücükten bir yar sevdim el aldı
Aman, aman...

Sürmelimin gözlerine mâilem
Aydı bir selâmı gelse kailem
Aman aman...

Nîm Sofyan   **Türkü**
Şu dağları delmeli
Kumunu elemeli
İçerim âh çekiyor
Yârimi görmeyeli

Uyu demeye geldim
Yâri görmeye geldim
Yârim yaran nerende
Merhem olmaya geldim.

Şu dağların ardından
Öldüm yar sevdâsından
Bileydim ayrılık var
Giderdim arkasından

Uyu demeye geldim...

Curcuna   **Kadri Şençalar**
Sönmez artık yüreğimde yanan bu sonsuz ateş
Bulunur mu bana bilmem senin gibi güzel eş
Kalbimde hep yâre açtın gel elinle bâri deş
Bulunur mu bana bilmem senin gibi güzel eş.

Düyek   **Alâeddin Yavaşça**
                                          Güfte: Fuad Edip Baksı
Unuttuk dostu yoldaşı vefâmız artık dildedir
Yine çılgın gönül kuşu her gün bir yeni daldadır
Dertlere ses veren teller burcu burcu tüten güller
Sevgiye bağlı güzeller bizden uzak bir ildedir.

Yürük Semâî   Tanbûrî Ali Efendi
Tıfl-ı nâzım meclisi rindâne gel
Bâde nûş eyle, açıl cevlâne gel
Çeşm-i mahmûrun süzüp mestâne gel
Bendene lûtf-eyle bir peymâne gel
Kaçma âhûlar gibi meydâne gel
Aman aman gel, canım canım gel...

Gel, gel sevdiğim, sen bana gel
Hasretinden bak neye döndüm
Odlara yandım, sararıp soldum
Bilmezem n'oldum, gel nazlı gülüm gel
Gel aman...

Sofyan   Türkü
Vay Sürmeli
Kalenin burcumuyam
Ben bilmem ayrıyam
Dil bilmez Gürcümüyem
Elleri kınalı...

Felek evin yıkıla
Ben çirkin harcımıyam.
Severken sevdirmeli
Elleri kınalı...

Kaleden indim iniş
Mendilim dolu yemiş
Yâre saldım yememiş
Kendisi gelsin demiş...

Curcuna   Şevki Bey
                        Güfte: Recâî-zâde Mahmud Ekrem Bey
Yâd ile geçti zamânım ağlarım
Gizlidir derd-i nihânım ağlarım
Saklayıp eşk-i revânım ağlarım
Gizlidir derd-i nihânım ağlarım.

Türk Aksağı   Mısırlı İbrahim Efendi
                                Güfte: Ahmed Refik Altınay
Yalnız bırakıp gitme bu akşam yine erken
Öksüz sanırım kendimi ben sensiz içerken
En neş'eli demler bu gece sazla geçerken
Öksüz sanırım kendimi ben sensiz içerken.

Devr-i Hindî   Klarnet Mısırlı İbrahim Efendi
Yarda mı, ağyârda mı, ya sen de mi cürm-ü kusûr
Söyle ey dil gizli gizli böyle feryâdın nedir
Meyde mi, sâkide mi, mıtrıpda mı, suç kimdedir
Söyle ey dil gizli gizli böyle feryâdın nedir.

Nîm Sofyan Türkü
Yemenimin oyası rengi de rengine
Ne olsan annem vermedi beni dengi de dengime
Rovolver mi sıkayım kendi kendime
Ölüyorum dostlar, yanıyorum dostlar, bana bir hâl oldu

Ben yârimden ayrılalı gül benzim soldu
Ben yârimden ayrılalı gül benzim soldu
Aksaray'dan inişim mürver ağacı
Dökülür yaprağı kalır ağacı
Hanım sizde bulunur mu sevdâ ilâcı
Ölüyorum dostlar...

Yürük Semâî   Tanbûrî Ali Efendi
Yok dilde tahammül elem-i firkate artık
Öldür beni sabreyleyemem hasrete artık
Tâkat mi gelir hiç bu gam-ı mihnete artık
Öldür beni sabreyleyemem hasrete artık.

Rahmeyle benim hâlime ey şûh-i cihânım
Kem âteş-i hicrânıma gel yakma bu cânım
El hasılı bu mısraı serdetti zebânım
Öldür beni sabreyleyemem hasrete artık.

Aksak   Melâhat Pars
Zâlim beni yalnız bırakıp kaçtı bu akşam
Kalbimde şifâsız yaralar açtı bu akşam
Ben göz yaşı döktüm o ateş saçtı bu akşam
Kalbimde şifâsız yaralar açtı bu akşam.

YEGÂH MAKAMI

Aksak Şevki Bey
Güfte: Enderûnî Osman Vasıf Bey

Âhım seni sînem gibi sûzân eder elbet
Her kârını kârım gibi düşvâr eder elbet
İkbâlini fahvîl pür-idbâr eder elbet
Çeşmânını gönlüm gibi hûn-bâr eder elbet
Aldanma sakın ehl-i dilin âhına gaafil
Dağlar olamaz ehl-i dilin âhına hâil.

Düyek Avni Anıl
Güfte: Ceyhun Savaşan

Bahçemde güller soldu, mevsim hazâna döndü
Kuşlar ötmüyor artık o eski bahçelerde
Her gün dermân aradım gönlümdeki şu derde
Hicrân çıktı karşıma inan ki her seferde.

Aksak Dellâlzâde

Ben olurum sana bülbül efendim
Rûyin üzre perçemin sünbül efendim
Lâl-i lebin bu dil için gül mü efendim
Rûyin üzre perçemin sünbül efendim.

Ey dîde-i şâhânesi mestâne efendim
Hüsnün lîsân-ı nâs'da destân efendim
Cân-ü dilim giysûne de büstân efendim
Rûyin üzre perçemin sünbül efendim.

Aksak Suphi Ziya Özbekkan
Güfte: Orhan Veli Kanık

Dem bezm-i visâlinde hebâ olmak içindir
Cânım senin uğrunda fedâ olmak içindir
Nabzım helecânımda sadâ olmak içindir
Cânım senin uğrunda fedâ olmak içindir.

Ağır Aksak Şevki Bey

Dil nâlesini gûş ile bır dâd edecek yok
Bî-çâre dil-i nâleden âzâd edecek yok
Bihûde tahammül ne gerek vâz-i tabibe
Dil yâresi dert merhemin icâd edecek yok.

Aksak Şevki Bey

Dü çeşmim hûn ile doldu
Nedir bilmem bana n'oldu
Gönül hâtır harâb oldu
Bana çâre efendiden
Görürsem iltifâtındır.

Ağır Aksak Semâî   Hacı Fâik Bey

Feryâdımın âlemde benim hiç eseri yok
Müşkil bu ki hâlimden o yârin haberi yok
Kül oldu yanıp cism-i nizârım şereri yok
Müşkil bu ki hâlimden o yârin haberi yok.

Aksak Selânik'li   Ahmed Bey

Gözünün safvetine, nûruna meftûn oldum
Seni sevdim, sana meshûr, sana Mecnûn oldum
Yine sevdim, yine mesrûr, yine memnûn oldum
Seni sevdim, sana meshûr, sana Mecnûn oldum.

Aksak   Hacı Fâik Bey

İşte erdik nev-bahâre
Bak şu feryâd-ü hezâre
Meclise gel âşikâre
Yok mecâlim intizâre.

Semâî   Yusuf Nalkesen
                              Güfte: Besteciye aittir.

Mevsim güzel, mehtâb güzel, mey güzel
Beste güzel, tanbûr güzel, ney güzel
Nazı bırak, handeler saç ey güzel
Beste güzel, tanbûr güzel, ney güzel...

Ağır Aksak   Bimen Şen
                    Güfte: Dr. Şerafeddin Özdemir

Ne gülün rengini sevdim, ne de bülbül sesini
Çünki sevdim yüzünün rengini, billûr sesini
Görürüm vecdile ben her gece rüyâda seni
Çünki sevdim yüzünün rengini, billûr sesini.

Ağır Aksak Semâî   Dellâlzâde
                    Güfte: Yahyâ Nâzîm Efendi

Piyâle elde nedem bezmime habîb gelir
Ayağıma ayağ ile benim nasîb gelir
Nâzîm hasta derûne ilâc eden bulunur
Ânında derd-i dilinden bilir tabîb gelir
Şevklere mâye ömre sermâye tenlere candır
Cânda mihmândır yâr medet âh habîb gelir.

Ağır Aksak Dellâlzâde
Sen ettin kendine efkende gönlüm
Ne hâcet perçeminle bende gönlüm
Beni sen mâha kul edende gönlüm
Değildi sende mâhım sende gönlüm.

Gezerken kendi hâlimde efendim
Sana bend-oldu gönlüm dil-pesendim
Güzellerden seni gayet beğendim
Ne hâcet perçeminle bende gönlüm.

Devr-i Hindî Lâtif Ağa
Vâdin unutma ey perî
Dil muntazır çoktan-beri
Üzdün yeter ey perî
Dil muntazır çoktan-beri.

Vakt-i visâl-i et hayâl
Eyle o demden hasbıhâl
Teşrîfine ey nev-nihâl
Dil muntazır çoktan-beri.

ZÂVİL MAKAMI

Nîm Sofyan

Sadettin Kaynak
Güfte: Karacaoğlan

Elâ gözlüm yıktın benim evimi
Eğlen şu diyârda kal diye diye
Vîrân ettin bahçem ile bağımı
Tomurcuk güllerim al diye diye

Karacaoğlan der ki neyleyip nitmek
Bir fikrim var şu sılayı terketmek
Yıkıl git,diyorsun kolay mı gitmek
Sen getirdin beni gel diye diye
Al beni...

Nîm Sofyan

Bestecisi Bilinmiyor.

Üç gün olmuş şu yaylâdan geçeli
Pınarlardan soğuk sular içeli
Alnı da top kâküllü yüzü peçeli
Çekmiş gider yaylâsına Bingöl'lüm.

Ak dere üstünde kirman elinde
Bülbüller ötüyor yârin gülünde
Benim de sevdiceğim Türkmen elinde
Çekmiş gider yaylâsına Bingöl'lüm.

GÜFTE YAZARLARI

CENAP ŞAHABETTİN

(1870 - 1934)

Türk şâir ve yazarı... Binbaşı Osman Şahabettin Bey'in oğludur. Manastır'da doğmuş, babasının ölümü üzerine 6 yaşında iken ailesiyle birlikte İstanbul'a gelmiştir. İlk iğrenimini Tophane'deki «Mekteb-i Fevziye» de, orta öğrenimini Eyüp ve Gülhâne askerî rüştiyelerinde yapmıştır. Çalışkan bir öğrenci idi. Yüksek öğrenimini yaptığı Askerî tıbbıyenin imtihanla üst sınıflarına girerek, 1889'da doktor çıktı. 4 yıl Paris'de ihtisas yaptıktan sonra yurda dönerek Mersin, Rodos ve Cidde'de karantina doktoru, sıhhiye müfettişliği görevlerinde bulundu. 1914'de Osmanlı edebiyat tarihi müderrisi olarak girdiği Edebiyat Fakültesinden 20 Eylül 1922'de Rıza Tevfik «Bölükbaşı», Ali Kemal Beylerle birlikde istifa zorunda bırakıldı. Cenap Şahabettin'in ilk şiiri, Saadet gazetesinde « 3 Aralık 1885» yayınlanan bir gazeldir. İlk şiirlerini yayınladığı bu dönemde muallim Naci'yi taklid etmiş, Abdülhâk Hâmid ve Recâizâde Ekrem Beylerin etkisi altına girmiştir. Fransa'da bulunduğu 4 yıl Verlaine, Mallarme ve Natürelistleri izlemiş, «Hazine-i Fünûn» dergisinde yayınladığı 20 şiirde yeni biçimler aramış, bu şiirleri Hüseyin Cahit «Yalçın» ve Tefvik Fikret övgü ile karşılamışlardır. Bu arada «Mektep» dergisinde yayınlanan «Ağlasam» redifli şiirini Tevfik Fikret'in «Tanzim» etmesi, edebiyat çevrelerinde Cenap Şahabettin adı üzerinde geniş yankılar uyanmasına yol açmıştır. Cenap Şahabettin, Servet-i Fünûncularla birleştiği bu dönemde, Servet-i Fünûn Dergisinde 47 şiir, 11 makale ve «Hac Yolunda» adı ile gezi notları yayınlayarak bu akımın getirdiği yeniliklerin savunucusu olmuştur.

ORHAN SEYFİ ORHON

(1890 - 1972)

20. yüzyıl şâir ve yazarlarından. İstanbul'da doğmuştur. İlk öğrenimini Havuzlubaşı ilk mektebinde yaptıktan sonra Beylerbeyi rüştiyesini, Mercan idâdisini bitirmiş; yüksek öğrenimini İstanbul Hukuk Fakültesinde tamamlamıştır. Uzun yıllar İstanbul liselerinde Edebiyat öğretmenliği yapan Orhon, günlük gazetelerde fıkra yazarı olarak çalışmış, zaman zaman edebiyat ve mîzah dergileri yayınlamıştır. 1946'da Zonguldak milletvekili seçilmiş; 1950'de yeniden gazeteciliğe dönmüştür. 15 yıl çeşitli gazetelerde yazdıktan sonra 1965'de İstanbul'dan Milletvekili seçilmiş. 1969 seçimlerine kadar parlâmentoda bulunmuş, bu tarihten sonra tekrar gazeteciliğe dönmüştür.

Birinci Dünya Savaşı kuşağının tanınmış kalemlerinden biri olan Orhan Seyfi kısa süre aruz ölçüsü ile şiirler yazdıktan sonra, heceyi benimsemiş; bu tür şiirlerini Yeni Mecmua, Şâir, Büyük Mecmua, Yarın dergilerinde yayınlamıştır. Şiirleri yayınlandıkları dönemin dil koşullarının içerisinde sade anlatım biçimleriyle de, genel olarak orta bir düzeyin üzerine çıkma başarısı göstermiştir. Hecenin öteki şâirlerinden Faruk Nafiz Çamlıbel'in zengin ve değişik şiir dünyasının tersine dar bir duygu dünyasına kapanması, giderek bireysel duyumların tekrarına yol açmış; bu da 1940'lardan sonra şiiri bırakması zorunluğunu doğurmuştur.

AHMET REFİK ALTINAY

(1881 - 1937)

Ünlü tarihçilerimizdendir. İstanbul'da doğmuştur. Beşiktaş Askerî Rüştiyesinde ve Kuleli Askerî İdâdisinde okumuştur. 1898 yılında Harbiye'den piyade birincisi olarak mezun olan Ahmet Refik, bir süre askerî okullarda tarih öğretmenliği yapmış, Almanca okutmuş ve daha sonra kıt'a hizmetine geçmiştir. Balkan Savaşı sırasında gözlerindeki bozulma dolayısıyle yüzbaşı iken emekliye ayrılmıştır. 1918 yılında, Darülfünûn'a tarih (Osmanlı Tarihi) profesörü olarak atanmış, 1933 yılına kadar da bu görevinde kalmıştır. Daha sonraki yıllarda hayatını bütünü ile yazı yazmaya vermiş, çeşitli gazete ve dergilerde sayısız yazı, makale, tefrika ve romanları yayınlanmıştır.

Eserleri arasında «Demirbaş Şarl» 1918 yılında İsveç Hükûmetince Ahmet Refik'e nişan kazandırmış ve ayrıca bir tarih araştırmaları derneği olan «Karolin Cemiyeti» tarafından da 10.000 kronluk bir armağan verilmiştir.

Eserleri «Türkiye Tarihi», «Sahaif-i Muzafferiyat-ı Osmânîye», «Meşhur Osmanlı kumandanları», «Geçmiş asırlarda Türk Hayatı», «Tarîhî Sîmalar», «Kadınlar Saltanatı», «Leydi Montageue'nün Şark Mektupları», «Deli Gönül....»

ALİ VECDİ BİNGÖL
(1887-1973)

1887 yılınlda, Kemâliye (Eğin) de doğdu. Babası, Kemâliye'nin Enbiyâbey mahallesi eşrâfından merhûm Şâir-Hâfız Vahdî Efendi'dir. Ali Vecdi Bingöl; Darulmuallim okulunu bitirdikden sonra yurdun çeşitli yerlerinde ilk okul öğretmenliği yapmış, 1951 yılında emekli olunca, 1953'de Âşiyan Müzesi'ne Edebiya Mütehassısı olarak atanmış ve bu görevine "1972" hastalanıncaya kadar devam etmiştir

İki kez evlenmiştir. Birinci evliliği, eşinin veremden ölmesi sebebiye 6 ay kadar sürmüştür. İkinci eşi Remziye hanım ile 30 yıl beraberlikleri olmuştur. "Vecdi beyin ölümüne kadar...."

Doğuştan san'atkâr ve şâir ruhlu olan Vecdi Bingöl, çeşitli konularda yazdığı şiirler yanında 300'den fazla şarkı güftesi de yazmış ve bu güfteliri devrin bestecileri tarafından sevilerek bestelenmiştir. En çok sayıda güftesi Saadettin Kaynak'ın besteleri arasındadır.

Son senelerinde sihhati iyice bozulan Vecdi Bingöl varis'den şikâyeti yanında akciğerlerinde de rahatsızdı... 30. 1. 1973'de İstanbul'da Çengelköy'de vefat etmiştir.

"Bu bilgi Jale Munar'dan alınmıştır."

KEMALEDDİN KAMU

Kemaleddin Kamu, 15 Eylül 1901'de Bayburt'da doğmuş, 6 Mart 1948'de Ankara'da ölmüştür. İstanbul erkek muallim mektebi son sınıfında iken milli mücadelenin başlaması üzerine Ankara'ya gitti. «1920» Anadolu Ajansında çalışmaya başladı. 1923'de İstanbul'a gelerek imtihanlara girdi, diploma aldı. Ajans temsilcisi olarak Paris'e gönderildi "1933", beş yıl kaldığı Paris'de siyasal bilgiler okulunda yüksek öğrenim yaptı, İstanbul'a döndü «1938», Rize ve Erzurum milletvekili oldu. Ölümü sırasında milletvekili ve Türk Dil Kurumu Terim Kolu Başkanı bulunuyordu. Şiire mütareke devrinde başlayan «Büyük Mecmua, Sayı. 9. 5 Haziran 1919», Milli Mücadele yıllarında «Dergâh» dergisi, «1921», yazdıkları ile ün kazanan, sonraları Varlık «1933-34» ve Oluş «1939» dergilerinde de şiirler yayınlayan Kamu; Savaş, Yurt, Gurbet ve Aşk konularında, dili ve ahengi sağlam, lirik-epik, hece şiirleriyle tanındı. Bütün şiirleri, ölümünden sonra, şu kitabda toplandı: Rıfat Necdet Evrimer, Kemaleddin Kamu, hayatı, şahsiyeti ve şiirleri «1949».

BEHÇET KEMAL ÇAĞLAR

(1908 - 1969)

Behçet Kemal Çağlar Erzincan'ın Tepecik Köyünde doğmuştur. Babasının çeşitli bölgelerdeki memurluğu, kendisinin bütün memleketi kapsayan Halkevleri Müfettiliği ve Doğu sınırlarında geçen askerliği sayesinde Anayurdu köşe-bucak dolaşmıştır.

Zonguldak Yüksek Mühendis mektebinden mezundur. Faruk Nafiz Çamlıbel, Eflâtun Cem Güney, Edebiyat hocaları arasındaydı, ayrıca Yahya Kemal Beyatlı ve Ahmet Hamdi Tanpınar'ın sohbetlerinden yıllarca faydalanmıştır.

Şairlerin Seçtikleri adlı Antoloji'de şöyle diyor:

«1948 başlarında, laiklik ve devletçilik ilkelerinde Atatürk'ün yolundan çıktığını gördüğüm için saflarından ayrılmaya karar verdiğim partinin bana sağladığı mebusluğu meclis kürsüsünden istîfa etmek suretiyle, bıraktım. Başka bir parti aday gösterdi, noter marifetiyle reddettim. Temsilciler Meclisine çağırıldam, umutla katıldım. Cumhurbaşkanlığı Kontenjanından Senatör olmam istendi, günlük politikadan tiksindiğim için kabul etmedim. O gün bu gündür yazarlık ve öğretmenlik yapıyorum...»

Behçet Kemal Çağlar, 24. 10. 1969'da öldü.

FUAD ÉDİP BAKSI

1327 Yılında Diyarbakır'da doğmuştur. Münir Bey 'in oğludur.

İlk ve orta öğrenimini memleketinde yapmış, İstanbul Yüksek Öğretmen okulundan lise Edebiyat Öğretmeni olma hakkını elde ederek, öğretim hayatına katılmıştır.

Zonguldak'daki öğretmenliğini İzmir'de sürdüren Baksı, İzmir 1 ve 2. İnönü liselerinde, Namık Kemal Lisesinde Edebiyat Öğretmenliği yapmıştır. Edebiyatın her dalında derin bilgilerle kendini donatmış bulunan Baksı; Farsça ve Arapça'nın da desteği ile Dîvân şiirine eğilmiş, özellikle Halk Edebiyatı alanında derinleşerek bu dalda peş-peşe eserler vermiştir.

Kendini herkese sevdiren, popüler, kalender ve babacan bir mizacın da sahibi olan Fuad Edip Baksı, aynı zamanda çok kuvvetli şiirlerin de sahibidir. Biraz taşlama, hattâ yergi hissi içinde kaleme aldığı şiirleriyle Güfte Edebiyatımıza da en renkli şiirleri hediye etmiş olan Ozan'ın, her biri rahmete karışan Rakım Elkutlu, Selahaddin Pınar ve Nuri Halil Poyraz gibi besteciler tarafından eserleri yaşam gücü üstün bestelere kavuşmuştur. Ayrıca bazı güfteleri devrinin yaşayan bestecileri tarafından da kullanılmıştır.

Halk şiirinin biçimine değil özüne eğilen, oradan aldığını modern çağın zevkiyle de birleştiren şâirin basılı eserleri şunlardır:

«Bir Bahâr Akşamı», «İzmir Destanı», «Cacık», «Reçete» ve «Halk Edebiyatı Üzerine...»

Vefat tarihi: 30 Ekim 1974.

> «Bu bilgi, şâirin yakın dostu
> Rüştü Şardağ'dan alınmıştır.»

CAHİT SITKI TARANCI

Doğumu: 1910 (Diyarbakır). Ölümü: 1956 (Viyana)... İlk öğrenimini Diyarbakır'da yaptı. İstanbul'da Kadıköy'de Saint Josefph lisesinde 4 yıl okudu. Sonra Galatasaray lisesi 9. sınıfına nakletti (1928). Galatasarayı bitirince «1931» Mülkiye mektebine girdi, 4 yıl kadar okudu, bitirmeden ayrıldı. Paris'e gitti «1939». Orada Siyasal Bilgiler Fakültesinde okurken 2. Dünya Savaşı üzerine yurda döndü «1940». Askerlik görevinden «Mart 1941 - Ekim 1943» sonra Ankara'da Anadolu Ajansına mütercim oldu «1945». Toprak Mahsulleri Ofisinde çalıştı. Çalışma Bakanlığında Fransızca mütercimi iken 1954 Ocak ayı sonlarında gitti «6 Eylül 1956» Viyana'da bir hastanede öldü. «13 Ekim...» Nâşı Ankara'ya getirilerek «25 Ekim» Ankara'da gömüldü «21 Ekim 1956».

Daha Galatasaray lisesi son sınıfında öğrenci iken Muhit ve Servet-i Fünûn Dergilerinde çıkmaya başlayan «1930» ilk şiirleriyle tanındı, 35 yaş şiirinin 1946 CHP şiir yarışmasında birincilik kazanması ile ünü genişledi; yapılan bir soruşturmada yaşıyan Türk sanatçıları arasında en beğenilen şâir seçilmişti. «Varlık. 1 Ocak 1957.» Genel olarak biçime düşkün şiirlerinde yaşamanın ve aşkın güzelliğini, övgüsünü yazdı. Türkçeyi cana yakın haliyle şiire geçiren, yeni şiiri hazırlayan şâirlerden biri oldu.

MES'UD KACARALP

Şâir Mes'ud Kacaralp'in basılı şiir kitabı Kalbden Akisler» in arka kapağında bir fotoğrafı var ve altında şunlar yazılı:

«Resmim bile baktıkça gülümser bana eyvâh!
Râzıyım olaydım şu resimcik gibi Billâh...»
Ve devam ediyor:

19.5.1940

Soyadı   : Kacaralp
Adı   : Mes'ud
Doğumu   :1909 İstanbul - Üsküdar
Medenî hâli : Evli, çocuksuz
Tahsili   : Lise
İşi   : Serbest...

Kitabımızı hazırlarken, çok sayıda esere güzel güfteler vermiş olan şâiri araştırdık, soruşturduk ve bir Üsküdarlı dostdan, bütün çalışma hayatının Avukat Kâmi Nazım Dilman'ın yanında geçirdiğini ve ölümüne kadar yanından ayrılmadığını öğrendik. Sayın Dilman'ı ziyaretle, sayın Avukat Yıldız Teoman'dan bazı bilgiler elde ettik. Kendilerine teşekkürü borç bilirim.

Sayın Teoman şunları anlatıyor:

«Mes'ut Beyi, sayın Dilman'ın yanında tanıdım ve uzun yıllar aynı görevde ve aynı çatı altında beraber olduk. Çok dürüst bir insandı, katiyyen maddeci değildi. Hayata çok bağlı ve ileri derece (kaderci) idi.

Üsküdar Lisesinde okumuş fakat tamamlamamıştı. 1931 yılından ölünceye kadar birlikte çalıştık.

Mes'ud bey sporla da meşgul olmuş ve uzun yıllar Üsküdar Anadolu Kulübünde futbol oynamıştır.

Her yaz, değerli musıkîciler ve şâirlerin katıldığı geceler düzenlerdi ve bazen sabahlara kadar süren sohbetler ve san'at geceleri yapılmasını sağlardı.

Devamlı yazardı. Gazelleri, rübâileri ve güfteleri dostlarına armağan eder, akrostişler meydana getirirdi.

1972 yılı Ağustos ayında rahatsızlandı, nezle gibi başlayan rahatsızlığı gribe dönüştü ve yapılan konsültasyonda maalesef Akciğer kanseri olduğu anlaşıldı. Bütün gücümüzle kendisine hissetirmemeye çalıştık ve hastalığını bilmeden 25 Ekim 1972 tarihinde iki ay içinde eridi ve vefat etti...»

Kitablarımızda hangi bestelerin güfte sahibi olduğunu göreceğiz. Bunların dışında şiirleri de bulunan Kacaralp'ın, iki bestecimizin ölümlerine düşürdüğü tarihleri de sizlere aktarmak istedik.

*

Târih : 1375 Hicrî
«Musıkîmizde o üstâd idi âh mutlak
Göçtü hayfâ nidelim eyleye rahmet hak
Yazdı târihini hicrî olarak Mes'ud:
(Gitti yâhû Şerif İçli ile ûd elhâk)...
3. 2. 1956
Vefât ve yazılış tarihi.
Târih : 1383 Hicrî
«Hicrî târihini de (ah) ile etdim itmam:
Din ve musıkî ehli Zeki Ârif göçdü hû.
8. 1. 1964

*

Mes'ud Kacaralp'ın Yıldız Teoman'a Akrostişi ise şöyle:
Hakikat
Yıllar bir çiledir, ömür bir yumak,
Izdırâbı sarar yuvarlanarak.
Leylâ'yı Mecnûn'a sevdiren de bu..

Dalında acıyla çatlar tomurcuk,
Iztırâb çekerek doğar her çocuk,
Zevkiyse hayâtın bir içimlik su...
12. 2. 1948

BÂKÎ SÜHA EDİBOĞLU

1915 yılında Antalya'da doğmuştur. İlk okulu doğduğu şehirde okumuş, orta öğrenimini İstanbul'da Hayriye Lisesinde tamamlamıştır. Çok genç yaşta basın hayatına atılarak 1940'a kadar gazeteciliğin çeşitli kollarında çalışan Ediboğlu'nun sonradan «Sel Geliyor» adlı kitabında topladığı hikâyeler bu dönemde yayınlanmıştır. Uzun süre basın-yayın umum müdürlüğü ve Ankara Radyosunda (1940-1950) çeşitli görevlerde bulunduktan sonra İstanbul Radyosu spikerliği (1950), İzmir Radyosu Müdürlüğü yapmıştır.

Daha çok doğa ve aşk temalarının hâkim olduğu şiirlerinde kendine özgü bir içlilik havası yaratmayı başaran şâir, klasik biçim ve yapı tekniklerinden ustaca yararlanmıştır. Hikâye alanındaki çalışmalarını sürdürmemesine karşılık biyografi alanında (Falih Rıfkı Atay konuşuyor, 1945), (Ünlü Türk Bestekârları-1962), (Bizim Kuşak ve Ötekiler-1968) yayınladığı üç eser vardır. « Türk Şiirinden Örnekler» ve «Atatürk için bütün şiirler» (Faruk Çağlayan ile birlikte) adlı iki antoloji de hazırlamıştır.

Edipoğlu 15. 9. 1972 tarihinde vefat etmiştir.

Merhum Ediboğlu'nun, 7. 7. 1969 tarihinde 25 inci san'at yılı jübilimde yazdığı kıt'ayı aynen alıyorum:

«Sormayın hiç sormayın, ben bağrımı dağladım;
Nağmelerde inledim, bestelerde çağladım
Gülmek kolay şey değil, gülmek ne mümkün bana
Yirmi beş yıl durmadan, gönlüm içre ağladım.»

A. A.

TURGUT YARKENT

1916 yılında İstanbul'da Harem'de dünyâya geldi. Lise tahsilini kısmen İzmir'de yaptıkdan sonra 1937'de Kuleli askerî lisesinden 1939'da Harb okulundan mezun oldu.

1949-1950 yılında Harb akademisinde okudu. Geçirdiği bir kaza sonucu 1954 yılında mâlûlen emekliye ayrıldı.

13 yıldır serbest çalışmaktadır.

Şiirle ilgisi lise çağlarında başlar. Sonraları bu hobisini devam ettirmiştir. Aruz, hece ve serbest nazım şekillerinin her üçünü işler. İçki içmediği halde kendi deyimiyle «Hayatı şişenin arkasından görenlerin» ruh hâletini çok iyi yaşar. Bu nedenle içki üzerine yazılmış çok şiiri vardır.

İlk güftesi Avni Anıl tarafından bestelenmiştir: «Dilşâd olacak diye...» Aynı isimli bir şiir kitabı da vardır.

ÜMİT YAŞAR OĞUZCAN

Ümit Yaşar Oğuzcan, kendisini şöyle anlatıyor:
«1926 yılında Tarsus'da doğmuşum. babamın adı Lütfi, anamın adı Güzide, 1946 yılında Eskişehir Ticaret Lisesini bitirdim. Aynı yıl Ankara Osmanlı Bankasında çalışmaya başladım. Sekiz ay sonra ayrıldım. Ankara'dan Adana'ya gittim ve orada İş Bankasına girdim. İş Bankasındaki memurluk hayatım, sırasiyle; Adana, Turgutlu, Niğde ve Ankara'da olmak üzere 15 yılı buldu. 1961 yılı başlarında memurluktan ve Ankara'dan ayrılıp İstanbul'a geldim. Bir süre memurluk yapmayıp eserlerimin yayımı ile uğraştım, çeşitli dergi ve gazetelere yazdım. Kendi adımı taşıyan bir yayınevi kurdum.1965 yılında tekrar bankacılık mesleğine döndüm. Karaköy, Akbank umum müdürlüğünde krediler 2. müdürü olarak görev aldım. 1968 yılı ortalarında Akbank'dan ayrılarak İş Bankası Kültür Yayınları Müşaviri oldum.
1948'de Özhan'la evlendim. 1949'da doğan ilk oğlumuz Vedat, 6.6.1973'de intihar etti. 1952 doğumlu Lütfi Ankara'da Tiyatro Eğitimi yapıyor.»
Ümit Yaşar'dan güfte besteleyen besteciler: Münir Nureddin Selçuk, Rüştü Şardağ, İsmet Nedim ve Avni Anıl'dır.
Dostum Ümit Yaşar'ı Ankara'da 1954'de Karpiç Lokantasında tanıdım, kısa sürede sevdik birbirimizi. Görüntüsü hırçın, asabî, gönlü ise pırıl pırıldır... Güzel her şeye âşık olan Ümit Yaşar, velûd ve o kadar da seviyeli bir sanatçıdır. O, bankacılıktan, ben radyoculuktan birlikde ayrılmıştık, birlikde serbest çalışmalar yaptık, yine birlikde o bankacılığına, ben radyoculuğuma döndüm. Şiirleri, Güfteleri yıllar yılı bestelenecektir inancındayım.

A. A.

BEKİR SITKI ERDOĞAN

9. Eylül 1926'da Karaman'da doğdu. İlk ve orta okulu Karaman'da okudu, Kuleli askeri lisesini (1946), Harb okulunu (1948) bitirdi. On yıl kıt'a subaylığı yaptı, Ankara'da bulunduğu yıllarda (1953 - 57) dil ve tarih coğrafya fakültesi Türk dili ve edebiyatı bölümünü bitirdi.

İlk kitabını 1949'da yayınlamıştır. «Bir yağmur başladı».

Şiirleri daha sonra Şadırvan, Hisar ve benzeri dergilerde çıktı, ikinci kitabını ise 1965'de yayınladı. «Dostlar Başına...»

SÖZLÜK

- A -

Âb: Su, Şarab, Yağmur.
Âbâd: Tükenmez zamanlar.
Âbad: Bayındır, Şenli.
Abdal: Evliyalar, Erenler.
Gönlünü Tanrı'ya vermiş,
dünya ile ilgisini kesmiş
kimse.
Âb-ı hayat: Hayat suyu. İçeni
ölmezliğe kavuşturan
masal suyu. Güzelin
dudağı.
Âbâdan: Şenlikli.
Âb-tâb: Güneş, Şarab.
Sarhoş.
Acâib: Şaşılacak şeyler.
Âfâk: Ufuklar, bütün dünyâ.
Âfad: Büyük dertler.
Âfet: Sakınılacak hâl. Çok
güzel insan.
Âfet-zede: Büyük belâya
uğramış.
Âftâb: Güneş. Güzel kimse.
Parlak yüz.
Âgaz: Başlama.
Âgâh: Uyanık.
Âguş: Kucak.
Âğyâr: Gayrılar. Yabancılar.
Ahd: Bir işi üstüne alıp, söz
verme. Yemîn.
Âheste: Yavaş. Ağır.
Âhir: En son. En sonra.
Ahlâf: Bizden sonra gelecek
olanlar.
Ahsen: En güzel. Yakışıklı.
Ahter: Yıldız.
Âhû: Ceylân. Güzel genç.
Güzel göz.
Ahvâl: Durumlar. Oluşumlar.
Bulunuşlar.

Ahzân: Hüzünler. Tasalar.
Âkîbet: Son. Bitim.
Aks: Bir yere vurma. Çarpma.
Aksâ: Uzakta bulunan. Irak.
Âl: Yüce.
Â'lâm: İzler. İşaretler.
Âlâm: Elemler. Acılar.
Âlem: Bütün yaratıklar.
Dünyâ.
Âlûde: Bulaşmış. Bulaşık.
Âlüfte: Kendini şaşırmış.
Sevgi yüzünden aklını,
fikrini kaybetmiş.
Amâde: Hazır.
Â'mel: İşler. Yapılan,
uygulanan şeyler.
Âmal: Emeller. İstekler.
Amed: Gelme- Geliş.
Amel: İş.
An: Kısa zaman.
Anber: Güzel koku.
Andelib: Bülbül.
Andelibân: Bülbüller.
Anka: Masal kuşu.
Ar: Utanacak şey. Ayıp.
Arak: Ter.
Âram: Dinlenme. Rahat etme.
Arzu: İstek. Özleme.
Âsâ: Gibi. Benzeyen.
Andıran.
Asan: Kolay.
Âsım: Temiz. Namuslu.
Âsiyâb: Dünya. Devlet.
Asla: Hiç bir zaman.
Asmân: Âsüman. Gök.
Âsude: Rahatlamış.
Âşık: Birini seven. Tutkun.
Âşıkan: Âşıklar.
Âşıkane: Âşıklara yakışır

yolda.
Âşikâr: Açık. Belli.
Âşina: Bildik. Tanıdık.
Âşiyân: Kuş yuvası. Ev.
Aşk-perver: Aşk besleyen.
Sevgi arttıran.
Âşûb: Kargaşalık.
Âşüfte: Çıldırırcasına seven.
Atâ: Hediye. İhsan.
Âteş-bar: Ateş yağdıran.
Yakıcı.
Âteşin: Ateş gibi pek kızgın.
Yakıcı.
Âteş-i zen-i can: Rûhu
yakan. Rûha ateş saçıcı.
Âtıfet: Sevgi. Acıma.
Âtufet: Lûtuf. Nezâket.
Şevkat.
Âvâre: Boş gezen.
Âvaz: Ses. Sedâ.
Âvâze: Yüksek ses.
Âyâ: Şaşma. Sorma. Acaba
anlamında.
Â'ya: Yorulma. Yorgunluk.
Âyan: Açık. Meydanda.
Ayş: Yaşama. Yaşayış. Yiyip,
içme. Zevk ve sefâ.
Âzad: Kimseye bağlı
olmayan. Serbest
düşünceli.
Âzâde: Her türlü bağdan
kurtulmuş.
Âzâde-dil: Gönlü bir şeye
bağlı olmayan.
Â'zar: Bahâneler. Kusurlar.
Âzar: İncitme.
Âzurde: İncinmiş.

- B -

Bâb: Kapı.
Bâd: Rüzgâr.
Bâde: Şarab.
Badgân: Gözetici.

Bâdi: Sebep.
Bâğ-ban: Bahçıvan.
Bağçe: Bahçe.
Bahr: Deniz.
Bahş: Bağış. İhsan.
Baht: Uğur. Tâlih. Yazı.
Kader.
Bahtiyar: Kutlu. Mutlu.
Bâis: Sebep.
Bâlâ: Yüksek. Yüce.
Bâr: Yük, ağırlık. Kez, defâ.
İzin. Yemiş, meyve. Kale,
duvar.
Bar: "Yağdıran, saçan,
serpen, dökülen"
anlamlarıyla bileşik
kelimeler yapmada
kullanılır.
Barân: Yağmur.
Bedel: Bir şeyin yerini tutan.
Bedr: Dolunay. Ondört
gecelik ay.
Behîşt: Cennet. Uçmak.
Beka: Bulunduğu yerde
kalma.
Begâm: İsteğine kavuşmuş.
Beli: Evet.
Bend: Bağlama.
Berg: Yaprak.
✓**Bergüzâr:** Anılmak üzere
verilen armağan.
Berk: Şimşek.
Ber-murâd: İsteğine ermiş.
Bernâ: Genç.
Beste: Ezgi. Hava. Müzik.
Bestekâr: Besteci.
Beşer: İnsan.
Beyn: Ara. Aralık.
Beyt: İki mısrâdan meydana
getirilmiş nazım.
Bezm: Konuşma. Yiyip içme
meclisi.
Bî: Başlarına katıldığı
isimlerin anlamına
olumsuzluk kadar.

Bî-baht: Tâlihsiz.
Bî-bedel: Benzersiz. Eşsiz.
Bî-çâre: Çâresiz.
Bîdar: Uyanık.
Bîgâh: Vakîtsiz.
Bîgâne: Yabancı.
Bî-hâb: Uykusuz.
Bî-haber: Habersiz.
Bihter: en iyi.
Bîhûd: Kendinden geçmiş.
Bîhûde: Beyhûde.
Bîhûş: Baygın. Kendinden
  geçmiş.
Bî-karâr: Kararsız.
Bîkes: Kimsesiz.
Billah: Billâhi. Allah için.
Bimâr: Hasta.
Bî-mecâl: Dermansız. Zayıf.
Bî-nevâ: Nasipsiz.
Bî-pâyân: Sınırsız. Sonsuz.
  Tükenmez.
Bî-pervâ: Korkusuz.
Bî-riyâ: Gerçek olan.
Bî-sebep: Yok yere.
Bister: Döşek.

Bîtâb: Güçsüz.
Bî-vefâ: Vefâsız. Dönek.
  Sözünde, sevgisinde
  durmayan.
Bîzâr: Bıkmış. Usanmış.
  Küsmüş.
Bîzebân: Dilsiz.
Bû-bûy: Koku.
Bûse: Öpme.
Bûsiş: Öpüş.
Bûstan: Bahçe. Çiçek
  bahçesi.
Bühtân: İftira.
Bülend: Yüce. Yüksek.
Büzürk: Büyük.

- C -

Cây: Yer. Uygun. Münâsip.
  Yerinde.
Câdu: Büyücü. Çok güzel
  göz.
Câiz: İşlenmesinde bir suç
  olmayan. Olabilir. Olur.
Câlib: Kendine doğru çeken.
  Çekici.
Câm: Kadeh.
Cânâ: Sevgili.
Cânân: Canlar.
Cânâne: Sevgili. (Kadın)
Can-bahş: Can veren. İş
  açan.
Can-fezâ: Tâze hayat verici.
Can-gâh: Çok üzücü.
Can-sitân: Gönül alan.
Cefâ: Eziyet etme.
Cefâ-cu: Cefâ arayan. Cefâ
  eden.
Cefâ-kâr: Cefâ çekmiş olan.
Cem: Toplama. Bir yere
  getirme.
Cemâl: Güzellik.
Cenân: Yürek. Gönül.
Cevr: Haksızlık edip, incitme.
Cilve-ger: Cilve ve naz eden.
Civân: Genç.
Cûy: Akarsu. Çay.
Cür'a: İçeni coşkunluğun son
  derecesine ulaştıran
  yudum.
Cûş: Kaynama. Coşma.
Cüdâ: Ayrılmış. Ayrı düşmüş.
Cürm: Suç.

- Ç -

Çak: Parça.
Çâk-çâk: Parça parça.
Çâre-saz: Düşünen. Bulan.
Çemen: Çimen. Yeşil alan.

Çerâğ: Aydınlatan. Açan.
Çeşm: Göz.
Çeşm-i âhu: Âhu gözlü.
Çeşmân: Gözler.

- D -

Dâd: Şikâyet. Feryâd.
Dâm: Tuzak.
Dâmân- Dâmen: Etek.
Dâr: Ev. Yer. Yurt.
Dehân- Dehen: Ağız.
Dehr: Zaman. Cihan.
Dem-â-dem: Her zaman. Sık sık.
Dem-saz: Uygun arkadaş.
Der-âğuş: Kucaklama. Sarma.
Derd: Kaygı. Tasa.
Derd-mend: Kasalı. Kaygılı.
Derd-nâk: Dertli.
Derman: Çâre.
Derûh: Yürek. Kalb.
Dest: El. Meclisin îtibarlı yeri.
Dest-res: İsteğine eren. Başaran.
Devrân: Zaman. Felek.
Dîdâr: Güzel yüz. Görme.
Dîde: Göz.
Dil: Gönül.
Dil-ârâ: Gönül bezeyici. Sevgili.
Dil-ârâm: Gönle rahat verici.
Dil-âzâr: Gönül inleten. Hatır kıran.
Dil-baz: Gönül eyleyen.
Dil-beste: Gönül bağlamış. Âşık.
Dil-cû: Gönül arayıcı. Gönül çeken.
Dil-fikâr: Gönlü yaralı.
Dil-harâb: Gönlü yıkılmış.
Dilhûn: Pek dertli olan.
Dil-küşâ: İç açıcı.
Dil-sitân: Gönül zaptedici.

Dil-keş: Gönül çeken.
Dil-nüvâz: Gönlü okşayan. Hoşa giden.
Dil-pesend: Gönlün beğendiği.
Dil-rübâ: Gönül kapan.
Dil-sûz: Yürek yakan. Acıklı.
Dil-şâd: Gönlü sevinçli.
Dil-şikâr: Gönül avlayan.
Dirahşân: Parlak.
Diriğ: Esirgeme.
Dîvâne: Deli.
Dost: Sevilen kimse.
Dûçâr: Yakalanmış. Tutulmuş.
Dûd: Acı. Gam.
Duhter: Kız. Şarap.
Dûr: Uzak.
Dûş: Sırt. Omuz.
Dü: İki.
Dür: İnci.
Dürûğ: Yalan.
Düzah: Cehennem.

- E -

Ebed: Sonu olmayan gelecek.
Ebrû: Kaş.
Efgan: Acı ile bağırma.
Efgende: Yıkılmış. Düşkün. Bağlı.
Eflâk: Felekler.
Efsâne: Masal.
Efsun: Büyü.
Efsûs: Yazık.
Efşân: "Saçan, dağıtan" anlamlarıyla kelimelere katılır.
Efzûn: Çok.
Ekalim: İklimler.
Ekdâr: Kederler.
Elem: Ağrı. Acı.
El'aman: Aman. İmdât.
Elhân: Ezgiler.

Elvan: Renkler.
Emel: Umma. Şiddetli istek.
Encâm: Son.
Endâm: Boy, bos, biçim.
Endâz: "Atan, atıcı" anlamlarıyla kelimeleri sıfatlaştırır.
Enhâr: Nehirler, ırmaklar.
Enîn: İnleme. İnilti.
Enver: Çok parlak.
Eshar: Sabah vakitleri.
Esrâr: Sırlar.
Eşk: Gözyaşı.
Etvâr: Haller. Davranışlar. Tavırlar.
Eyyâm: Günler.
Ezel: Başlangıcı olmayan geçmiş zaman.
Ezhâr: Çiçekler.

- F -

Fâik: Üstün.
Fâş: Meydana çıkmış. Yayılmış.
Fâriğ: Anlamak.
Fecr: Sabahın çok erken vakti. Tan zamanı.
Fehm: Anlayış, anlama.
Felâh: Kurtuluş. Mutluluk.
Felek: Gök. Zaman. Talih. Dünyâ.
Ferâgat: Vazgeçmek.
Ferahnâk: Sevinçli.
Ferâmuş: Unutma. Hatırdan çıkarma.
Ferda: Yarın. Gelecek zaman. Kıyamet.
Ferîd: Tek. Eşi olmayan.
Fersa: "Eskitici, yıpratıcı, yoran" anlamlarıyla kelimelere katılır.
Ferş: Döşeme. Yayma. Yayılma.

Feyz-bahş: Bereket veren.
Figan: Bağırıp, çağırma.
Firâk: Ayrılık.
Füsûn: Büyü.

- G -

Gaddar: Zulmeden.
Gadr: Vefâsızlık. Acımasızlık.
Gafil: Habersiz.
Gaflet: Boş bulunma.
Gâh- Geh: Zaman. Vakît. An. Bazı. "Zaman veya yer" gösteren kelimelere katılır.
Gâhi- Gehi: Ara sıra. Bazı bazı.
Galeyân: Kaynama.
Gam: Kaygı. Tasa.
Gam-dîde: Gam görmüş. Tasalı.
Gam-Fersâ: Gamı dağıtan.
Gam-Hâr: Tasası olan. Kaygı çeken.
Gam-nâk: Tasalı. Kaygılı.
Gam-penâh: Tasalı yer.
Gam-perver: Gam besleyen. Gam arttıran.
Gamze: Göz kırpma. Gözle işaret. Naz ile bakma.
Gam-zede: Gamlı.
Gâr-Ger: "Yapan, yapıcı" anlamıyle kelimelere katılır.
Garam: Aşk derdi. Olağanüstü sevgi.
Garaz- Garez: Niyet. Maksat. Kötü niyet. Gizli düşmanlık.
Garîb: Yabancı. Kimsesiz.
Garîban: Garîb kimseler.
Garik: Bir şeye bol bol kavuşmuş.
Gark: Batma- Boğulma.
Garra: Parlak.
Gaşy: Bayılıp kendinden geçme.
Gayb: Gizli. Görünmeyen.
Gayet: Son. Bitim.

Gayr: Başka. Diğer.
Gayret-ver: Gayretli.
Gazel: Konusu daha çok
  sevgi ve içli olan manzume.
  Tek kişinin özel ahenkte
  okuduğu musîkî parçası.
Gazel-han: Gazel okuyan.
Geda: Dilenci. Yoksul.
Ger: "Eğer" kelimesinin
  kısalmışı. İsimleri sıfat
  hâline koyar.
Gerçi: Her ne kadar.
Germ: Sıcak.
Germ-ü serd: Sıcak. Soğuk.
Geşt: Geçme. Gezme.
  Dolaşma.
Giriftâr: Tutulmuş.
  Yakalanmış.
Girîzân: Kaçan. Kaçıcı.
Giryân: Ağlayan.
Girye: Ağlama. Göz yaşı.
Girye-bâr: Gözyaşı döken.
Girye-dâr: Ağlamış.
Girye-feşân: Gözyaşı saçan.
Giryende: Ağlayıcı.
Girye-pâş: Gözyaşı dökücü.
Giysû-Geysû: Saç. Saç
  örgüsü.
Gonce: Açılmamış gül.
Gû-Gûy: "Diyen, söyleyen"
  anlamıyla kelimelere katılır.
Gubar: Toz.
Gufran: Tanrı bağışı,
  acıması.
Gülâm: Erkek çocuk.
  Delikanlı. Köle. Kul.
Gulgule: Gürültü. Çığrışma.
Gûn: Renk. "Çeşit" anlamıyla
  kelimelere katılır.
Gûna- gûn: Türlü türlü.
Gümrâhan: Doğru yoldan
  çıkmış. Yolunu sapıtmış
  olanlar.
Güzâr: Geçme. Geçiş.
  "Yapan, geçiren, ödeyen"

anlamlarıyle kelimelere
  katılır.
Güzeşt: Geçme. Geçiş.
Güzide: Seçilmiş.

- H -

Hâb: Uyku. Rüyâ.
Hab: Sıkıntı. Üzüntü.
  Yazıklama.
Haber-dâr: Haberi olan.
Hâb-gâh: Uyku yeri. Yatak
  odası.
Hâbide: Uykuda. Uyumuş.
Hâdise: Olay. Meydana çıkan
  hâl.
Hâhiş: İstek.
Hâk: Toprak.
Hâlâ: Bu zamana kadar.
Hâled: Yürek. Kalb.
Hâlet: Hâl. Takdîr.
Hâmuş: Susan. Susmuş.
  Sessiz.
Hamir: Hamur. Maya.
Handân: Gülen. Neş'eli.
  Sevinçli.
Hande: Gülme. Eğlenme.
  Açılma.
Hânende: Şarkı söyleyen.
Hâr: Diken.
Harâbat: Yıkıklar.
Haîîm: Herkesin
  giremeyeceği yer. Eş, dost.
Hasen: Güzel. İyi.
Hasret: Göreceği gelme.
Hassasiyet: Bir şeye mahsûs
  olan kuvvet. Fayda. Tesir.
Haşr: Toplama.
Hâtem: Mühür. Son. En son.
Hayâl: Sanı.
Hayâlât: Hayaller.
Hayfa: Yazık.
Hayrân-ı tüem: Senin
  hayrânınım.

Hazân: Güz. Sonbahar.
Hazer: Sakınma. Çekinme.
Hebâ: Harcama.
Heder: Boş yere harcanma.
　Ziyân olma.
Helâk: Çok yorulma.
Heman: Hemen. Çabuk.
Hem-dem: Sıkı fıkı
　arkadaşlık.
Hemişe: Her zaman. Dâima.
Hem-râz: Dost.
Hem-zebân: Aynı şeyi
　konuşan Dert ortağı.
Hengâm: Çağ. Zaman. Devir.
Hengâm-ı mesâr: Neş'eler
　zamanı. Sevinç ve neş'e
　devri.
Hercâi: Gel, gel. Yanar
　döner.
Her-dem: Her vakît.
Hevâ: Hoşlanma. Düşkünlük.
　Sevgi. Sevdâ.
Heves: İstek.
Hey hey:.Bir meclis sonunda
　içilen içki dolu kadeh.
Hezâr: Bülbül.
Hezar: Bülbül.
Hicab: Utanma. Sıkılma.
Hicr: Ayrılık.
Hicran: Unutulmaz acı.
Hilâf: Karşı. Karşıt.
Hilâl: Yeni ay. Kaş.
Hirâm: Sallanma.
Hirâmân: Salınarak.
Hitâban: Söyleyenler.
Hoş-bû: Güzel kokan.
Hû: Derviş selâmı.
Hûbân: Kadın ve erkek
　güzeller.
Huld: Sürüp giden. Cennet.
Hulf: Sözde durmama.
　Cayma.
Hulûl: Konma. Girme.
Humâr: Sersemlik. İçki
　içtikden sonra gelen baş
　ağrısı. Acısını çekme.

Hunhâr: Zâlim.
Hûn: Kan. Öldürme.
Hûn-rîz: Zâlim.
Hurşîd: Güneş.
Hüsrân: Zarar, kayıp.
Husûl: Vücuda gelme.
　Meydana çıkma.
Hûmâyûn: Kutlu. Kutsal.
Hüsn: Güzellik.
Hüveydâ: Meydanda. Açık.
　Belli.

- I - İ -

Idîyye: Bayramlık.
Iısrâr: Direnme.
Iyş: İşret.
İbda: Örneksiz bir şey
　getirme. Yaratma.
İptîlâ: Düşkünlük.
İfhâm: Susturma.
İfham: Anlatma. Bildirme.
İflâh: Kutlu olma. Başarılı
　olma.
İftirâk: Ayrılma. Dağılma.
İhvân: Candan dostlar.
İhyâ: Diriltme. Canlandırma.
İltiyâm: Yara kapanıp,
　unulma.
İncâz: Yerine getirme.
İnfiâl: Gücenme. Darılma.
İstiğna: Eldeki yeter bulma.
　Tok gözlülük.
İş'ar: Belli etmek.
İştîbâh: Şüphe etme.
İştîhâr: Ünlü olma.
İtmam: Bitirme. Tamamlama.
İzar: Yanak.
İzhâr: Gösterme. Meydana
　çıkarma.

- K -

Kader: Alın yazısı.
Kadir: Kudret sahibi.
Kahr: Fazla kederlenme.
Kâm: İstenen şey. Arzu.
  Meram.
Kâm-yâb: İsteğini bulmuş.
Kamer: Ay.
Kâr: İsimlere katılarak o işi
  yapan anlamını verir.
Kasd: Kurma. Niyet. Bile bile
  yapma.
Kasem: And. Yemîn.
Kasr: Köşk. Kısma. Kısaltma.
  Eksiklik.
Katre: Damla.
Kavl: Söz.
Keder: Tasa.
Kilk: Kalem.
Kişver: Ülke.
Kelâm: Söz.
Kemha: Bir çeşit elbise.
Kes: Kimse.
Kurbân-ı tüem: Senin
  kurbânınım.
Kûy: Semt. Köy.
Küşâ: ".Açan, açıcı"
  anlamlarıyla tamlama
  yapmada kullanılır.
Küşâde: Açık.

- L -

Lâbüdd: Gerekli. Gerek.
Lahd: Mezar.
Lâhza: Bir bakış. Bir göz
  atma.
Lâ'l: Kırmızı. Al. Dudak.
Lâle-zâr: Lâle bahçesi.
Lâne: Yuva.
Lâyık: Yakışan.
Leb: Dudak.
Lem'a: Pırıltı.
Lerzan: Titreyen.
Lerzîş: Titreme.
Levm: Çekiştirme. Paylama.

Leyâl: Geceler.
Leyl: Gece.
Lûtf: Hoşluk. Güzellik. İyi
  muamele.

- M -

Maada: Başka. Fazla.
Mâcerâ: Olup geçen şey.
Mâder: Anne.
Mağrûr: Güvenen.
Mah- Meh: Ay. Güzel genç
  veya kız.
Mâ-hasal: Hâsıl olan şey.
  Sonuç.
Mahbûb: Sevilen.
Mahfî: Gizli. Saklı.
Mahrem: Yasak. Harem.
Mahrûm: Nasipsiz.
Mahzûn: Tasalı, kaygılı.
Mahzûz: Hoşlanan.
Maksûd: Merâm olunan.
  Dilenen şey.
Mânend: Benzer. Eş.
Mâtem-zade: Yaslı.
Mâzi: Geçen. Geçmiş.
Mebnâ: Yapı yeri. Temel.
Mecrûh: Yaralı. Yaralanmış.
Medâr: Sebep. Vesile. Vasıta.
Meded: Yardım. Eyvah.
  Aman. Yazık.
Mefkûd: Olmayan.
  Bulunmayan.
Meftûn: Tutkun. Vurgun.
Meh: Ay.
Mehcur: Bırakılmış.
  Unutulmuş.
Meh-peyker: Ay yüzlü.
Melâl: Usanç. Bıkma.
  Sıkılma.
Melâmet: Azarlamak.
  Kınamak. Çıkışmak.
Memlû: Dolu.
Mend: Eklendiği kelimeleri
  "Li" anlamlı kılığa koyar.

Menûs: Alışılmış.
Merâm: İstek. İçten
  tasarlanan. Niyet.
Merbûd: Bağlı.
Mesâ: Akşam.
Mesrûr: Sevinmiş. Meramına
  ermiş.
Mest: Sarhoş. Keyif hâlinde.
Mestâne: Fazla içkili gibi.
Meşk: Alışma için yapılan
  çalışma.
Meşreb: Tabiat. Yaradılışta
  olan nitelik.
Meşrîk: Güneşin doğduğu
  yer.
Mevce: Dalga.
Mey: Şarab.
Mey-gûn: Şarap renginde.
Mey-hâne: İçki içilen yer.
Mezâya: Meziyetler.
Mihnet: Zahmet. Eziyet.
  Sıkıntı. Dert.
Mihr: Güneş. Sevgi. Dostluk.
Mihmân: Konuk.
Mihribân: Seven. Dost.
  Güleryüzlü.
Mirât: Ayna.
Miyân: Bel. Ara.
Muâdil: Eşit.
Muhâl: Mümkün olmayan.
Muin: Yardımcı.
Muntazır: Bekleyen.
  Gözeten.
Musavver: Düşünülmüş.
  Tasarlanmış.
Mu'tâd: Alışılmış. Âdet olmuş.
Mutantan: Tantanalı.
Mutrîb: Çalgıcı. Saz çalan.
Mübeddel: Değişmiş.
  Değiştirilmiş.
Mübîn: Açık. Besbelli.
Müjgân: Kirpikler.
Mül: Şarap.
Mürg: Kuş.
Mürg-i dil: Gönül kuşu.
Mürüvvet: İnsanlık.

Müşk: Mis.
Müştaak: Özleyen. Can atan.

- N -

Nâb: Berrak.
Nâ-bedîd: Görünmez.
  Belirsiz.
Nabz: Bilek damarları.
Nabz-gir: Yaranmasını bilen.
Nâ-çâr: Çâresiz.
Nâ-dîde: Görülmemiş.
Nâ-gâh: Vakîtsiz.
Nagam: Ezgiler, türküler.
Nâ-gehân: Ansızın.
Nağme: Âhenk. Ezgi.
Nağme-ger: Öten. Türkü
  söyleyen.
Nağme-kâr: Şarkı söyleyen.
Nahl: Sevgilinin boyu.
Nâ-hoş: Hoşa gitmeyen.
Nâk: İsimlere katılarak sıfatlar
  meydana getirir.
Nâ-kâm: İsteğine erememiş.
  Mahrûm. Yoksun.
Nakarat: Şarkı bendlerinin
  sonlarında tekrarlanan
  beyit veya mısrâlar.
  Durmadan tekrar edilen
  aynı şeyler.
Nakdine: Değerli mal.
Nakş: Resim.
Nâlân: İnleyen.
Nâle: İnleme.
Nâm: Ad, isim.
Nâ-mûrâd: İsteğine
  ulaşamamış.
Nâr: Ateş.
Nâ-saz: Uygunsuz. Uymaz.
Nâ-şâd: Hüzünlü. Kederli.
Nâtt: Överek anlatma ve
  niteleme. Muhammed
  Peygamber üzerine
  yazılmış kaside.
Nâvek: Ok.

Nâ-yâb: Bulunmaz. Benzeri olmaz.

Naz: Kendini beğendirmek için takınılan yapmacık davranış.

Nazar: Bakma. Göz atmâ.

Nâzende: Nazlı- Sevgili.

Nâzenîn: Cilveli.

Nâzır: Bakan- Nazar eden.

Nazîr: Benzer.

Naz-perver: Naz eden.

Nazra: Bir tek bakış.

Necm: Yıldız.

Nehar: Gündüz.

Nermîn: Yumuşak.

Nesîm: Hafif ve hoşa giden rüzgâr.

Nesteren: Yabanî gül.

Neş'e-yâb: Neş'eli. Keyifli.

Neşve: Sevinç.

Neşve-gâh: Neş'e yeri.

Nev': Yeni- Tâze.

Nevâ: Ses- Âhenk. Nasîb.

Nevâz- Nüvâz: "Okşayan, okşayıcı" anlamıyla kelimelere katılır.

Nev-bahâr: İlk bahar.

Nev-civân: Taze. Genç. Delikanlı.

Nev-edâ: Yeni tarz. Yeni edâ.

Nev-res: Yeni yetişen.

Nev-reste: Yeni hâsıl olmuş.

Nez': Can çekişme.

Nigâr: Güzel sevgili.

Nigeh: Bakış. Bakma.

Nigeh-bân: Bekçi. Gözcü.

Nihâl: Fidan.

Nihân: Gizli. Saklı.

Nihânî: Gizlice.

Nikab: Yüz örtüsü. Peçe.

Nîm: Yarım.

Nîmet: İyilik.

Nisyân: Unutmak. Hatırdan çıkarma.

Nişîn: "Oturan, oturmuş" anlamıyla kelimelere katılır.

Niyâz: Yalvarma. Duâ.

Nizâr: Zayıf.

Növbet: Sıra.

Nümâ: "Gösteren, bildiren" anlamlarıyla kelimelere katılır.

Nûsh: Nâsihat.

Nûş: Tatlı, bal. İçki, işret. İçme "içen, içici" anlamıyle kelimelere katılır.

Nümâyan: Görünür.

- P -

Pâkize: Temiz.

Pây: ayak.

Pâ-bûs: Ayak öpen.

Pâş: "Saçan, serpen" anlamlarıyla bileşik kelimeler yapar.

Pâyân: Son. Bitim.

Pây-dâr: Sağlam. Sürekli.

Pâye: Rütbe. Derece

Pâyin: Aşağı.

Penâh: Sığınma. Sığınacak yer.

Perdâz: "Düzeltici, düzenleyen" anlamlarıyla bileşik kelimeler yapmada kullanılır.

Perçem: Uzunca saç.

Perende: Uçan- Uçucu.

Perest: "Tapan, tapınan, taparcasına seven" anlamlarıyle kelimeler yapılmada kullanılır.

Perestâr: Kul.

Perestîş: Tapınma. Tapma.

Perî: Çok güzel insan.

Perî-rûh: Perî yanaklı.

Perişân: Dağınık. Karışık. Kederli. Kaygılı.

Pertev: Işık. Parlaklık.

Pervâ: Korku. Çekinme.

Pervâz: Uçma.
Perver: "Besleyen, besleyici.
　Yetiştiren, eğiten"
　anlamlarıyle bileşik
　kelimeler yapılmada
　kullanılır.
Pervîz: Üstün.
Pesend: Beğenme, seçme.
Pesen-dîde: Beğenilmiş,
　seçilmiş.
Pest: Aşağı. Alçak. Yavaş
　yavaş sesle söylenilen.
Peşîmân: Pişman. Nedamet
　getirmiş.
Peyâm: Haber.
Pey-a pey: Bir biri
　arkasından. Durmadan.
Peydâ: Meydanda. Açıkta.
Peykân: Okun ucundaki sivri
　demir.
Peyker: Yüz.
Peymân: And.
Peymâne: Büyük kadeh.
　Bardak.
Pirehân: Gömlek.
Pister- Bister: Yatak. Döşek.
Pîş: Ön. Ön taraf.
Pîşe: San'at. İş. Huy.
　Alışkanlık.
Pîşe: "Alışılmış, huy edinmiş"
　anlamıyla bileşik kelimeler
　yapmada kullanılır.
Pişrev: Önden giden.
　(Peşrev)
Piyâle: Kadeh.
Pulâd: Çelik.
Pür: Dolu. "Çokluk, fazlalık,
　bolluk" bildiren bileşikler
　yapılır.
Pür-melâl: Çok sıkıntılı.
Püşt-ü penâh: Dost arkasına
　sığınma.

- R -

Rağbet: İstek, arzu.
Rah: Şarab. İçki.
Rah-reh: Yol.
Rahm: Acıma. Esirgeme.
　Koruma.
Rahş: Yürük. Gösterişli at.
Rahne: Yıkık. Zarar.
Rahşân: Parlak.
Râm: İtaatli. Teslim olmuş.
Râ'nâ: Güzel. Hoş.
Rast: Doğru. Gerçek.
Râ'şe: Titreme.
Râyihâ: Koku.
Râz: Sır. Gizli şey.
Râzı: Boyun eğen. Kabul
　eden.
Rebi': Bahar.
Reftâr: Salınarak yürüme.
Reh- Rah: Yol.
Rehâ: Kurtulma.
Rehâ-kâr: Kurtarıcı.
Reşk: Kıskanma.
Reşk-i bahar: Baharı
　kıskandıracak kadar güzel.
Revâ: Lâyık. Uygun. Câiz.
Revâc: Geçerlik. İtibarda
　olma.
Revân: Giden.
Revnâk: Parlaklık. Güzellik.
Rişte: İlgi. Bağ.
Rû-Rûy: Yüz.
Ruhsat: İzin.
Rûşen: Aydın. Parlak.
Rûz: Gün. Gündüz.
Rûze: Günlük.
Rûzi: Günlük. Nasib.
Rûbâ: "Kapan, kapıcı"
　anlamıyle kelimelere katılır.
Rübâi: Belli vezinlerle yazılan
　dört mısralık manzume.
Rübude: Kapılmış. Kapılan.
Rüsvâ: Haysiyeti kalmayan.
　Rezil olan.
Rüveyde: Hoş. İnce. Nâzik.

- S -

Saadet: Mutluluk.
Sabâ: Gün doğusundan esen
  hafif ve tatlı yel.
Sabr: Başa gelen acı şeye
  dayanma. Bekleme.
Sâd: Yüz.
Sadâkat: Dostluk.
Sadberk: Katmerli.
Sâd-pâre: Yüz parça.
Sadr: Göğüs. Yürek.
Saf: Katıksız.
Safâ': Saflık. Berraklık.
Safâ-yâb: Safâ bulmuş.
Saffet: Temizlik.
Sâgar: Kadeh.
Sahbâ: Şarap.
Sâmân: Servet. Rahat.
Sanem: Güzel kimse.
Savt: Ses.
Sây: Çalışma. Emek.
Sayd: Av.
Sâz: "Yapan, eden" anlamıyle
  kelimelere katılır.
Sâzende: Çalgıcı.
Seher: Sabah açılmaya
  başladığı vakît.
Sehhâr: Büyücü. Büyüleyici.
Semen: Yasemen.
Senk: Taş.
Ser: Baş.
Ser: "Baş, başkan" anlamıyle
  kelime başlarına katılır.
Serâpâ: Baştan ayağa.
Serâser: Baştan başa.
Serd: Soğuk.
Sereyân: Dağılma. Yayılma.
  Geçme.
Sertâb: İnatçı.
Serv: Servi. Selvi. Sevgilinin
  boyu bosu.
Seyr: Yürüme. Yürüyüş.

Seyrân: Gezinme.
Seylâbe: Sel. Su.
Sezâ: Uygun.
Sihr: Büyü.
Sîne: Göğüs. Yürek.
Sîmat: Damgalar. İzler.
Sîne-çâk: Yüreği yaralı.
Sirişk: Gözyaşı.
Sitan: "Alan, alıcı" anlamıyle
  kelimelere katılır.
Sitan: Katıldığı kelimeye yer
  anlamı katar.
Sitem: Haksızlık. Zulüm.
  Eziyet. Çıkışma.
Sitem-ger: Haksızlık eden.
Sû-Sûy: Yan. Taraf.
Subh: Sabah. Sabah vakti.
Sub-dem: Sabah zamanı.
Sûz: Yanan.
Suz: "Yakan, yakıcı"
  anlamıyle kelimelere katılır.
Suzân: Yakan. Yanan.
Sûziş: Yanma. Yakma.
Sûznâk: Yakan. Dokunaklı.
Sühân: Söz.
Süvâr: Binici. Binen.

- Ş -

Şâd: Sevinçli.
Şâdi: Sevinç.
Şafak: Güneş batmasından
  sonra olan alaca karanlık.
  Tan zamanı.
Şah- Şeh: Pâdişah.
Şâne: Tarak.
Şâyân: Yaraşır. Uygun.
Şeb: Gece.
Şebâb: Gençlik.
Şebnem: Çiy.
Şehâ: Ey şah... Ey Pâdişah.
Şem: Mum.
Şetâret: Neş'eli olma. Şenlik.
Şevk: Şiddetli istek. Keyif.

Neş'e.
Şeydâ: Dîvâne. Şaşkın.
Şikâr: Av.
Şikest: Kırma. Yenilme.
Şikeste: Kırılmış.
Şitâbân: Koşan. Çabuk olan.
Şîve: Ağız. Tarz. Uslup.
Şîve-baz: Naz ve cilve eden.
Şîve-ger: Şîveli.
Şûh: Neş'eli.
Şûle: Alev.
Şurûde: Karışık.

- T -

Tâb: Güç. Kuvvet. Parlaklık.
  Tâzelik.
Tâb: "Parlayan, parlatan"
  anlamıyle kelimelere katılır.
Tâban: Parlak. Işıklı.
Tâ be key: Ne zamana kadar.
Tabîb: Hekim. Doktor.
Tâc-dâr: Taç giyen.
Tâhammül: Yükü üstüne
  alma.
Tahfif: Hafifletme.
Târ: Karanlık.
Tarab: Sevinç. Şenlik.
Tarf: Bakış. Göz ucu.
Târümâr: Karmakarışık.
  Dağınık.
Tarz: Biçim. Kılık.
Tasdi': Rahatsız etme.
  Sıkma.
Tâ'yib: Ayıplama.
Tebâh: Yıkılmış. Tükenmiş.
Tedbir: Bir işin başarısını
  sağlama çâresine baş
  vurma.
Tegafül: Bilmezliğe gelme.
Telehhüf: Acınarak sızlanma.
Tear: Tâze.
Terahhüm: Acıma. Rahmet
  dileme.
Terennüm: Güzel ve yavaş

sesle şarkı söyleme.
Terk: Bırakma. Vazgeçme.
Tersâ: Yabancı. Hristiyan.
Tesellî: Avutma.
Te'sîr: İz bırakma. Dokunma.
  İçe işleme. Etki.
Tıfl: Küçük çocuk.
Tir: Ok.
Türâb: Toprak. Toz.
Tüvân: Güç.

- U -

Ufk: Ufuk.
Uhde: Söz verme.
Ukde: Düğüm.
Ummân: Büyük. Engin deniz.
Usûl: Tertip. Düzen.

- Ü -

Üfkende: Düşkün. Bağlı.
Üftâde: Düşmüş. Düşkün.
Üftâdegân: Düşkünler.
  Tutkunlar. Aşıklar.
Üftâde-menem: Ben senin
  düşkünüm, âşığınım.
Üful: Batma.
Ülfet: Alışma. Kaynaşma.
  Görüşme. Konuşma.
Ümid- Ümmid: Umut.
Ünsiyyet: Alışkanlık. Düşüp
  kalkma.
Üslûb: Tarz. Yol. Biçim.

- V -

Vâ-beste: Ancak onunla
  olabilir.
Va'd: Söz verme. Üste alma.
Vâ'de: Önden belirtilen
  zaman.
Vâh: Yazık.
Vahş: İnsandan kaçan.

Yabâni.

Vakt: Zaman. Vakit.

Vallâhi: Allah için.

Vâreste: Kurtulmuş. Rahat.

Vasl: Ulaşma. Birleşme.

Vâ-veylâ: Eyvah. Yazık.

Vaz': Koma. Bırakma.

Vebâl: Günah.

Vecd: Dalgınlık.

Veçh: Yüz.

Vedâ: Ayrılma, ayrılık.

Vefâ: Sözde durma.

Vefâ-dâr: Vefâlı. Unutmayan.

Vefâkâr: Vefâlı.

Vehm: Esassız. Şüphe. Kuruntu.

Velev: Olsa da. Hattâ.

Velvele: Gürültü. Patırdı.

Verd: Gül.

Verd-i nâz: Nazlı gül. Naz gülü.

Veş: Benzetme edâtı olup "gibi" anlamıyle kelimelere eklenir.

Veyl: Yazık.

Vîran: Yıkık. Gamlı. Tasalı.

Vird: Öğrenci. Bazı duâlar.

Visâl: Sevdiğine kavuşma.

Vuslat: Kavuşma. Bir araya gelme.

- Y -

Yab: Bulan. "Bulunan, ele geçen" anlamıyle terkiplere girer.

Yâd: Anma.

Yâdigâr: Bir kimse veya nesneyi hatıra getirecek şey.

Yâr: Dost. Sevgili.

Yârân: Dostlar.

Yegâne: Tek.

Yeksân: Düz.

Yeldâ: Uzun.

Yemîn: And.

Ye's: Ümitsizlik.

- Z -

Zâhid: Din emirlerine bağlı.

Zahm: Yara.

Zâr: Sesli ağlama. İnleme.

Zar: İsim olan kelimelere eklenerek yer bildirir.

Zarâfet: İncelik.

Zebân: Dil.

Zebûn: Zayıf. Güçsüz. Kuvvetsiz.

Zede: "Vurulmuş, yakalanmış" anlamıyle tamlamalar meydana getirmede kullanılır.

Zehr: Zehir. Ağu.

Zehr-i hicrân: Ayrılık zehiri. Ayrılış acısı.

Zen: "Vuran, çalan" anlamıyle bileşikler yapmada kullanılır.

Zerre: Pek küçük. Parça.

Zevâl: Sona erme.

Zerrîn: Altın.

Zevrak: Kayık.

Zîb: Süs.

Zîba: Süslü. Yakışıklı.

Zikr: Anma.

Zinhâr: Sakın. Aman.

Zîra: Çünki.

Zîşân: Şanlı.

Zîver: Süs.

Zuhûr: Görünme.

Zulm: Haksızlık. Eziyet.

Zürefâ: Zarif kimseler.

Zühre: Çoban yıldızı.

Zülf: Saç.

(FİHRİST)

A

B

C

Ç

D

E

F

H

I

i

M

N

O

Ö

P

R

S

Ş

T

U

Ü

V

Y

— Gönül Dostlarımızın Dikkatine! —

Bugün Türk Sanat Musikîsi arşivimiz yirmibinin üzerindedir. Elinizde bulunan ilk iki ciltte yayınladığımız GÜFTELER, yıllardır radyo ve televizyonlarımızda gerek solo ve gerekse korolar tarafından icra edilmektedir.

GÜFTELER isimli ciltlerimiz bundan böyle seri halde kısa aralıklarla neşredilecektir. Üçüncü cildimizin baskı hazırlıkları devam etmektedir. Yakın bir zamanda kitapçınızdan temin edebilirsiniz. Dördüncü ve daha sonraki ciltler için en çok sevilen ve okunan kıymetli güftelerin derleme ve seçme çalışmaları son aşamasına gelmiştir.

Siz musikîmizi sevenlere ve icra edenlere hizmet vermenin mutluluğu içinde çalışmalarımız hızla devam etmektedir.